Dagmar Seifert

Das Mittwochszimmer

Roman

Langen*Müller*

MIX
Papier aus verantwortungsvollen Quellen
FSC® C014496

Schutzumschlag: Wolfgang Heinzel, unter Verwendung eines Motivs
von plainpicture/Demurez Cover Arts
Satz: EDV-Fotosatz Huber/Verlagsservice G. Pfeifer, Germering
Gesetzt aus: 10,85/14 pt Adobe Garamond Pro
Druck und Binden: GGP Media GmbH, Pößneck
Printed in Germany
ISBN 987-3-7844-3392-9
Auch als ebook

www.langen-mueller-verlag.de

Inhalt

Für Niendorf
mit sehr freundlichen Gefühlen

Wenn Conny traurig war, dann dachte sie an Vico, ein unfehlbares Mittel seit dreiundvierzig Jahren.

Sie stellte sich einfach die schimmernden hellen Pünktchen in seinen dunklen Augen vor, die plötzlich aus der Tiefe nach oben schwammen, wenn er sich amüsierte. Sie dachte an die Art, wie er die Nase krauste, wenn er gegen die Sonne blickte. An sein bezauberndes Lächeln, das er gar nicht so oft zeigte und das sein sonst so kühles Gesicht immer ein wenig hilflos machte.

Oder sie erinnerte sich an die Behutsamkeit, mit der er sein Jackett um ihre Schultern legte, wenn ihr kalt war. An die Umständlichkeit, mit der er für sie auf seinem eigenen Teller ein Häppchen zum Probieren abschnitt.

Sobald Conny nervös wurde, auf einen Zahnarztstuhl klettern musste oder mit dem Wagen im Stau steckte – sowie natürlich jeden Abend im Bett, vor dem Einschlafen, malte sie sich aus, sie läge in Vicos Arm. Dann entspannten sich ihre gesträubten Nerven, als hätte sie eine besondere Medizin gelöffelt.

An diesem ganz besonders düsteren Montagvormittag im November schien eine große Dosis davon nötig. Ihr letzter noch lebender Verwandter – von ihrem Sohn abgesehen – war vor zehn Tagen (mit immerhin vierundneunzig Jahren) gestorben und sollte am frühen Nachmittag bestattet werden.

Mit der Post hatte sie eine Einladung vom Stadtteilverein Niendorf erhalten: im Hinblick auf ihren sechzigsten Geburtstag in knapp sechs Wochen machte der Gemeindedienst sie schon mal darauf aufmerksam, welche Senioren-Lustbarkeiten angeboten wurden, wie etwa Busausflüge, Bingo-Abende und Malgruppen.

Und die Frühjahrskataloge ihrer Modefirma konnten wegen eines Druckerei-Streiks nicht rechtzeitig geliefert werden. Conny fühlte sich gleichzeitig als trauerndes Kind, als frustrierte Greisin und als gestresster Firmenboss.

Nachdem es ihr gelungen war, im Terminal einen Parkplatz zu erwischen, stellte sich auch noch heraus, dass Erics Flugzeug aus London eine Stunde Verspätung hatte.

Eine Stunde!

In der Zeit, dachte sie wütend, hätte er ja bequem über den Kanal rudern können. Conny versuchte, ihren Sohn zu erreichen – was nicht klappte. Und wenn sie das Telefon nun schon mal in der Hand hatte, konnte sie die Beruhigungsdosis eigentlich auch verstärken …

Also wählte sie mit dem Daumen die Nummer, die ihr geläufiger war als jede andere. Obwohl sie nicht damit rechnete, Vico zu erreichen: Praxiszeit, er sprach sicherlich gerade mit einem Patienten oder einer Patientin, er untersuchte oder behandelte oder schrieb mit seiner schönen, schmalen Hand ein Rezept, die Lesebrille ganz vorn auf der edlen Nase …

Doch er meldete sich tatsächlich: »Van Loon?«

»Ach je!«, sagte Conny erschrocken. »Entschuldige – ich störe bestimmt? Ich wollte eigentlich nur mal deine Stimme auf Anrufbeantworter hören und dir was vorjammern …«

»Mein Schäfchen – du störst komischerweise nicht. Wir haben einen Stromausfall, alles ist finsterer als finster …« Vico lachte leise, ganz entspannt. »Draußen wurschtelt die Köckritz mit einem Mann von der Technik rum. Hier steht eine Kerze auf einer Untertasse, das sieht schon richtig nach Advent aus, fehlen nur die Kekse. Im Moment hab ich Pause, obwohl das Wartezimmer aus allen Nähten platzt … Was wolltest du denn jammern, Schäfchen? Hast du Probleme?«

»Also, ich steh in Fuhlsbüttel, Erics Flug ist verspätet – heute wird doch Onkel Dieter beerdigt …«
»Ach richtig, das war ja heute. Oh, mein armes Kleines! Jetzt gerätst du in Zeitdruck, was? Soll ich sagen, dass ich dich wahnsinnig lieb hab und Sehnsucht nach dem Mittwoch …«
Conny fühlte, wie ihre Mundwinkel nach oben gezogen wurden. »Das reicht, Liebling. Das hatte ich nötig. Und ich …«
Aber er unterbrach sie: »Du, eben ist das Licht angegangen. Ich bin wieder im Dienst. Das hattest du übrigens genial abgepasst. Wann wirst du zu Hause sein?«
»Ich weiß nicht genau … Am frühen Abend wohl. Eric wohnt über Nacht bei mir.«
»Klar«, Vico klang jetzt eilig und geschäftsmäßig, wahrscheinlich war die Sprechstundenhilfe oder der Techniker oder ein Patient oder alle zusammen in sein Zimmer gekommen. »Ich werde kurz anrufen oder jedenfalls eine Mail schicken. Alles Gute!« – und legte auf, bevor sie antworten konnte.
Trotzdem wirkte die Zaubermedizin. Conny steckte das Telefon in die Handtasche und blickte verträumt aus dem Fenster in den dunklen, trüben Tag. Alles war letztendlich nicht so schlimm. Sie würde in der Lounge einen schönen Kaffee trinken, sich ein wenig entspannen und in einer knappen Stunde zurückkommen, um ihren Sohn abzuholen. Der Friedhof konnte schließlich nicht weglaufen. Und der Onkel schon gar nicht …
Sie schlenderte über die Kacheln der Halle, kam an einem jungen Mann in Lufthansa-Uniform vorbei, der ihr lächelnd einen forschenden Blick schenkte, und strahlte zurück. Sie konnte unmöglich aussehen wie jemand, der Busausflüge oder Malkurse brauchte, um sich dem Grab entgegenzulangweilen.
Und überhaupt – Conny blieb stehen, kramte das Handy wieder aus der Tasche und wählte energisch: »Frau Kannemaker? Hat sich inzwischen was ergeben mit der Druckerei?«

»Mensch, Frau Hertz, wie gut, dass Sie anrufen. Allerdings hat sich was ergeben, eben gerade. Die Druckerei hat einen Ausweg gefunden, irgendein Konkurrent übernimmt noch schnell … Die Kataloge müssten spätestens übermorgen draußen sein!«

»Das ist ja wunderbar«, murmelte Conny dankbar.

War das jetzt Vico zu verdanken? Fügte sich alles, weil er sie in gute Laune versetzt hatte und weil diese gute Laune irgendwelche kosmischen Schicksalsknoten löste? Sie würde es ihm zutrauen.

Eigentlich gab es nichts, das sie ihm nicht zutraute.

Das 1. Kapitel
endet mit dem alten Jahr, fängt ein neues an und bekommt Babys
1954/55

Am Silvesterabend wurden zwei Frauen in Wehen in die Hamburger Klinik Finkenau eingeliefert: sie kletterten mit ihren großen Bäuchen zu beiden Seiten aus einem Taxi. Anschließend stiegen zwei Männer aus.
Oberschwester Dorette versuchte, die Personalien aufzunehmen, so gut sie etwas verstehen konnte, denn eine der Frauen schrie immer wieder dumpf, ein jämmerliches Blöken.
Auf der Straße explodierte ab und zu schon Feuerwerk. Zwei Ärzte in weißen Kitteln, geschmückt mit bunten Papphütchen, brennende Zigaretten in den Händen, gingen lachend durch die Aufnahme zum Ausgang.
Durch diese Unruhe hatte die Oberschwester bis jetzt nicht herausgefunden, welcher Mann eigentlich zu welcher Frau gehörte. Einstweilen saßen die beiden werdenden Mütter auf Stühlen, die eine laut, die andere leise. Ihre Begleiter, groß und schwer, sich sehr ähnlich und in schäbigen, schmuddeligen Wintermänteln, die nach feuchtem Keller rochen, wuselten wie kopflose Hühner um sie herum.
Dorette fuhr den, der gerade aufgeregt in ihre Nähe dribbelte, energisch an: »Kommen Sie mal her, Sie! Setzen Sie sich da hin! So! Wie heißt Ihre Frau?!«
Der Mann setzte sich zwar gehorsam, riss jedoch hilflos seine blauen Augen auf und antwortete sehr heiser: »Ich hab keine Frau!«
Das empörte die Schwester. Noch lauter und schärfer rief sie: »Was wollen Sie denn dann hier?«

Der Mann schluckte. »Ich bring meine Schwester her. Wegn … Weillas womöchlich kompleziert wird. Das hat der Dokter gesacht. Un denn soll sie hierher, ne.«
»Gut!«, Dorette rupfte ein Krankenblatt aus dem Halter. »Name?«
»Uwe Hertz. Mitm t, ne.«
»Mann – Ihre Schwester! Ihre Schwester heißt – ?!«
»Hanne.«
»Und hinten?«
»Wo hintn?«
»Wie Ihre Schwester mit Familiennamen heißt, will ich wissen!«, überbrüllte Dorette eine sehr heftige Wehe der lauten werdenden Mutter.
»Ja – auch Hertz natürlich.«
Dorette kniff den Mund zusammen und zog beide Augenbrauen mit einem Ruck hoch. »Also *Fräulein* Hertz!«
Der Mann zuckte zustimmend mit seinen wuchtigen Schultern und beantwortete dann alle weiteren Fragen: Seine Schwester war neunzehn Jahre alt – wohnte in Niendorf, im Rebhuhnweg – war im neunten Monat – hatte seit ungefähr vier Stunden Schmerzen.
»Schlimme Schmerzen?«, fragte Dorette, mit Blick auf die schreiende Frau.
»Weiß nich. Sie sacht ja nix …«, erwiderte der Mann und schaute auf die stille Frau.
Schade. Die falsche.
Fräulein Hertz wurde samt Bruder von Schwester Edeltraut weggebracht.
Dorette wandte sich an den anderen Mann.
»So. Jetzt brauche ich Ihre Personalien – beziehungsweise die von Ihrer Frau …«
Der Mann setzte sich. Sein rechtes Bein rutschte etwas beiseite, und Dorette erkannte, dass es künstlich war, eine Prothese.

Vom Bein abgesehen besaß er eine so unangenehme Ähnlichkeit mit dem anderen, dass die Schwester ahnte: »Sie heißen Hertz, oder?«
Der Mann nickte erleichtert.
»Sie sind ebenfalls ein Bruder von Fräulein Hertz?«
»Jo. Der ältere sogar. Ich bin Dieter. Das da ebn, was mit Hanne wech is, das' Uwe …«
»Dann gehen Sie nur auch hinterher. Sie werden sowieso gleich wieder weggeschickt, Männer haben im Kreißsaal nichts zu suchen«, erklärte Dorette. »Aber – Moment mal – zu wem gehört denn die andere Frau? Die saß doch mit Ihnen im selben Auto?«
»Weiß nich, wer das is – die stand zwei Straßen weiter und schrie immer Taxe – Taxe! Und wie der Fahrer gehaltn hat, da wollte sie auch in die Finkenau. Da ham wir sie dazugepackt … War ja nu schwanger genuch, ne. Seitden krakeelt sie egalwech …«
Dorette sah ein, dass sie die Personalien der zweiten Patientin wohl erst erfahren würde, wenn alles vorbei war. Während draußen ein Kanonenschlag explodierte, stand sie seufzend auf, um die werdende Mutter selbst in den Kreißsaal zu bringen.
In Deutschland war 1954 niemand frivol genug, eine Wette darauf abzuschließen, welche der beiden Patientinnen der Stadt vielleicht das erste Kind des Jahres schenken würde. Alles ging sehr ernsthaft und gesittet zu in der Finkenau.
Die Brüder Hertz wurden, wie Schwester Dorette es prophezeit hatte, nach Hause geschickt.
Und Doktor Möller schaffte es, der zweiten Patientin in einer Wehenpause Namen und Anschrift zu entreißen: Sie hieß Cäcilie Schnoor, war ihrerseits wenigstens ordnungsgemäß verheiratet, achtunddreißig Jahre alt, wohnte in Niendorf im Garstedter Weg und besaß bereits zwei Kinder.
Hanne gewann das Rennen! Um kurz nach zwei wurde sie von einer Tochter entbunden. Zweieinhalb Stunden später, wäh-

rend noch vereinzelt eine Rakete in den Himmel jaulte, kam das Baby Schnoor zur Welt. Übrigens war keins von beiden Hamburgs erstes Kind 1955. Das wurde in Borgfelde geboren, wenige Minuten nach Mitternacht, und landete deswegen am 1. Januar in der Tageszeitung, mit Foto.

Nachdem die Kinder geklappst, gewaschen, gewogen und angepikst worden waren, um ihnen Blut zu entnehmen, legte Schwester Edeltraut sie in das große Babyzimmer.

Die Babys benahmen sich ganz wie ihre Mütter: Fräulein Schnoor mit dem hellroten Haarwutz auf dem Kopf brüllte wie am Spieß, sodass ihr gesamtes Gesicht hellrot glühte. Fräulein Hertz, einige schwarze Strähnen auf der Stirn, verhielt sich musterhaft ruhig und blieb blass.

Cäcilie Schnoor und Hanne Hertz waren sich, obwohl sie in Niendorf so dicht beieinander wohnten, bis zu diesem Silvesterabend noch nie begegnet.

Nun verbrachten sie die Nacht mehr oder weniger nebeneinander im Kreißsaal und später, gegen Morgen des neuen Jahres, in zwei Betten, die sich gegenüberlagen.

Am frühen Vormittag kamen die beiden Onkel Hertz auf drei Beinen in ihren schäbigen, stinkenden Mänteln mit einem dürftigen Blumenstrauß und deutlichen Alkoholfahnen, um sich über das Kind im Arm ihrer kleinen Schwester zu freuen.

Auch Gärtnereibesitzer Schnoor (schrägstehende Schweinsäuglein, rostroter Schnauzbart, Mantel mit Pelzkragen) erschien mit seiner Mutter, den beiden älteren Töchtern sowie einem monumentalen Rosenstrauß, ohne Zweifel aus eigenen Beständen. Er hielt seinen verkaterten Kopf möglichst gerade und bewegte sich nur vorsichtig.

»Wie sollen sie denn heißen?«, fragte eine Schwester, die eben zum Tagesdienst erschien.

Sie erfuhr: Die kleinen Mädchen würden Cornelia heißen.

Cornelia Hertz und Cornelia Schnoor. Denn das war gerade ein sehr beliebter Name.

Eine uneheliche Geburt galt Mitte des zwanzigsten Jahrhunderts noch als Unglück, als Schande. Hanne Hertz war sich dessen wohl bewusst. Natürlich merkte sie, dass die Schwestern in der Finkenau sie ein bisschen herablassend und nicht sehr respektvoll behandelten.

Sie musste nicht überempfindlich sein, um mitzubekommen, mit welcher besonderen Betonung die Babys zum Stillen gereicht wurden: »Hier ist die kleine Süße, *Frau* Schnoor ...«

»So, ich geb Ihnen mal Ihr Kind, *Fräulein* Hertz ...«

Hanne erwartete es nicht anders. Sie fand, dass sie bei allem immer noch ganz gut wegkam.

Nachdem die Besucher wieder verschwunden, die Blumen in Vasen gestopft und die mit Milch abgefüllten Säuglinge zum Schlafen weggeräumt waren, legte sich Stille über das Krankenzimmer.

Schließlich erschien sogar eine kleine Wintersonne am Fenster und färbte mit Sinn für Gerechtigkeit sowohl die aschblonden Dauerwellenlöckchen der molligen Gärtnereibesitzerin als auch die hellblonden Naturlocken des dünnen Fräulein Hertz goldrot.

Hätten ihre Betten nebeneinander und nicht gegenüber gestanden, wären die beiden Mütter womöglich nie ins Gespräch gekommen. Cäcilie Schnoor, eine energische Dame, fand es jedoch albern, auf ihre Füße, die Bettdecke oder aus dem Fenster zu gucken, um die Frau im Bett zwei Meter geradeaus nicht zur Kenntnis zu nehmen. Zumal sie sich in Sonntagslaune befand. Das teilte sie der anderen auch gleich mit: »So! Das hätten wir erst mal wieder hinter uns, was? Man ist ja doch glücklich, was? Hab nicht erwartet, dass ich es überstehe. Nicht nur, dass unser Hausarzt meinte, ich wäre eigentlich zu alt für noch ein

Kind – mir ist geradezu mein Tod vorausgesagt worden, wissen Sie?«
Hanne verschluckte sich fast vor Eifer, das Richtige zu antworten. »Wie kannas angehen?«, hauchte sie, genauso schockiert, wie Cäcilie gehofft hatte.
»Tja! Bei uns in Niendorf gibt es ja Familie Tomaschewski. Ecke Krähenweg das Haus, also eher 'ne Laube, kennen Sie doch auch? Großmutter, Mutter und Tochter Tomaschewski. Tilda, Rike und Rosi. Großmutter und Mutter sind Hebammen. Taugen wohl auch zum Gegenteil, muss man nur gut bezahlen – und *das* wollte ich mal eben sagen, Fräulein Hertz, deshalb imponieren Sie mir und ich bin ärgerlich auf die dummerhaftigen Schwestern hier, die so mit Ihnen umgehen, als wären Sie eine Jesabel oder Magdalena oder wie soll ich sagen …« Frau Schnoor winkte mit ihrer kurzen dicken Hand ab, weil sie nicht sicher war, ob sie da die richtigen Sünderinnen nannte. »Jedenfalls find ich es allemal respektabler, ein Kind zu bekommen, als es abzumurksen! Sie haben sich dem ausgesetzt, schief angeguckt zu werden oder Schlimmeres, Ihr Kind darf aber leben, und das find ich sehr mutig!«
Damit hatte Hanne überhaupt nicht gerechnet. Nach dem ersten Schreck wagte sie ein kleines Lächeln, das herzlich erwidert wurde. Die Sonne legte noch ein paar Strahlen mehr auf die Szene.
Weil Frau Schnoor nun sinnend schwieg, fragte Hanne nach: »Ja – und wieso war Ihr Tod vorausgesacht worn?«
»Ach so, ja. Also Rike Tomaschewski hat das geträumt. Die sah mich in meinem Blut liegen und in Wehen schreien, alles in unserem Gewächshaus. Die meinte, ich bin zu alt und das geht böse aus. Das Kind könnte womöglich gerettet werden, hat sie immerhin gesagt. Und sehen Sie, das allein hat mir Hoffnung gemacht, Fräulein Hertz. Das war eine schwere Geburt, meine schwerste bis jetzt. Spaß ist das keiner. Doch nun

ist das Kleine da und gesund. Wieder ein Mädchen. Mein drittes. Die beiden ersten sehen aus wie ich, aber die kleine Neue hat die schrägen Augen von meinem Conrad und die karottenroten Haare. Er ist ja eine Seele, mein Mann, könnte keinen besseren finden. Nur, Schönheit drückt ihn nicht. Brauch ich nie Angst haben, dass ihn mir eine wegstibitzen will ...«
Frau Schnoor lachte behaglich in sich hinein. »Ist zu hoffen, dass unsere kleine Cornelia Grips hat. Vielleicht studiert sie mal oder so, wenn sie mit dem Gesicht keinen Mann findet.«
»Ham Sie sich vielleicht für diesmal ein Sohn gewünscht?«, wagte Hanne zu fragen.
»Nee! Ganz und gar nicht! Igitt, nee – ich wollte immer Mädchen. Kann man viel niedlicher anziehen, nicht? Machen weniger Lärm, müssen nicht in den Krieg. Und das Ästhetische, nicht. Ich übertreib da vielleicht, aber das Geschlabber – hätten Sie das Geschlabber windeln mögen? Dann doch lieber 'n sauberes rosa Pfläumchen, oder?«
Hanne zog sich verlegen tiefer in ihr Kopfkissen zurück.
»Und Sie nun –«, fing Frau Schnoor wieder an, »werden Sie denn eventuell den Vater von Ihrer Kleinen noch heiraten?«
Hanne hätte sich jetzt gern *unter* ihr Kopfkissen zurückgezogen. Wie sollte sie das denn bloß erklären? Wer hatte Schuld an der Existenz der kleinen Cornelia? Sie selbst natürlich. Die Brüder schon mal nicht, die sagten jeden Morgen zu Hanne: »Bleib sauber, Deern!«
Tante Martha auch nicht; eigentlich die Tante von Hannes Mutter, ein inzwischen fast schon sechzigjähriges altes Fräulein ohne eigene Erfahrung, was das Unsittliche anging. Dabei weder prüde noch zimperlich. Niemand konnte behaupten, sie hätte Hanne nicht gewarnt.
So, wie ihre Brüder sich seit dem Krieg redlich bemüht hatten, ihre Väter zu sein, so versuchte Tante Martha ebenso eifrig, ihr die Mutter zu ersetzen.

Sie führte den Haushalt, kochte ganz solide und brachte Hanne alles bei, was ein Mädchen wissen muss über Kartoffeln abgießen und dämpfen oder Grünkohl mit Haferflocken kochen, über Fenster putzen mit Zeitung und Haare spülen mit Bier, über Monatshygiene und Frechen-Jungs-auf-die Finger-Hauen, und zwar rechtzeitig, damit keine Schande über die Familie kommt.
Hanne hielt sich an das, was sie gelernt hatte. Über kurz oder lang kochte sie den besseren Grünkohl und sie ließ freche Jungs gar nicht erst an sich ran.
Nur – Khaled Jochmann war kein frecher Junge. Er war ein junger Mann mit guten Manieren, der feinstes Hochdeutsch sprach und an der Universität studierte. Er trug elegante Anzüge, täglich eine Krawatte mit dickem Knoten und obendrüber das Gesicht eines Prinzen aus tausendundeiner Nacht. Undenkbar, ihm auf die Finger zu hauen, selbst wenn man gewollt hätte.
Hanne begegnete ihm auf der »Furiosen Fähre«, so hieß das Thema 1954 im Hamburger Fasching beim Li-La-Le. Zufällig ging sie, trotz Sommersprossen und blonder Locken, als Haremsdame mit rosa Chiffonschleier über der Nase und in silbernen Pumphosen, die sie selbst genäht hatte; denn nach dem Schulabschluss lernte sie Schneiderin.
Khaled trug statt eines Kostüms nur eine bunt gestreifte Jacke, sein dunkles Gesicht mit den großen kohlschwarzen Augen war malerisch und exotisch genug, schöner als jede Verkleidung. Sie erfuhr, dass sein Vater ein Hamburger Kaufmann war, seine Mutter eine echte Tunesierin, die, soweit Hanne verstand, Habiba hieß. Ob die Jochmanns nun eigentlich in Tunis wohnten oder in Hamburg, wurde ihr nie ganz klar.
Sie besuchte ihren orientalischen Prinzen einige Male auf seinem Zimmer in einer großen Altbauwohnung, die einer bärbeißigen Vermieterin gehörte und in der noch mehrere andere

Studenten wohnten. Ab abends war in dieser Wohnung den Mietern kein Damenbesuch erlaubt. Weshalb Hanne nachmittags vorbeischaute. Zum Tee.
Und als sie eines Tages, wie verabredet, gegen vier an der Wohnungstür klingelte, etwas selbst gebackenen Marmorkuchen in einem Paket in der Hand, da bellte die unfreundliche Vermieterin sie an, Herr Jochmann sei vor zwei Tagen ausgezogen.
Hanne konnte es nicht glauben. Eigentlich glaubte sie es den Rest ihres Lebens nicht. Was mochte da passiert sein? Khaled hatte sich letzte Woche so zärtlich von ihr verabschiedet!
Sie erfuhr es nie und musste zu ihrem Schrecken nach einer Weile auch noch ihren Brüdern und Tante Martha beichten, dass sie Schande über die Familie gebracht hatte – oder jedenfalls noch bringen würde, wenn alles gut ging.
Die Brüder reagierten entsetzt, wütend und beleidigt. Ihre kleine Hanne! Sie wollten den Ausländer aufstöbern und zu Brei hauen – einen halben Tag lang. Dann beruhigten sie sich.
Tante Martha machte Butterkuchen und Malzkaffee und streichelte ihrer verheulten Großnichte die Wange. Uwe und Dieter fanden irgendwann auch, nun hätte Hanne sich genug geschämt. Die Familie besorgte eine Waage und ein gebrauchtes Babykörbchen und fing an, sich auf den Nachwuchs zu freuen. Hanne ließ es sich eine Lehre sein. Es dauerte lange, bis sie wieder einem Mann vertraute. (Und das war dann erst recht der falsche.)
Wie konnte sie das alles der netten Gärtnereibesitzerin erklären?
»Also – er ist Orientale. Und leider wieder zurück in … nach Tunesien«, fasste sie kurz und einigermaßen glaubwürdig zusammen, um zum wichtigsten Punkt zu kommen: »Dadurch nenn ich mein Kind nicht nur Cornelia, ne. Sondern Cornelia Habiba. Habiba heißt dem seine Mutter!«

»Ach? Na, viel Spaß beim Standesamt!«, wünschte Frau Schnoor, die wusste, wovon sie sprach: Ihre zweite Tochter war Cordula Jimena getauft, Letzteres nach der Frauengestalt eines Romans, den Cäcilie in der Schwangerschaft gelesen hatte. Sie erinnerte sich gut, wie sie damals den Beamten geradezu mit Brachialgewalt von der Notwendigkeit dieses Namens hatte überzeugen müssen.

»Aber wahrscheinlich ist es einfacher, wenn die Oma so heißt«, fügte sie begütigend hinzu. Sie war kurz davor anzubieten, mit zum Standesamt zu gehen, um diese magere, tapfere kleine Person zu unterstützen. Möglicherweise lag es einfach am Oxytocin, dem Mutterhormon, mit dem der Körper der Gärtnereibesitzerin just überschwemmt wurde: Sie fühlte Wohlwollen, Güte und Sympathie und machte zumindest eine andere Offerte.

»Wollen wir nicht du sagen? Ich bin Cäcilie, also Cilly. Und wie heißt du?«

Hanne nannte, schüchtern und geschmeichelt, ihren Vornamen.

»Prima!«, fand Frau Schnoor. »Und wenn diese blöden Katzen von Schwestern jetzt mit ihrem betonten *Fräulein* kommen, dann sagen wir beide einfach unsere Vornamen und basta. Dann ist es nämlich ganz egal, ob davor Frau oder Fräulein steht!«

Und sie fuhr fort, ihrer nagelneuen Freundin rosige Perspektiven auszumalen. Falls Hanne was fehlte, Babysachen jeder Art? Schnoors hätten mehr, als sie je selbst brauchen könnten, den ganzen Dachboden voll … Zum Kaffeetrinken müssten sie sich unbedingt treffen – die beiden Cornelias sollten doch Freundinnen werden, so kurz nacheinander am selben Ort geboren und noch dazu dicht beieinander wohnend! Und wenn Hanne schöne Rosenstöcke mochte oder einen gesunden Gummibaum, natürlich kriegte sie in Zukunft einen Preisnachlass in der Gärtnerei Schnoor …

Hanne bekam richtig leuchtende Augen über all diese Angebote. Wie wunderbar, dachte sie, dass wir uns hier so begegnet sind. Gestern, als diese Frau im Taxi brüllte und später hier in der Finkenau, als das immer lauter wurde, da dachte ich noch ... Da konnte ich sie noch nicht richtig schätzen. Hab ja nicht geahnt, wie nett Cilly ist!
Als sich jedoch beide Frauen eine knappe Woche später trennten, da meinte Cäcilie Schnoor nur noch: »Also, Hanne, ich melde mich bei dir!«, strich Fräulein Hertz kurz über die Locken und vergaß, Adressen oder Telefonnummern auszutauschen.
Vielleicht war ihre gute Laune akut geschrumpft (nach der behaglichen, umhegten Zeit in der Klinik) mit der Aussicht, das Joch wieder übergestreift zu bekommen: Haushalt, Gärtnerei, Familie und ein zusätzliches Kind.
Beide Mütter, mit ihren eingewickelten Cornelias im Arm, wurden je von nur einem Mann abgeholt. Hanne von Bruder Uwe, Cäcilie von ihrem Conrad. Nach der Verabschiedung im Zimmer gingen die beiden Grüppchen zwar dicht hintereinander her zum Krankenhausausgang, ohne jedoch einen Blick oder ein Wort zu wechseln. Als sei die Bekanntschaft hiermit abgeschlossen.
Es war ein schneidend kalter, nebeliger Tag, und Uwe Hertz hatte beschlossen, sich noch einmal ein Taxi zu leisten, damit die kleine Cornelia nicht fror, während man auf die Straßenbahn wartete.
Auf der Straße zündete er sich eine Zigarette an und beobachtete finster, wie Gärtnereibesitzer Schnoor seiner Frau die Beifahrertür des schwarzen Opel aufhielt. Die Idee, zumindest Hanne und ihr Kind mit ins Auto zu nehmen und in Niendorf zwei Straßen weiter abzusetzen, lag ja wirklich nicht so ganz fern. Uwe hätte zur Not immer noch gern selbst die Straßenbahn genommen.

Aber die Schnoors schienen überhaupt nicht an diese Möglichkeit zu denken. Da warf Uwe seine kaum angerauchte Zigarette auf den Gehsteig und trat sie tot, lief eilig zum Opel, hielt die Tür fest, bevor Cäcilie sie zuwerfen konnte, und schnauzte mit seiner heiseren Stimme: »Ach ja, wir kriegn nebenbei noch die Hälfte von den Taxengeld vor eine Woche, ne. Drei achzich, wenn Sie denn ma so nett sind, ne.«

Conrad Schnoors Gesicht färbte sich auf der Stelle so rot wie ein Warnsignal. Er blickte Uwe nicht an, er starrte nach vorn durch seine Windschutzscheibe, während er in der Jackentasche kramte, seine Brieftasche öffnete und einen Zehnmarkschein herausholte, den er Uwe, immer noch ohne Blickkontakt, zwischen Mittel- und Zeigefinger hinhielt: »Die Fahrt geht natürlich auf uns ...«

Uwe war nicht der Mensch, jetzt aus Stolz auf seinem Kostenanteil zu bestehen. Er zupfte Schnoor das Geld mit einer heftigen Bewegung aus der Hand, drehte sich wortlos um und stapfte zu seiner Schwester zurück, die vor Verlegenheit fast auf ihre Cornelia weinte.

»Ach, Uwe! Tat das denn not? Jetzt ist die Freundschaft in Eimer ...«

»Da laach sie sowieso schon drinne, das kanns' glauben. 'n Zehner, Hanne! Nu könn' wir die Taxe gut bezahln und behaltn noch was über!«, tröstete ihr Bruder und schaute aus zusammengekniffenen Augen dem schwarzen Opel hinterher, der Fahrt aufnahm.

Frau Schnoor zog ihrer Cornelia das weiße Mützchen tiefer in die Stirn. »Gott, war das peinlich. Ich hatte auch nicht mehr an das Fahrgeld gedacht, da haben sie ja recht ...«

»Ich auch nicht«, gab ihr Mann zu. »Das ist nun mehr als beglichen. Du hättest doch den Kerl nicht mit im Wagen haben mögen, Cilly, so, wie der riecht?«

»Nein, natürlich … Aber sie selbst ist so ’ne Liebe. Wirklich. Eigentlich schade«, meinte Frau Schnoor.
Ihr Mann sprach es aus: »Das sind ganz primitive Menschen, Cilly, Proleten. So riechen die und so sind die. Und die wohnen bei uns quasi um die Ecke, wenn du Pech hast, laufen die dir ständig über den Weg. Magst du mit so was befreundet sein? Doch wohl nicht …«

Im 2. Kapitel
wird schon wieder ein Winterkind geboren und eine vielversprechende Verbrecherlaufbahn frühzeitig beendet
1955–1964

Cornelia Hertz begann ihr Leben also in einer Familie, die man über die Schulter anguckte. Das war ein Handicap. An ihr persönlich haftete zusätzlich der Makel der Vaterlosigkeit. Doch das Leben stattete sie auch mit positiven Accessoires aus. Zunächst mal mit einem hübschen Gesicht. Ein gewaltiger Vorteil, sogar in einem Land, das wahrscheinlich heftiger als jedes andere die Notwendigkeit von gutem Aussehen bestritt und ganz überzeugt davon war, es käme allein auf innere Werte an.

Das Kind begriff schnell, was sich alles mit riesigen, kohlschwarzen Augen samt dichter, langer Wimpern anfangen ließ. Und mit einem Paar Grübchen, die bereits beim Sprechen und nicht erst beim Lachen gebildet wurden.

Habibchen oder Bibi, wie sie in ihrer Baby- und Kleinkindzeit genannt wurde, wuchs in großer Geborgenheit auf, von allen Seiten verwöhnt. Schon weil Familie Hertz in der Nachbarschaft nicht besonders beliebt war, liebten sie sich gegenseitig umso mehr.

Und sie besaßen ein Haus! Das konnte wahrhaftig nicht jeder von sich behaupten.

Anfangs war's eine Art Schuppen gewesen in einem von Unkraut überwucherten Riesengarten (das Klohäuschen stand einige Meter weit weg zwischen den Büschen). Weil der ursprüngliche Besitzer, ein krummbeiniger Mann namens Fips Tönning, Uwe noch was schuldete, überließ er Familie Hertz das Grundstück.

Uwe hatte viele Freunde und Bekannte. Vielleicht schuldeten die ihm alle was? Auf jeden Fall halfen sie, wo sie konnten, und das Haus im Rebhuhnweg wuchs. Ununterbrochen wurde angebaut und aufgestockt. Inzwischen besaß es ein oberes Stockwerk, ein richtiges Badezimmer und für jeden ein eigenes Schlafzimmer. Hinten im Garten stand seit Jahren eine Zementmischmaschine neben einem Sandhaufen mit Schaufel drin. Immer wenn in der Nachbarschaft gebaut wurde – was seit dem Krieg häufig stattfand –, gingen die Hertz-Brüder nachts »mal gucken« und bedienten sich ein wenig am Baumaterial.

Die beiden wurden oft für Zwillinge gehalten. Sie waren genau gleich groß und gleich breit und gleich blond.

Hanne pflegte zu erklären, man könne sie am Gesichtsausdruck auseinanderhalten: Dieter gucke harmlos und gutmütig. Uwe *versuche*, harmlos und gutmütig zu gucken. Tante Martha meinte, man müsste ihnen nur die Ärmel hochstreifen. Denn Uwe war vor dem Krieg zur See gefahren, weshalb er auf beiden Unterarmen bunte Tätowierungen trug, damals sehr ungewöhnlich.

Cornelia fand, Onkel Dieter sei der Punkt- und Onkel Uwe der Komma-Mann. Das bezog sich darauf, dass Dieter mitten im Kinn ein kreisrundes Grübchen trug, während Uwes Kinn einen Spalt aufwies. Es bedeutete jedoch auch, dass Dieter meistens bei einer einmal gefassten Meinung blieb, während Uwe stets mehrere Möglichkeiten in Betracht zog.

Keiner erwähnte taktvollerweise als Unterscheidungsmerkmal Dieters Prothese, durch die er sich etwas schwerfälliger bewegte und die er einer russischen Granate verdankte.

Uwe, beinah genau dreizehn Monate jünger als sein Bruder, war derjenige, dem stets etwas einfiel. Dass sie nicht alle miteinander verhungerten in der schrecklichen Zeit direkt nach dem Krieg, verdankten sie überwiegend ihm. Uwe gingen nie

die Ideen aus. Er trieb immer noch was zu futtern auf, keiner wusste, wie er das machte.
Dieter bewunderte seinen kleinen Bruder: »Der traut sich was!« Dann traute sich Uwe aber zu viel und landete für ein halbes Jahr im Knast. In der Zeit musste Dieter die Familie ernähren, da wurden alle sehr viel schlanker. Tante Martha fing an, auf dem Riesengrundstück Kartoffeln, Möhren und Kohl anzubauen.
Als Uwe aus dem Gefängnis kam, hatte er neue Tätowierungen, neue Ideen und neue Freunde. Daraus ergaben sich weitere Anbauten am Haus und später ein weiteres Jahr Haft.
Wenn Hanne merkte, dass Uwe versuchte, Bruder Dieter zu kriminellen Taten anzustiften, schlug sie Krach. Sie ging so weit, von Uwe zu verlangen, dass er schwören sollte, Dieter nie wieder mit reinzuziehen: »Wenn ihr beide sitzt, wie sollas denn mit Tante Martha und Bibi und mir weitergehn?«, fragte sie wütend.
Uwe leistete den verlangten Schwur. An so etwas hielt er sich tatsächlich, weil er sehr abergläubisch war.
Nachdem sie ihre Lehre beendet hatte, arbeitet Hanne als Änderungsschneiderin bei Karstadt an der Mönckebergstraße. Dieter war Nachtwächter im Hafen und Uwe, falls er nicht über kriminellen Einfällen brütete, Entrümpler oder auch mal Müllmann.
Cornelia wurde von Tante Martha betreut: Kindergärten gab es selten. Normalerweise gehörte ein Kind tagsüber zu seiner selbstverständlich nicht berufstätigen Mutter. Cornelia lernte, was ein Mädchen wissen muss über Zimmer aufräumen und Teller abtrocknen und Reinkommen-wenn-es-dunkel-wird.
Onkel Uwe brachte seiner Nichte auch etwas bei. Er hatte Hanne geschworen, Dieter nicht in seine kriminellen Taten zu verwickeln. Von Bibi war nie die Rede gewesen. Also machte er in seiner Freizeit gern Ausflüge mit ihr, seit sie ungefähr vier

Jahre alt und sehr verständig war. Manchmal mit der Straßenbahn in andere Stadtteile. Manchmal schlenderten die beiden auch nur in Niendorf umher.
Dabei lernte das Kind, mit seinen dünnen Ärmchen und seinen kleinen, geschickten Händen Handtaschen durch spaltbreit geöffnete Autofenster zu angeln. Noch häufiger half Uwe ihm durch ein Klo- oder Treppenhaus- oder Kellerfenster in ein Haus. Es huschte dort herum und suchte ganz gezielt nach dem, was der Onkel ihm aufgetragen hatte. Vor allem natürlich Bargeld, im Nachtschrank oder Schreibtisch, manchmal auch in der Schublade eines altmodischen großen Küchentisches, da lag meist Haushaltsgeld, zusammen mit dem Büchlein, in das säuberlich die Ausgaben eingetragen wurden, daneben das Heft mit den eingeklebten Rabattmarken.
Armbanduhren nahm Onkel Uwe gern in Empfang, überhaupt Schmuck. Einmal brachte Cornelia in ihren Jackentaschen acht Paar Ohrringe mit, die auf einem Frisiertisch gelegen hatten, darunter eins mit grauen Perlen und zwei mit glitzernden Steinen, vielleicht so was wie Diamanten.
Ein anderes Mal fand sie in einer Porzellandose eine dicke Rolle aus Geldscheinen, mit einem Gummiband zusammengehalten. Onkel Uwe wurde beim Zählen der Scheine immer vergnügter. Er gab seiner Nichte, die sonst nur gefüllte Bonbons als Belohnung erhielt, diesmal vor Freude eine ganze Mark.
Bibi stopfte das Geld in ihr grünes Sparschwein, hörte es hart auf die wenigen Pfennige und Groschen plumpsen, mit denen sie das Schwein bisher gefüttert hatte – und entwickelte spontan ein Bedürfnis nach mehr. Beim nächsten Raubzug verlangte sie von vornherein: »Zwei Mark, Onkel Uwe! Unbedingt. Sons geh ich da nich rein …«
Der Onkel starrte schockiert das geldgierige Kind an. »Wir wissn doch noch gar nich, ob du was finst! Also, wenn wirklich was Gutes im Haus ist …«

Aber das Kind schüttelte den glänzenden schwarzen Haarbusch. »Nee. So oder so. Auch, wenn ich nix finde.«
Wozu er sich bequemen musste, weil er selbst nicht durch ein Klofenster passte.
Sie kassierte von da an vor jedem Raubzug ihre Pauschale, eiskalt. Und musste die Porzellansau schließlich schon energisch schütteln, damit überhaupt noch was reinpasste. Weil Hanne nicht merken sollte, wie unanständig schwer das gemästete Tier inzwischen war und dass es vor lauter Inhalt kaum noch klimperte, versteckte Bibi es in ihrem Spielschrank, ganz weit weg hinter den Pappschachteln mit Mensch-ärgere-dich-nicht und Fang-den-Hut. Ihr war durchaus bewusst, dass ihre Mutter wenig von ihrer lukrativen Tätigkeit für den Onkel halten würde.
Uwe teilte die Ansicht seiner Nichte, dass diese Methode der Aufstockung des Wirtschaftsgeldes nicht breitgetreten werden müsste. »Er hat so seine Methoden«, sagte Familie Hertz ja sowieso über ihn und meinte damit: So genau wollen wir's gar nicht wissen.
Wenn allerdings Hanne geahnt hätte, was für eine entscheidende Rolle ihre Tochter bei dieser Methode spielte, hätte sie darüber wohl anders gedacht.

Cornelia Hertz und Cornelia Schnoor begegneten sich zum ersten Mal seit ihrer Geburt bei der Einschulung 1961 in der Paul-Sorge-Straße.
Die eine mit schwarzem Pferdeschwanz und spiegelglattem Pony über den großen dunklen Augen, die andere mit kurzen rostroten Locken, breiter Stirn und spitzem Kinn. Beide mit riesigen Schultüten.
Conny konnte sich später immer noch an das Gefühl erinnern, als sie diesem Gesicht gegenüberstand: als wäre sie einem Menschen, der ihr jahrelang gefehlt hatte, endlich wieder be-

gegnet. Und in den schiefen grünen Augen gegenüber erkannte sie ähnliche Regungen.
Die beiden Mädchen grinsten sich begeistert an. Dabei zeigte das rothaarige unwillkürlich ihre besonders großen Vorderzähne. Da sie in derselben Klasse landeten und da sich dort noch eine dritte Cornelia befand, wurden sie am selben Tag umgetauft. Die eine hieß von nun an Conny, die andere Nelli. Weil ihnen das gefiel und der Einfachheit halber übernahmen sie es ins Privatleben, und ihre Familien gewöhnten sich daran. (Außer den Onkeln; die nannten ihre Nichte weiter Bibi statt Conny.)
Ebenfalls bei der Einschulung trafen Hanne Hertz und Cäcilie Schnoor nach sechseinhalb Jahren zum ersten Mal wieder zusammen und taten verlegen so, als handele es sich um einen seltsamen, aber erfreulichen Zufall. Übrigens waren sie unwillkürlich wieder per »Sie«. Beide kamen nicht umhin, ihren Töchtern zu erzählen, dass die sich ja eigentlich schon kannten, weil sie fast zur selben Zeit am selben Ort geboren worden waren …
Als hätten sie sich auf den ersten Blick ineinander verliebt, blieben Conny und Nelli beieinander stehen und setzten sich nebeneinander. Das konnte nicht viel mit ihren Namen zu tun haben, denn die dritte Cornelia in der Klasse ließ beide völlig kalt.
Später stellte sich heraus, dass es kein Foto mit Schultüte jeweils von Conny oder Nelli alleine gab. Sie hatten so hartnäckig aneinandergeklebt, dass der entnervte Fotograf schließlich einige Bilder *beider* Kinder schoss – mochten die Eltern ihn verfluchen. Er hatte noch etwas anderes zu tun, als kleine Rotznasen dazu zu überreden, sich mal loszulassen.
Anschließend versuchte sowohl Familie Schnoor als auch Familie Hertz auf liebevolle Art, diese ungestüme Freundschaft ein wenig einzudämmen. Das hätten sie sich sparen können.
Die Mädchen saßen in der Klasse an einem Tisch, hielten sich auf dem Schulhof an den Händen, spielten zusammen im

Garten der Familie Hertz, wo sie das Gemüse zusammentrampelten, oder in den Gewächshäusern der Gärtnerei Schnoor, was erst recht verboten war, und teilten alle Geheimnisse.
So wusste Nelli (gebunden durch ihr Ehrenwort, es nie zu verraten) von Connys räuberischen Ausflügen mit Onkel Uwe. Was sie dazu brachte, jeden Abend ein Extragebet für ihre Freundin zu sprechen. Sie war jedoch entschlossen, Conny, im Fall, dass die doch geschnappt werden sollte, täglich im Gefängnis zu besuchen.
Nelli, mäkelig mit dem Essen oder »krüsch«, wie Oma Schnoor tadelnd bemerkte, verschmähte zu Hause panierte Schnitzel und Gulasch, futterte sich jedoch bei Familie Hertz begeistert durch Grützwurst und Lungenhaschee.
Nach und nach, im Lauf der Jahre und weil die Freundschaft der beiden so gar nicht schwächer wurde, akzeptierten beide Familien diesen Tatbestand. Oma Schnoor stellte nach der Schule zwei Gläser mit Apfelsaft in Nellis Zimmer. Tante Martha backte eine Handvoll Kekse mehr für das zweite kleine Mädchen.

Conny war und blieb aus naheliegenden Gründen ein Einzelkind. Hanne hatte, wie gesagt, mit Männern erst mal nichts mehr im Sinn. Dieter und Uwe schienen auch nicht besonders erpicht darauf, sich zu verheiraten und eigene Familien zu gründen. Tante Martha war froh, die Zeit der Anfechtungen hinter sich zu haben.
Bei Nelli sah das anders aus; sie litt nicht wenig unter zwei größeren Schwestern, die häufig meinten, es sei ihre Sache, sich an der Erziehung der Kleinen zu beteiligen.
»Wenn ich jüngere Geschwister hätte, wäre ich netter zu ihnen!«, pflegte Nelli ihrer Freundin zu versichern.
Und eines Tages ließ sich der wachsende Bauch der Gärtnereibesitzerin Schnoor nicht mehr übersehen. Inzwischen zählte

sie, mit nahezu fünfundvierzig Jahren, überdeutlich zu den Spätgebärenden. Sie hatte Wasser in den Beinen und Sorgen im Gemüt, die sie nachts noch schlechter schlafen ließen, als vielleicht nötig gewesen wäre. Sie schrieb sogar ihr Testament und änderte es alle paar Tage.
Der Traum von Rike Tomaschewski ließ sie nicht los. Damals, bei Nellis Geburt, war ja alles, wenn auch schmerzhaft, gut gegangen. Aber vielleicht hatte die Hebamme vom Krähenweg überhaupt erst *diese* Schwangerschaft gemeint? Niemand konnte bestreiten, dass Cäcilie Schnoor inzwischen noch viel älter geworden war und die Gefahr, dass etwas schiefging, größer.
Wie, wenn sie diesmal in ihrem eigenen Blut liegen und in Wehen schreien würde, alles im Gewächshaus? Wenn es diesmal ihr Tod wäre?
Unglücklicherweise konnte sie Rike nicht einmal danach fragen, denn die Tomaschewskis wohnten nicht mehr in Niendorf.
Auf jeden Fall ging sie in den letzten Wochen vor ihrem Termin nie ins Gewächshaus, auf keinen Fall!

»Meine kleine Schwester wird wohl Christiane heißen. Oder Christina«, teilte Nelli ihrer Freundin auf dem Schulweg mit. »Das geht gar nicht anders. Wir heißen alle auf C. Meine älteste Schwester wurde Carina getauft …«
Conny blieb stehen. »Ich denk, deine Schwestern heißn Corinna und Cordula?«
»Tun sie ja auch. Diese Carina hab ich nie kennengelernt, die ist als Baby gestorben, noch im Krieg.«
»Oh. Hat sie 'ne Bombe abgekricht?«, fragte Conny mitleidig.
»Nein. Sie ist krank geworden, und meine Eltern haben keinen Arzt erwischt. Das waren ja wohl grausige Zustände. Corinna und Cordula sind erst nach dem Krieg geboren worden.«

Sie gingen weiter, durch das geöffnete Tor der Schule und vorbei an einer Statue, die eine liegende Frau darstellte.
»Warum bekommt ihr eigntlich nie Jungs?«
»Mutti mag keine Jungen.«
»Und wenn man keine mach, kricht man auch keine?«
Die Mädchen schauten sich zweifelnd an. Woher Babys kamen, wussten beide seit Kurzem. Hanne hatte es ihrer Tochter erzählt, weil sie fand, ein Mädchen konnte so was gar nicht früh genug erfahren, um vorsichtig zu sein.
Und Conny, die alles mit ihrer besten Freundin teilte, weihte Nelli sofort in die Geheimnisse ein. Immerhin war das Thema ja wirklich sehr aktuell im Hause Schnoor.
»Ich weiß nicht. Bei uns zu Hause redet keiner drüber, ob es ein Mädchen wird. Das steht schon fest. Wir sind nur alle gespannt darauf, ob das Baby Mutti ähnlich sehen wird – oder Papa, wie ich ...«
Schnell legte Conny ihrer Freundin einen Arm um die Schulter, behindert durch den dort hängenden Schulranzen. Es galt als abgemachte Tatsache, dass Nelli in der Familie Schnoor das hässliche Kind darstellte.
»Dabei«, beschwerte Nelli sich nicht zum ersten Mal, »steht in Märchen immer, es waren drei Königstöchter, und die *jüngste* war so schön, dass man es kaum aushalten konnte ...«
»Vielleicht widdas noch?«, tröstete Conny.
»Ich glaube nicht. Pass auf, ich schätze, meine kleine Schwester Christiane oder Christina wird die Familienschönheit. Na, wir werden ja sehen ...«, meinte Nelli mit tiefem Seufzen, während sie ihren Ranzen abwarf, den Anorak auszog, an den Haken hängte und in die Klasse stiefelte.
Im vergangenen Jahr hatte es einen schneereichen, eisigen, endlosen Winter gegeben. Dieser schien milder zu werden, nass und trübe im November und kühl und trocken Anfang Dezember.

»Ich finde ja weiße Weihnachten schön, aber Mutti hat Angst, auszurutschen mit ihrem dicken Bauch«, erklärte Nelli. »Deshalb wünsche ich mir mal lieber kein Eis und keinen Schnee …«

Der 12. Dezember 1963 war auf jeden Fall eiskalt, nachts fiel das Thermometer auf minus achtzehn Grad. Kein Schnee, bei der herrschenden Trockenheit nicht einmal gefrierende Pfützen, auf denen Frau Schnoor hätte ausrutschen können. Dafür stolperte sie im Gewächshaus – in das sie nur ganz kurz geguckt hatte, um die Katze zu suchen – über einen Sack mit Blumenerde, fiel hin, kam nicht wieder hoch und war am Ende der Mittagspause des Hilfsgärtners schon ganz heiser vom Schreien. Sie wurde mit gebührender Hast ein weiteres Mal in die Finkenau eingeliefert und brachte am Nachmittag ihr fünftes Kind zur Welt.

Nelli erschien am 13. Dezember, einem Freitag, mit sehr glücklichem Gesicht an der Ecke Bansgraben, wo die Freundinnen sich morgens immer trafen. Hier schlug Conny schon ihre frierenden Füße gegeneinander.

»Issie da?«, rief sie aufgeregt, die Worte quollen zusammen mit einer dicken Dampfwolke aus ihrem Mund.

Nelli nickte grinsend und hüpfte so, dass der Inhalt ihres Ranzens rumpelte.

»Und wie heissie nu? Christiane oder Christina?«, wollte Conny wissen.

»Er heißt Christian!«, schrie Nelli triumphierend, sich der Pointe wohl bewusst, und hakte ihre Freundin ein.

»Ach. Ich denk, deine Mutter mach keine Jungs?«

Nelli schaute nachdenklich in den Himmel, an dem pastellrosa und violette Streifen zeigten, dass die Sonne bald aufgehen würde. »Da wird ihr wohl nichts übrig bleiben. Den wird sie wohl mögen müssen …«

Im König-Heinrich-Weg, gar nicht weit weg, lagen die besseren Häuser, manchmal richtige Villen. An einem warmen, sonnigen Nachmittag im Juli 1964 verabreichte Uwe Hertz Conny zunächst ihre zwei Markstücke – ohne die sie ja nicht mehr antreten wollte –, nahm sie dann mit und zeigte ihr von der anderen Straßenseite aus das mittelgroße, verschnörkelte gelbe Haus, das weit zurück hinter einem langen Gartenweg auf dem Grundstück lag.
»Auffe rechte Seite sind Kellerfenster mit Stangn vor, ne, eins steht fast immer auf. Kommssu lässig rein …«, meinte der Onkel aufmunternd. »Tut nur eine einzichste alte Frau drinne wohn. Die is wech, einkaufen glaub ich. Die bleibt immer lange, brauchssu keine Bange ham. Ich steh hier un pass auf …«
Das sagte er jedes Mal. Es verschaffte Conny ein Gefühl der Sicherheit. Sie hatte noch nie darüber nachgedacht, inwiefern sein Aufpassen ihr helfen würde, falls man sie erwischte.
So lehnte der sonnengebräunte Onkel sich behaglich an einen Gartenzaun und schaute in den wolkenlosen Himmel, während Conny über die Straße huschte, die Gartenpforte öffnete und in den Hausschatten eintauchte.
Tatsächlich stand das Fenster offen, und tatsächlich schlüpfte sie mit ihrem mageren kleinen Körper, gelernt ist gelernt, mühelos durch die nicht zu eng stehenden Eisenstangen davor. Sobald sie im Haus war, rutschte sie vorsichtig von der Fensterbank auf den Boden und befand sich in einem sauberen, aufgeräumten Kellerraum mit Regalen voller Einmachgläser und Gartengeräte, die teils an der Wand hingen, teils daran lehnten.
Conny ging zur Tür – und musste feststellen, dass die von der anderen Seite abgeschlossen war.
Sie schüttelte ärgerlich ihre schwarzen Zöpfe, trabte zurück zur Wand mit dem Fenster, schob zwei Kisten zurecht, auf die sie kletterte, und schaffte es, sich wieder nach draußen zu ran-

gieren. Nachdem sie erneut auf der schattigen Seite des Hauses im Garten stand, drückte sie sich durch einige dichte Büsche hindurch, um zur Rückseite zu gelangen. Bevor sie ihrem Onkel meldete, dass ihr Unternehmen gescheitert war, wollte sie selbst noch mal feststellen, ob es keine andere Möglichkeit für einen Raubzug gab.

Und wirklich, auf der Rückseite, im Erdgeschoss, stand ein weiteres schmales Fensterchen halb offen, daneben wuchs freundlicherweise ein Obstbaum mit niedrigen Ästen und gekrauster Rinde. Durch dieses Fenster zu krabbeln war noch einfacher.

Conny gelangte diesmal in einen Flur oder Korridor, von dort in ein helles, ganz in Blau- und Grüntönen eingerichtetes Wohnzimmer mit offener Tür zum Speisezimmer. Dahinter lag die Küche.

Das Mädchen suchte an allen Stellen, wo normale Menschen ihr Geld versteckten: weniger, als auf der Bank lag, und mehr, als sie bei sich trugen.

Nachdem sie nichts fand, sprang sie die Treppe hinauf, kam in ein Schlafzimmer, suchte auch hier schnell alles ab, entdeckte schließlich einen Kasten, dessen Deckel mit kleinen Muscheln besetzt war, auf dem Frisiertisch, öffnete diesen hübschen Deckel – und hörte hinter sich eine dunkle, knarrende Stimme: »Na, hast du etwas gefunden?«

Conny zuckte derart zusammen, dass sie den Schreck hören und schmecken konnte, scharf und grell. Ihr Herz jagte, es fühlte sich an, als ob es bei jedem Schlag schmerzhaft gegen ihren Magen stieß. Sie warf mit zitternden Händen den Deckel zu, ohne in das Kästchen geblickt zu haben, und rannte zur Tür, wobei sie wirklich glaubte, sie würde an der Frau vorbeikommen, die dort stand.

Aber sie verfing sich wie eine Fliege im Spinnennetz. Die Frau hielt sie mit beiden Händen, an ihrer Bluse und am Träger der

roten Hose und zusätzlich an ihren Schultern, sie krallte sich richtig fest.
»Bleib mal schön hier!«, knurrte sie dabei.
Conny versuchte, sich frei zu rangeln, sie trat gegen die Beine der Frau und sie probierte sogar, in diese Hände zu beißen, die sie festhielten.
»Wenn du mir wehtust, rufe ich sofort die Polizei, hörst du?!«, keuchte die Hausbesitzerin mit ihrer tiefen Stimme und schüttelte Conny einmal so heftig durch, dass ihre Zöpfe auf und ab flogen.
»Holn Sie die denn sons nich?«, fragte das Kind atemlos.
»Nein. Nicht unbedingt«, war die Antwort.
Conny gab auf, sie machte sich schlaff, um anzudeuten, dass sie sich nicht weiter wehren und auch nicht weglaufen würde.
»Wer bist du?«, fragte die knarrende Stimme. »Wie heißt du?«
»Conny. Conny Hertz. Hertz mim t.«
»Gut, Conny Hertz. Hör mir zu. Wenn du klug bist, können wir uns vielleicht arrangieren. Weißt du, was das bedeutet?«
Conny nickte. Zumindest konnte sie es sich denken.
»Komm mit runter«, verlangte die Frau. Sie griff jetzt mit leichterer Hand nach einem von Connys Zöpfen und schritt voran, die Treppe hinunter, in ihre Küche.
»Ich werde Tee kochen. Möchtest du Kekse?«, war die nächste Frage. Conny nickte wieder, und die Frau ließ sie ganz los und machte die Gasflamme unter einem Teekessel an.
Warum hatte Onkel Uwe gemeint, die Hausbesitzerin wäre alt? Ihr Haar war von einem metallischen Blond, wie Filmstars es hatten, keineswegs grau oder weiß. Sie trug es lang, nicht zum Knoten gesteckt, sondern offen, seitlich gescheitelt, und dadurch fiel es ihr bei bestimmten Bewegungen so tief über ein Auge, dass die Hälfte ihres länglichen Gesichts verschwand. Zwar saßen scharfe Falten neben ihren Nasenflügeln und in den Mundwinkeln, doch man konnte erkennen, dass die fei-

nen Lippen rot geschminkt waren und wie lackiert glänzten. Vielleicht lag Fettcreme über dem Lippenstift.
Jedenfalls hatte Conny schon sehr viel ältere Frauen gesehen.
Das Kind dachte daran, loszuschießen und sich wieder durch das Flurfenster zu zwängen. Nur: Ganz so flink ging das auch wieder nicht. Sie traute dieser Dame (die sich gerade eine Zigarette anzündete und ihr Haar so weit zurückschüttelte, dass ihr gesamtes Gesicht zu sehen war) zu, sie noch einmal zu erwischen – und dann wirklich sofort die Polizei zu rufen.
Während das Wasser im Kessel zu rauschen begann, fragte die Frau: »Wo ist dein Vater?«
Mit dieser Frage war Conny allerdings überfordert. Die hätte ja noch nicht einmal ihre Mutter beantworten können! »Ich hab kein Vater«, sagte sie leise und möglichst kläglich.
»Das ist biologisch unmöglich«, widersprach die Frau und ließ hellgrauen Rauch durch ihre Nase ausströmen.
Sie schauten sich gegenseitig misstrauisch an.
Der Kessel begann zu pfeifen, und die Frau nahm ihm die Flöte ab, um kochendes Wasser in eine Teekanne zu gießen. Dabei murmelte sie: »Ich meine den großen blonden Kerl, der mein Haus seit Tagen umschlichen hat und der vorhin auf der anderen Straßenseite rumlungerte …«
»Oh. Das' Onkel Uwe …«, erwiderte Conny.
»Sieh da. Onkel Uwe. Er ist an den Armen tätowiert, oder?«
Conny nickte. »Er is mal zur See gefahrn. Nich lange. Und da issas passiert …«
»Nimm dir Kekse. Setz dich, nein, setz dich hier ins Wohnzimmer, in den Sessel. Onkel Uwe ist ziemlich stark, oder?«
Conny nickte. »Die Waschmaschine konnter ganz alleine nach om tragn.«
Die Frau lächelte plötzlich, nur ganz kurz. Sie ist wirklich nicht so sehr alt, dachte Conny. Keine Omi auf jeden Fall. Und irgendwie sieht sie ganz schön aus …

»Was macht dein Onkel, wenn du nicht zurückkommst?«
Conny dachte nach und musste zugeben: »Weiß nich!«
»Na, wir werden es feststellen. Nimmst du Zucker in den Tee? Wie viel? Was meinst du, Conny, könnte es sein, dass Onkel Uwe dich im Stich lässt? Dass er gar nicht auftaucht? Wenn ich die Polizei rufen würde, könnte er doch behaupten, du hättest das alles auf eigene Faust gemacht, er weiß nichts davon?«
Conny schüttelte den Kopf, schluckte den Keks hinunter und beteuerte: »Nee! Er hat gesacht, er passt auf. Und er hat mir ja immer gezeicht, wo das gut geht …«
»Hat er das immer gezeigt? In wie viele Häuser bist du denn schon reingeklettert? Was hast du denn schon alles geklaut?«, fragte die Frau jetzt in ziemlich unfreundlichem Ton.
Sie hatte schmale dunkle Augen, die wütend funkelten.
Conny zuckte die Schultern. Die Kekse schmeckten gut, aber sie traute sich gerade nicht, noch einen zu nehmen. Stattdessen guckte sie auf ihre Sandalen und hoffte, die Frau würde sich wieder beruhigen.
Die drückte ihre Zigarette energisch in einem Aschenbecher aus, stand auf und ging zu einem Plattenschrank. »Magst du Musik, Conny?«
Das Kind nickte vorsichtshalber, weil es dachte, eine zustimmende Antwort sei in jedem Fall besser als eine ablehnende.
Die Frau legte eine Platte auf und ging zurück zu ihrem Sessel. Sie trug rote Schuhe mit ziemlich hohen Absätzen und glänzende Nylonstrümpfe. Ihr Kleid war schmal geschnitten, gerade und schwarz. Auf ihrer Brust baumelte an einer Kette etwas wie eine große Hagebutte, ein Stein im selben Rot wie ihre Schuhe und ihre Lippen.
Weiche, schmeichelnde Musik füllte das Zimmer, teure Musik, träge und luxuriös. Kein Gesang, nur Instrumente.
Gleich darauf klingelte es an der Tür.

»Vielleicht hast du recht. Er lässt dich wirklich nicht im Stich …«, meinte die Frau und ging über ihren weichen Teppich, um zu öffnen.
Conny hörte Onkel Uwe undeutlich etwas brummeln, das klang wie: »Is son Mädchen bei Ihn?« – und gleich darauf die tiefe, knarrende Stimme der Frau. »Natürlich. Kommen Sie bitte mit …«
Sie erschien wieder, ging ruhig zu ihrem Sessel und setzte sich. Onkel Uwe stand etwas verlegen und verwirrt in der Tür zum Wohnzimmer. Er wirkte immerhin erleichtert, als er seine Nichte mit einem Keks in der Hand und offensichtlich unversehrt vorfand.
»Da bissu ja! Ich hab mich schon gesorcht … Komm man gleich mit nach deine Mutter, ne …«
»Keineswegs!«, widersprach die Hausbesitzerin scharf und warf mit einer kurzen Bewegung ihre Haarwelle vor ein Auge. »Das Kind bleibt hier, bis wir alles geklärt haben!«
Onkel Uwe stieß sein Kinn mit dem Kommagrübchen nach oben, schob die Unterlippe vor und suchte deutlich nach einer energischen Entgegnung. Endlich brummelte er, etwas unbestimmt: »Na ja, ich mein, wieso *das* denn?«
»Herr Hertz – Sie wissen natürlich, wie ich heiße?«
Onkel Uwe wiederholte den Ruck mit dem Kinn und das Vorschieben der Unterlippe, wenn auch etwas vorsichtiger. »Wieso? Woher soll ich das wissn, wie Sie heißn?«
»Weil Sie mein Haus seit mindestens einer Woche beobachten. Weil Sie eben vor meiner Tür standen, bevor Sie geklingelt haben. Sie haben ganz sicher gelesen, was auf meinem Türschild steht.«
Der Onkel zog das Kinn ein und schwieg.
»Ach, kommen Sie! Das Kind – Conny hat doch bereits alles zugegeben! Das ist ja nicht das erste Haus, in das Sie Ihre Nichte reingeschickt haben. Sie machen doch seit Jahren Beute auf

diese Art!«, rief die Frau – und Conny wunderte sich, woher sie das wusste. Das hatte sie ihr doch so gar nicht erzählt.
»Also? Wissen Sie, wie ich heiße?«
»Ja, mach sein, ich hab Ihrn Nam ma gelesn. Sie heißn Wohlgast oder so, ne – ?«
»Richtig. Ich heiße Eva Wohlgast, Herr Hertz.«
Dem folgte ein längeres Schweigen. Conny kaute vorsichtig ihren Keks und schluckte so leise wie möglich. Eva Wohlgast musterte Onkel Uwe, der auf dem Teppich umherblickte, als suche er etwas, das ihm runtergefallen war. Dann zündete sie sich eine neue Zigarette an, schüttelte ihr Haar aus dem Gesicht, stand auf, ging zu ihm, hob sein Kinn an – wobei sie die Spitze ihres rot lackierten Daumennagels in das Komma legte – und zwang ihn, sie anzusehen. Sie war fast so groß wie er, vielleicht auch wegen ihrer hohen Absätze.
Onkel Uwe sah nicht sehr glücklich aus, versuchte jedoch nicht, dem Griff zu entkommen, und blickte auch ganz tapfer in das Gesicht ihm gegenüber, fast ohne zu blinzeln.
»Sie haben also die Waschmaschine ganz allein die Treppe raufgetragen, wie?«, fragte Frau Wohlgast.
Er wirkte erstaunt – vielleicht überlegte er, ob sie ihn auch beobachtet hatte, so wie er sie –, dann nickte er kurz. Gleich darauf brummelte er, etwas behindert, weil sein Kinn festgehalten wurde: »Hübsche Musik …«
Frau Wohlgast ließ ihn los, wanderte auf dem dicken Teppich herum und begann plötzlich, mit ihrer tiefen, knarrigen Stimme zu singen: »No, sophisticated lady, I know, you miss the love you lost long ago …«
Wenn sie hier rumsingt, dachte Conny, kann sie nicht besonders böse sein. Sie ruft wohl nicht die Polizei. Vielleicht möchte sie, dass Onkel Uwe irgendwas für sie trägt?
Die Musik war zu Ende, die Platte hörte mit einem kleinen Knacks auf, und Frau Wohlgast blieb stehen, direkt vor dem

Onkel. Sie sagte leise, aber nachdrücklich: »Sie Schwein von einem Menschen! Wie können Sie es auf Ihr Gewissen laden, ein Kind zu verderben und zum Verbrechen zu erziehen? Schämen Sie sich eigentlich überhaupt nicht?!«

Uwe Hertz schob wenig überzeugend noch einmal Kinn und Unterlippe vor, schluckte schwer und antwortete heiser: »Doch.«

»Dann ist ja noch nicht alle Hoffnung verloren. Sie werden mir jetzt Ihr Wort geben, das Sie das nie, nie wieder mit Conny machen! Sie selbst können von mir aus so kriminell sein, wie Sie wollen, begehen Sie ruhig jedes erdenkliche Verbrechen und versauen Sie sich Ihr Leben – aber Sie werden Ihre kleine Nichte nicht mehr dazu missbrauchen und auch sonst kein Kind, verstanden? Ihr Wort darauf?!«

Während ihr Onkel brav nickte, ganz gebannt in die schmalen dunklen Augen vor sich starrend, sprang Conny auf und rief, bevor sie wusste, was sie tat: »Aber das Geld! Ich krich doch jedes Mal zwei Mark! Ich hab mir gerade nochn Sparschwein angeschafft, weil das alte schon ganz voll ist!«

Die Erwachsenen sahen sie erstaunt an.

»Was zum Wiesel willst du denn mit dem Geld?«, fragte Frau Wohlgast in gereiztem Ton.

»Ich will meine Mutter 'n Auto kaufn, dass sie nich mehr mitter Straßenbahn fahrn muss! Und denn will ich mir noch ein Hund kaufn ...« Conny brach in Tränen aus, was sie nach der Anspannung der vergangenen Viertelstunde sehr erleichterte. Onkel Uwe stürzte zu ihr, nahm sie in die Arme und brummelte beruhigend.

Eva Wohlgast ließ ihr Haar wieder über ein Auge fallen und rauchte nachdenklich. Dann meinte sie: »Pass auf, Conny. Du wirst von jetzt ab jede Woche zu mir kommen – heute ist Mittwoch ... Sagen wir, immer mittwochs am Nachmittag. Dann liest du mir was vor – du kannst doch lesen?«

Conny nickte. »Ich bin in Lesen die Drittbeste in unsere Klasse.«
»Ausgezeichnet. Und dafür bekommst du jede Woche fünf Mark von mir. Wenn du wirklich schön vorliest. Dann also bis nächsten Mittwoch. So, jetzt will ich baden. Auf Wiedersehen!« Die Frau öffnete ihre Haustür und machte wedelnde Handbewegungen, um ihre Gäste schnell aus dem Haus zu bekommen.
»Mittwoch um drei, hörst du? Wenn du nicht kommst, zeige ich euch doch noch an, Familie Hertz!«, rief sie Onkel Uwe und Conny hinterher, die schon aus der Haustür gingen und den Gartenweg entlang.
»Schrei nich so, olle Zippe!«, knurrte der Onkel in sich hinein. Sie gingen Hand in Hand durch den sonnigen Nachmittag nach Hause. »Wiss da wirklich hin, Bibi?«
»'türlich. Fürn Heiermann!«
»Hat sie dir was getan?«
»Nö.«
»Hass dich bannich verjacht, wie sie kam?«
»Klor.«
»Hass was erwischt?«
»Nee. Sie war vorher da.«
»Schiet. Ich denk, ich werd nich wieder, wie die auf'n Mal anrückt und innas Haus geht. Na ja. Vielleicht hat sie recht. Du bis nu auch bald zu groß für das. Wärs womöchlich nächses Mal steckn gebliebn, wa?«
Und beide, Onkel und Nichte, mussten kichern bei dem Gedanken daran, wie Conny in einem Fenster beim Einbrechen stecken blieb und nicht vor und zurück konnte …

Im 3. Kapitel
trägt Onkel Uwe an schweren Sachen, Conny ein neues Kleid und Damian die Verantwortung
1965

Seit dem verhinderten Einbruch besuchte Conny die gelbe Villa jeden Mittwochnachmittag – und das zunehmend gern. Falls Frau Wohlgast aus irgendeinem Grund den Termin absagen musste, zog das Kind ein tragisches Gesicht. Nicht nur, weil der Heiermann wegfiel.

Das Vorlesen machte richtig Spaß. Conny las zuallererst aus den Werken zweier Theodore: Storm und Fontane. Teilweise standen die Geschichten in sehr alten, bräunlichen Büchern mit verklebten Seiten. Es dauerte eine Weile, bis sie lernte, Frakturdruck zu deuten. Anfangs verwechselte sie häufig f und s oder B und V, gar nicht einfach. Die Menschen in den Büchern kämpften mit Problemen, die dem Kind neu waren, Ehre, Ehrgeiz, Gesellschaft und Gewissen.

Es stellte sich heraus, dass Eva Wohlgast trotz knarrender, tiefer Stimme ziemlich nett war. Nach dem Vorlesen redete sie gern mit Conny. Das Kind wurde über den gelesenen Text befragt. Warum wohl hatte sich die Hauptfigur einer Geschichte so und so entschieden? Was hätte sie stattdessen tun können? Zum Tee gab es die besten Kekse oder sogar Pralinen. Frau Wohlgast wollte auch wissen, ob wieder was am Hertz-Haus angebaut wurde oder was die Familie sich im Fernsehen anguckte. Denn sie besaßen sehr wohl einen Fernseher, der in der Küche stand und den Onkel Uwe von irgendwoher angeschleppt hatte.

Um genau diesen Onkel übrigens ging es in den ersten Wochen jedes Mal: »Was tut er so? Was macht er gerade?«

Da ausgerechnet Uwe seinen Mitmenschen ungern auf die Nase band, was er plante und machte, solange er sie nicht direkt in seine Pläne einbezog, war das knifflig zu beantworten. Conny improvisierte, versuchte es mit »Alles Möchliche, glaub ich« – aber das kam offensichtlich nicht gut an. Schließlich wandte sie sich an Uwe selbst und gab die Frage weiter: »Was soll ich ihr nächs Ma sagn?«

Er ließ bestellen, wenn Frau Wohlgast ihn brauchen könnte, müsste sie das anfordern. Und er kritzelte mit seinen großen Händen große Ziffern auf einen abgerissenen Zettel, die Telefonnummer der Familie Hertz. Die hätte Conny natürlich unschwer aufsagen können, aber er fand es so richtiger.

Das Kind lieferte die Antwort und den Zettel ab, glaubte Zufriedenheit auf dem halben Gesicht hinter dem Haarvorhang zu erkennen und bekam von da ab nie wieder eine Frage nach dem kriminellen Onkel.

Jeden Mittwoch, wenn Conny sich artig verabschiedete und so tat, als denke sie nicht an das Honorar, wurde ihr nicht nur ein dickes silbernes Fünfmarkstück überreicht, sondern zusätzlich irgendein interessantes Geschenk. Und so viel Conny am Geld lag – diese Geschenke hatten es in sich!

Mal gab es ein Fässchen mit Salzgurken, mal einen mit Rosen und Ranken bemalten Holzkamm, mal ein Röhrchen mit Seifenblasen und immer wieder Bücher.

Einmal bekam das Kind einen Hut mit Schleier und einmal eine Zigarrenkiste voller Geldstücke alter Währung, Reichsmark und vor allem Pfennige. Damit ließ sich hervorragend spielen, etwa im Kaufmannsladen.

Über Weihnachten verreiste Eva Wohlgast und verabschiedete sich von Conny: »Ich freue mich, wenn du im neuen Jahr wieder zu mir kommst, am ersten Mittwochnachmittag.«

Conny wollte ihre tragische Miene machen, erhielt jedoch unvermutet einen Zehnmarkschein. »Als Gratifikation«, erklärte

die Frau. Conny merkte sich das Wort und schlug es später in ihrem Lexikon nach.
Dass ihr jetzt, zum Fest plus bald folgendem Geburtstag, wieder ein eingepacktes Geschenk überreicht wurde, überraschte weniger. In dem Paket steckte ein Kleid, ein dunkelrotes Samtkleid mit weißem Leinenkragen, das Conny so genau passte, als hätte es ihr jemand auf den Leib geschneidert. Tante Martha, Onkel Dieter und ihre Mutter, die eigentlich nie so ganz klar sahen, wie die Bekanntschaft und der Nebenverdienst bei der Dame aus der gelben Villa eigentlich entstanden war, zeigten sich beeindruckt.
So eine gute alte Frau!
Onkel Uwe und Conny schauten sich nicht an. Sie betrachteten beide den Lametta-behängten Weihnachtsbaum.
Dass ihr Onkel der guten alten Frau tatsächlich irgendwie behilflich war, konnte Conny sich denken, denn sie hatte einmal kurz seine alte abgeschabte Lederjacke über der Lehne eines Küchenstuhls bei Frau Wohlgast entdeckt, bevor die schnell die Küchentür schloss. Ein anderes Mal kam Uwe ihr über den Gartenweg entgegen, als sie gerade die gelbe Villa verließ. Sicher trug er schwere Sachen die Treppen rauf oder in den Keller. Da er nicht darüber redete, fragte sie auch nicht nach. So was erzeugte ihrer Erfahrung nach nur schlechte Laune und Ausreden.

»Vielleicht bin ich gar nicht mehr das *allerhässlichste* Kind in unserer Familie!«, meinte Nelli Schnoor.
Sie saß mit ihrer Freundin vor dem hölzernen Laufgitter, in dem ihr Bruder herumkrabbelte und mit seinen kleinen runden Babyhänden Bauklötzchen aufsammelte, um sich herum rollte oder zwischen den Stäben hindurch nach draußen warf, wobei er begeistert quietschte, wenn es ihm gelang, damit seine Schwester oder Conny zu treffen.

Christian Schnoor war ein unschönes Baby mit schiefstehenden apfelgrünen Augen und rostroten Locken. Sein Gesicht wirkte noch dreieckiger als das seiner Schwester, weil die Wangenknochen scharf hervorstanden, wo eigentlich bei einem Einjährigen weiche dicke Bäckchen sein sollten.
Der Jüngste der Familie Schnoor strapazierte die Nerven seiner Eltern und Geschwister.
Nellis Mutter behauptete: »Seit der Lütte da ist, geh ich am Stock!« Das stimmte zwar nicht buchstäblich, aber sie sah elend aus und abgekämpft, bleich und viel weniger gepflegt als noch im Jahr davor.
Der kleine Christian wollte nichts Böses und tat nichts Böses. Er war nur lebhafter, eigensinniger, robuster, neugieriger und lauter als alle seine Schwestern. Vater Schnoor schmunzelte dazu und fand es typisch männlich. Dann ging er in die Gärtnerei und überließ es seinen Frauen, damit fertigzuwerden.
Weil Cilly ebenfalls im Betrieb zupackte und dazu den Haushalt stemmte (gemeinsam mit einer rotgesichtigen Frau Schwanke), weil Cordula und Corinna beide schon in der Ausbildung waren, die eine in einer großen Gärtnerei, die andere im Büro – blieb der anstrengende kleine Bruder immer mal wieder an Nelli hängen.
Conny, inzwischen erfahrene Geldverdienerin, brachte ihre Freundin auf die Idee, sich dafür bezahlen zu lassen. Eine Mark die Stunde.
Nelli machte das Angebot und musste enttäuscht berichten: »Mutti gibt mir nichts dafür! Die sagt, dass ein Mädchen kleine Geschwister hütet, ist doch selbstverständlich. Das hat sie früher auch immer getan. Außerdem findet sie eine Mark die Stunde viel zu teuer.«
Conny hatte immer noch eine Idee: »Denn sach, du willst fünfzig Pfennich für die halbe Stunde.«

Darauf gingen die Eltern Schnoor, vielleicht, weil sie's komisch fanden, tatsächlich ein.
Conny leistete ihrer Freundin natürlich Gesellschaft beim Kleinkindbändigen, unentgeltlich. Doch manchmal, wenn Familie Schnoor gar keinen anderen fand, weil Nelli zum Beispiel auch noch zum Zahnarzt musste, sprang sie alleine ein. Erklärte Frau Schnoor, Bezahlung sei nicht nötig. Und hielt trotzdem, dankend mit Knicks, die Hand auf, wenn sie einen oder zwei Fünfziger erhielt.
Denn sie sparte nach wie vor auf das Auto für ihre Mutter. Inzwischen sogar, nachdem sie jemand darauf aufmerksam gemacht hatte, zusätzlich auf den Führerschein. Sonst wären immer nur die Onkel mit dem Wagen herumgefahren, das konnte sie sich gut vorstellen.
An diesem trüben Nachmittag Anfang Januar saß Conny gratis dabei und ließ sich aus Freundschaft mit Klötzchen bewerfen.
»Wenner so lacht, ist er eigentlich ja ganz niedlich ...«, versuchte sie, dem kleinen Christian etwas abzugewinnen, der gerade vor Begeisterung kreischte, weil es ihm gelungen war, seine Schwester an der Stirn zu treffen.
Die beiden Mädchen betrachteten den rothaarigen Quälgeist. Er fasste den Rand seines Laufgitters und schüttelte es mit aller Kraft, sodass es sich jedes Mal ein wenig hob und auf den Boden wummerte. Beim Lachen schlossen sich seine schiefen Augen zu Schlitzen, er riss den Mund weit auf und zeigte sechs winzige weiße Zähne.
»Ja. Ziemlich niedlich«, gab Nelli ohne Begeisterung zurück. »Und total frech und ruppig. Aber eins steht fest, doof ist er nicht. Hat vorgestern eine Streichholzschachtel erwischt und versucht, ein Streichholz anzumachen. Wie das geht, muss er bei uns beobachtet haben. Guckt immer alles genau an, kriegt alles mit. Hat haufenweise Ideen. Pfiffig ist der Kerl, ein richtiger kleiner Fuchs ...«

»So siehter auch aus«, fand Conny. »Wie'n Fuchskind. Weißwas, wie in diese Hefte, Fix und Foxi. Wir solln ihn man ma Foxi nenn!«
Sie riefen den kleinen Jungen mit seinem neuen Namen, worauf er jedes Mal mit kollerndem Gelächter antwortete. Anscheinend gefiel ihm das.
»Willst du später mal Kinder?«, fragte Nelli nachdenklich. »Ich nicht. Sie sind ja ganz niedlich, aber so entsetzlich anstrengend. Und wenn's mein Kind ist, kannst du Gift drauf nehmen, dass es genauso hässlich wird wie Foxi. Ich stimme mit meiner Mutter überein: wenn überhaupt, nur Mädchen. Am liebsten hätte ich einfach einen schönen, klugen, reichen Mann und vielleicht mehrere Katzen.«
Ihre Schwester Corinna, die gerade ins Zimmer kam, hörte den letzten Satz und lachte kurz. »*Du* ausgerechnet willst einen schönen, klugen, reichen Mann? Vielleicht versuchst du lieber, ganz groß im Lotto zu gewinnen. Dann kriegst du, wenn du Glück hast, vielleicht einen schönen, klugen, armen Mann. Wie das sonst funktionieren soll mit deinem Gesicht und deiner komischen Figur und deinem Haar und vor allem mit deinen Vorderzähnen, kann ich mir nicht vorstellen …«
Nelli zog die Oberlippe über den besagten Vorderzähnen samt Zahnklammer straff und sammelte die verstreuten Klötzchen ein.
Conny bemerkte, laut genug, dass Corinna es hören konnte: »Ich kann mir das gut vorstelln, dass du ein prima Mann abbekomms, Nelli. Du bis nämlich lieb und sachs nie gemeine Sachn …«
Woraufhin Corinna etwas beleidigt unter lautem Türenschließen das Zimmer verließ und Nelli ihre Freundin dankbar anlächelte, mit blinkender Zahnklammer.

Einige Jahre vergingen, vieles blieb, wie es gewesen war, und vieles änderte sich. Im Radio gab es immer häufiger eine neue Art von Musik mit Gitarre und Schlagzeug und englischem Gesang (was Tante Martha empörte, die meinte, man befände sich immerhin noch in Deutschland, und diese Briten sollten man mal zu Hause singen und sie hier zufriedenlassen.)
Die englischen und amerikanischen Musiker trugen übrigens meist Frisuren, die denen von Tante Martha erstaunlich ähnelten, lang über den Ohren, in die Stirn gekämmt und gerade abgeschnitten. Daraus ergab sich mit der Zeit, dass immer mehr Menschen, männliche und weibliche, ihr kurzes Haar länger wachsen ließen, in die Stirn kämmten und gerade abschnitten …
Conny wurde von Frau Wohlgast geprüft und geschult. Mal musste sie mit Handschuhen und Messer und Gabel ein verschnürtes Päckchen öffnen, mal mit drei Büchern auf dem Kopf die Treppe rauf- und runtergehen. Mal sollte sie – statt in einem Buch – einen Artikel in der dicken Tageszeitung lesen und hinterher erzählen, was darin gestanden hatte. Und immer wieder verbesserte Frau Wohlgast Connys Sprache. Das Kind klang schon gar nicht mehr wie ein Mitglied der Familie Hertz.
Onkel Uwe musste wieder einmal für einige Monate in die Haftanstalt Fuhlsbüttel. Als Conny Frau Wohlgast das berichten wollte, wusste die es schon und meinte gelassen, es sei ja nicht für lange.
»Soll ich Onkel Dieter bittn, dass er Ihn so lange aushilft?«, schlug Conny höflich vor. »Er hat ja nur ein Bein, aber er ist beinah so kräftig wie Onkel Uwe. Wenn Sie ihn brauchen könn –?«
Doch Eva Wohlgast bedankte sich und meinte, für die paar Monate könne sie sich selber helfen.

Conny und Nelli stritten sich so gut wie nie, und falls doch einmal, konnten sie sich schnell einigen. Conny gönnte ihrer Freundin von Herzen das geordnete, saubere Elternhaus mit eigenem Zimmer und wöchentlichen Taschengeld. Nelli war nie im Geringsten neidisch, sondern regelrecht stolz auf Connys zierliche, anmutige Figur und ihr hübsches Gesicht.
Sie selbst wurde neuerdings, vielleicht weil sie aufgehört hatte, krüsch zu sein, ziemlich breit, auch ihr Gesicht gewann an Fläche, während die Augen leider nicht mitwuchsen. Ein Versuch, ihr gekräuseltes Haar wachsen zu lassen, fiel nicht zufriedenstellend aus und endete damit, dass sie es wütend mit einer Küchenschere stutzte. Ihre Vorderzähne hatten sich durch die Zahnspange bändigen lassen und standen immerhin gerade da – groß blieben sie.
In der Schule gingen die Kinder nicht besonders zimperlich miteinander um. Wäre Nelli neu dazugekommen, hätte sie wohl wegen ihrer wenig anmutigen Fassade einiges zu hören bekommen. So war jeder seit jeher an ihren Anblick gewöhnt. Ein bisschen »Mondgesicht« oder hin und wieder ein »Bibergebiss«, das war's. Da hatten andere mehr auszustehen.
Beispielsweise Damian Gebhardt. Seine Mutter war eine alte Bekannte von Eva Wohlgast und hatte durch deren Vermittlung ein schneeweiß gestrichenes Haus mit mehreren Türmchen in der Nähe der gelben Villa bezogen.
Alles an Miranda Gebhardt war ungewöhnlich; ihre großen, amerikanischen Brillen, die ein Drittel des Gesichts bedeckten, ihr kaum zentimeterlanges Haar, die enorm hohen Absätze, auf denen sie auch noch laufen konnte, als wären es ganz normale Schuhe.
Sie fuhr ein orangefarbenes Auto, dessen Dach sich zusammenfalten ließ, ein Kabriolett.
Sobald sie mit ihrem Sohn in das schneeweiße Haus eingezogen war, ließ sie über allen Fenstern und Türen, auch an den

Türmchen, orangefarbene Markisen anbringen und beschäftigte einen Gärtner, der zitronengelbe bis braunrote Studentenblumen anpflanzen musste und Massen von Sonnenblumen. Als herauskam, dass Frau Gebhardt früher Schauspielerin gewesen war, wunderte das keinen mehr.
Aus ihrer geschiedenen Ehe mit einem Regisseur stammte also der kleine Damian. Besonders klein war er gar nicht, ganz normal für sein Alter. Zu seinem Unglück schien dies das einzig Normale an ihm zu sein. Genau wie seine Mutter ragte er sonst an allen Ecken und Enden aus der Masse.
Unter anderem drückten ihn Unmengen großer Begabungen. So spielte er im schneeweißen Haus Klavier, derart, dass die Nachbarn zunächst meinten, es sei das Radio!
Das war unheimlich genug. Sein Verstand reichte aus, um eine Schulklasse glatt zu überspringen. Dadurch landete er in der 5b neben Nelli und Conny. Hätte Damian jetzt ein Gesicht gehabt wie jeder normale Junge von neun Jahren, hätte ihn das vielleicht noch retten können. Doch der kleine Gebhardt war von auffallender Schönheit. Genauso fatal, vielleicht sogar schlimmer als auffallende Hässlichkeit.
Ein Junge, der schön war, lieblich wie eine Kitschpostkarte! Sein dunkles Haar wallte in natürlichen, glänzenden Wellen auf seine Schultern, entweder vorausahnend, wohin es mit den britischen Sängern noch kommen würde – oder dem persönlichen Geschmack seiner Mutter folgend, die ja ihr eigenes Haar raspelkurz trug.
Hätte er sich doch unauffällig betragen: ein wenig frech, ein bisschen vorlaut, teilweise unsicher und dann wieder albern, eben ganz wie ein normaler kleiner Junge. Doch Damian wirkte altklug und arrogant, verschlossen und hochmütig. Er verzog seinen fein geschnittenen Mund verächtlich, statt zu antworten, wenn er von anderen Kindern angesprochen wurde. Niemand konnte übersehen, dass er sich für etwas Besseres hielt.

Mit Lehrern sprach er immerhin, gewissermaßen von Gleich zu Gleich. Dann klang seine Stimme spröde, übertrieben akzentuiert, ungewöhnlich formulierend, in perfekt reinem Hochdeutsch. Affig.

Bereits von seinem ersten Schultag in der Paul-Sorge-Straße kam Damian mit angeschrammter Stirn und blutendem Schienbein nach Hause. Sein Name wurde in jeder Weise veralbert, von »Da kommt die Dame ja!« bis zu »Pavian – der hat bestimmt einen knallroten Hintern« – und nur eine aufmerksame Pausenaufsicht verhinderte, dass man sich sofort gemeinsam von dieser Tatsache überzeugte.

Conny und Nelli beobachteten das nebenbei und nahmen naturgemäß keine besondere Notiz vom neuen Klassenkameraden. In kaum einem Alter ist das Desinteresse am anderen Geschlecht größer – oder es wird zumindest so getan. Er saß nicht in ihrer Nähe, sie registrierten, dass er sich mit den anderen Jungen offenbar schlecht vertrug und jedem Lehrer jede Frage beantworten konnte – na und …?

Doch dann hatte Nelli Schnoor sich in der großen Pause an einem heißen Sommertag mit dem Poesiealbum von Renate Timm aufs Mädchenklo begeben in der Hoffnung, ihr möge in der beschaulichen Stille und Einsamkeit etwas besonders Nettes und wirklich Poetisches einfallen. Die Örtlichkeit wurde stets gleich zu Pausenbeginn und eventuell noch mal wieder vor Unterrichtsbeginn gestürmt, dazwischen spielte sich hier wenig ab, man wollte sich ja auf dem Schulhof austoben.

Gerade kam ihr die erste Inspiration, in der sie die hübsche blonde Renate mit einer kleinen Märchenprinzessin vergleichen wollte – als plötzlich die Tür wild aufgestoßen wurde, rasende Schritte erklangen und jemand die Klokabine neben ihr stürmte und verriegelte. Sie hörte keuchende Atemzüge, dann ein Gekletter und Gekraxel, als versuche die Person neben ihr, am Spülkasten hochzukommen.

Gleich darauf flog die Tür schon wieder auf, diesmal prasselten mehrere Personen in den Raum, unverwechselbar Jungen, unter wildem Gejohle und Geschrei: »Hat der wirklich sein roten Arsch hier reingetragn? Hast das genau gesehen?«
Und Gerüttel an sämtlichen Türen sowie Gerutsche auf dem Boden, um unter den Türspalten hindurchzublicken und eventuelle Füße zu entdecken.
Nelli rief mit ihrer etwas nöligen, aber unzweifelhaft weiblichen Stimme: »Hier ist das Mädchenklo, das ist für Jungs verboten, wenn ihr nicht sofort abhaut, melde ich das Frau Harms!«
Darauf entstand Stille, enttäuschtes Gemurre, einer fragte: »Hör mal, bist du alleine hier, oder ist da gerade eben jemand rein, sach mal eben?«
»Ich bin alleine! Hier ist außer mir keiner. Und das ist überhaupt die Mädchentoilette, die ist für Jungs verboten, wenn ihr nicht sofort abhaut, melde ich –«
Doch da war die Gruppe schon abgezogen, die Tür schmetterte hinter ihnen zu.
Nelli lauschte nach rechts, zu der vom Flüchtling besetzten Kabine neben sich. »Alles in Ordnung?«, fragte sie möglichst leise – vielleicht lauerte ja doch einer der Verfolger vor der Tür.
»Ja. Danke übrigens«, kam es ebenso leise zurück.
Nelli erlaubte sich nach der Erwähnung des bewussten roten Körperteils die Frage: »Du bist Damian Gebhardt, oder?«
»Mhm.«
Und um ihn zur Beruhigung abzulenken: »Was bedeutet *Damian* eigentlich? Wo kommt das her?«
»Das ist griechisch und bedeutet ›der mächtige Mann‹«, erklärte die spröde, etwas affektierte Stimme neben ihr. Und als wäre ihm plötzlich zum ersten Mal selbst aufgegangen, wie gut der Name derzeit zu ihm passte, begann der Junge nervös zu kichern.

Nelli, immer für einen guten Spaß zu haben, kicherte mit. Wie das manchmal so ist, steckten sie sich in diesem Gelächter immer wieder gegenseitig an, hielten sich, jeder in seiner Kabine auf dem Klodeckel sitzend, selbst den Mund zu, gaben gurgelnde und schnaubende kleine Geräusche von sich und amüsierten sich über alle Maßen.

Nachdem sie das hinter sich hatten, machte sie ihn darauf aufmerksam: »Du musst aber wirklich auch raus hier. Neulich war erst wieder Ärger, weil Jungs ins Mädchenklo gekommen sind. Die wollten natürlich Mädchen ärgern, und das willst du ja nicht … Aber wenn sie das falsch verstehen …«

»Ach, dafür übernehme ich die volle Verantwortung«, erwiderte Damian in seinem üblichen, meistens unangebrachten Selbstbewusstsein. Dann erkundigte er sich: »Bist du Nelli Schnoor?« Und als sie das bestätigt hatte: »Du hast so eine hübsche gerade Nase. Ich mag deine Nase.«

Nelli starrte auf die bekritzelte Klotür vor ihrer hübschen geraden Nase und glaubte, sich verhört zu haben. Andererseits herrschte im Mädchenklo wünschenswerte Stille, deshalb hatte sie sich ja hierhin zurückgezogen.

Wenn es in ihrem Leben bisher Komplimente gegeben hatte, dann bezogen die sich allenfalls auf ihre Zuverlässigkeit, ihre Kameradschaftlichkeit oder gute Leistungen, ob in der Schule oder im Haushalt. Conny bestätigte ihrer Freundin gern, wie witzig sie sein konnte oder dass es Spaß machte, mit ihr zusammen zu sein.

Eine gerade Nase? Eine hübsche gerade Nase?

Ein schrilles Läuten zeigte an, dass die große Pause vorbei war. Nelli und Damian verließen ihre Kabinen.

Ein Mädchen kam ins Klo gerast, ließ kaltes Wasser aus dem Hahn an einem der Waschbecken spritzen, spülte sich hastig den Mund aus, spuckte, wischte mit mehreren Papiertüchern ihr Gesicht ab und war auch schon wieder weg, ohne die beiden angeblickt zu haben. Vielleicht wäre ihr übrigens noch nicht einmal aufgefallen, dass es sich bei dem langhaarigen Kind um einen Jungen handelte.

»Ja, also, ich bedanke mich noch einmal. Du hast mich buchstäblich gerettet, das war großartig von dir!«, sagte Damian in seiner etwas gezierten Art.

Obwohl anderthalb Jahre jünger, war er etwas größer als Nelli und er musterte sie ernsthaft, aber mit einem für ihn recht ungewöhnlichen kleinen Lächeln.

Auch Nelli betrachtete Damian in Ruhe, ohne auf das Getrappel und Gerenne und Gerufe und Gegröle auf dem Flur zu achten (das deutlich signalisierte, man hätte sich jetzt schleunigst in die Klassen zurückzubegeben).

Sein ovales, blasses Gesicht mit sehr großen dunkelblauen Augen war so angenehm anzuschauen wie ein Engel auf dem Adventskalender. Der hier fand nicht nur ihre Nase gerade, er war auch noch selbst wunderhübsch!

Dann tat sie etwas Unerhörtes, etwas völlig Unmögliches, aus einem Impuls heraus, ohne darüber nachzudenken. Sie schlang beide Arme um seinen Hals und gab ihm, rechts und links, jeweils einen herzhaften Kuss auf die Wangen.

Einem Jungen! Mitten im Mädchenklo!

Damian wehrte sich keineswegs, wie es jeder normale Junge gemacht hätte. Er wischte nicht sein Gesicht ab. Er protestierte mit keiner Silbe. Er hielt mit andächtiger Miene still, bis Nelli ihn losließ.

Und dann rannten sie, deutlich getrennt, sie etwas schneller und er etwas langsamer, zur 5b, in der Frau Harms gerade am Pult Platz nahm und allen auftrug, die Hefte herauszuholen.

In gewisser Weise wurde von diesem Augenblick an die Freundschaft zwischen Nelli und Conny etwas blasser. Aber es sollte noch lange dauern, bis sich das bemerkbar machte.

Im 4. Kapitel
wird die Zukunft prophezeit, obwohl es sie eigentlich nicht gibt, sowie ein Geburtstag mit besonders vielen Freunden gefeiert
1966

Durch Eva Wohlgast lernte Conny viel, was ihr weder in der Schule noch zu Hause oder in der Gärtnerei vermittelt wurde, neue Stand- und Blickpunkte, als würden überall neue Fenster aufgemacht. Nachdem es früher so gewirkt hatte, als sei das Leben aus geraden Streifen geflochten, stellte sich jetzt heraus, wie viel feiner und komplizierter dieses Gewebe war. Es ging um mehr, um viel mehr, als Familie Hertz wusste.

Sie war nicht die einzige mit derartigen Erfahrungen. An einem verregneten Nachmittag, während sie in der Wohnstube saß und Hausaufgaben machte, beobachtete sie durch die offene Tür Onkel Uwe, der in der Küche in einem Buch las. Er hielt es in der rechten Hand, während er mit der linken energisch durch die Luft ruderte, vor sich hin murmelnd. Er klatschte das Buch auf den Küchentisch, holte sich ein Bier aus dem Kühlschrank, öffnete es und nahm mehrere energische Schlucke, bevor er weiterlas. Es schien um nur zwei Seiten zu gehen, zwischen denen er ungeduldig vor- und zurückblätterte. Etwas später goss er das restliche Bier ins Waschbecken, stellte die leere Flasche unter den Spülstein und setzte den Wasserkessel auf, um einen Becher Kaffee zu kochen. Der schien ihm auch nicht viel zu helfen, er blätterte und las, fluchte und las und fluchte noch mehr, verließ mit dem Buch die Küche und schmetterte heftig die Tür hinter sich zu.

Früher, dachte Conny, während sie sich wieder über ihr Heft beugte, hat man in diesem Haus höchstens die Fernsehzeitung gelesen …

Eva Wohlgast besaß einen größeren Bekanntenkreis. Am »Schurfix« oder so ähnlich, Freitagnachmittag, erschienen an die zehn Personen, nicht etwa zum Skat oder um zu essen oder um gemeinsam zu arbeiten, sondern extra und speziell, um miteinander zu *reden*.

Manchmal begegnete Conny einer älteren Verwandten von Frau Wohlgast, einer rundlichen Dame, die ihre Wimpern oben und unten so stark tuschte, dass es aussah, als hätte sie zwei kleine schwarze Sonnen im Gesicht. Das war Alexandra Petuchowa, die recht merkwürdig sprach, ohne jemals deshalb von Frau Wohlgast verbessert zu werden.

»Sag du mir Tante Ala!«, erlaubte sie Conny und kniff ihre Wimpern vor lauter Freundlichkeit ein, bis sie nicht mehr wie Sonnen wirkten, sondern wie zusammengeknautschte Spinnen.

Tante Ala besaß merkwürdige Fähigkeiten oder behauptete zumindest, sie zu haben. Sie wollte aus den Handlinien die Zukunft sagen können. Guckte dann jedoch kaum in Connys Handfläche, hielt nur locker ihre kleine Hand in der eigenen und schaute ihr ins Gesicht.

»Zukunft gibt es noch nicht in die Welt. Zukunft liegt stetig vor uns. Weil sie vor uns liegt, können wir ändern. Du kannst ändern. Ich kann ändern. Ist immer gut, wenn du weißt, was du willst. Nun lass sehen …«

Sie warf einen flüchtigen Blick in Connys Hand und gleich wieder einen langen in ihre Augen. »Heiratest du jung, wirst du nicht glücklich, es ist falsches Mann. Wenn du in mittleres Jahren heiratest, wirst du bisschen glücklicher, Mann ist etwas richtiger, aber auch nicht so ganz. Wenn du mit das Alter heiratest, wirst du unendlich glücklich für letzte Rest von Leben. So ist das. Geld bekommst du nie von Heirat, nur von Freundschaft, nie von Mann, nur von Frau. Und natürlich von Arbeit und Fleiß.« Sie kippte Connys Hand, betrachtete kurz die äu-

ßere Kante und sprach abschließend: »Kannst du kriegen Kinder, wenn du jung bist, zwei dicke Zwillinge-Jungen, wo sehen sich völlig gleich. Eines von beiden stirbt früh sehr wahrscheinlich, und du bleibst traurig und zornig zurück mit das zweite Jungchen. Bekommst du Kind so mit Mitte oder Ende zwanzig, wird liebes, schönes Knabe und Herzensfreude. Bekommst du Kinder spät, werden drei dünne kleine Mädchen, die machen alle keine Freude und haben selber keine Freude im Leben nicht viel. Und die Jüngste ist die Schönste und wirst du viel weinen um sie. Ja, und in jedem Fall pass auf, dass deine Mutter nie heiratet wegen schönes blaues Augen von Mann, weil muss sterben daran.«
Conny versuchte sich auszurechnen: Jung zu heiraten wäre also für sie gefährlich, nicht nur, weil's der falsche Mann war, sondern weil eins ihrer Kinder sterben würde; in mittleren Jahren erwischte sie dann auch keinen besonders guten Partner, dafür jedoch einen erstrebenswerten Sohn. Und wenn sie mit Heirat und Kinderkriegen so lange wie möglich wartete, erhielt sie zwar einen Traummann, wurde jedoch mit drei schrecklichen Töchtern gestraft.
Später fragte sie Frau Wohlgast: »Wo kommt Tante Ala her? Warum spricht die so?«
»Sie ist in Russland geboren worden und hat dort die ersten zehn Lebensjahre verbracht. Dann war sie mit ihren Eltern in Indien und später in Ungarn und China. Ihr zweiter Mann war Deutscher, daher spricht sie so gut Deutsch. Im Übrigen beherrscht sie acht Sprachen. Ich habe großen Respekt vor ihrer Klugheit«, war die Antwort.
Tante Ala schnupfte Krümel aus einer kleinen hellblauen Dose in die Nasenlöcher hoch und enttäuschte die neugierig zusehende Conny, indem sie hinterher nicht nieste. In den Deckel der Dose war ein glitzernder Stein eingelassen. Früher hätte Conny so was gern stibitzt und ihrem Onkel mitgebracht.

Doch dafür, sagte sie sich, hätte es für sie immer nur zwei Mark gegeben. Da sie nun jeden Mittwoch zuverlässig fünf Mark erhielt, betrachtete sie die Schnupftabakdose der alten Dame ohne besondere Gier.

An einem Mittwochnachmittag Ende Juni tranken sie zu dritt in der gelben Villa Tee: Tante Ala, das graue Haar mit Kämmen gebändigt, Eva Wohlgast und Conny, die aufmerksam, mit leicht zusammengekniffenen Augen, das Kleid ihrer Gastgeberin musterte.

»Wie guckst du denn, Connymädchen?«

»Entschuldigung, Frau Wohlgast, wie nennt man diese Ärmel, die so schräge angesetzt sind und nicht rund um den Arm?«

»Wie bitte –? Ach so … Das sind Raglan-Ärmel. Die Naht verläuft hier, schau, zum Halsausschnitt.«

»Ja, das hab ich gesehen. Racklahn?«

»Raglan. So hieß ein englischer Adliger, der im Krieg einen Arm verloren hatte. Da haben sie ihm einen Mantel genäht mit diesem Ärmelschnitt, das war bequemer für ihn.«

Conny stand auf und betastete mit den Fingerspitzen den Ansatz der Naht. »Man müsste auch den Ärmel gleich mit anschneiden können aus dem Stoff, so bis zur Manschette hin …«

Eva Wohlgast zog ihre fein gezupften Augenbrauen kritisch zusammen. »Meinst du? Würde das nicht komisch aussehen?«

Conny schüttelte den Kopf. »Nicht, wenn man das richtig macht. Wenn man genuch Stoff hat, kann man ihn schräge verarbeiten. Dann fälltas von selbst ganz weich, wie in Wellen. Das ist nur viel teurer, weil man natürlich mehr Stoff braucht.«

Die beiden Frauen wechselten einen Blick. »Interessierst du dich für so etwas, Conny?«

Das Kind nickte. »Meine Mutter ist doch Schneiderin. Sie hat eine alte Pfaff – also eine Nähmaschine. Sie näht zu Hause

immer noch Aufträge und Änderungen, nach dem Abendessen. Manchmal krich ich Stoffreste für meine Puppen.«
»Nähst du mit der Maschine deiner Mutter?«, wollte Eva wissen.
»Ganz manchmal, wenn ich darf. Meistens näh ich mit der Hand. Aber die Stiche sehen aus wie mit der Maschine, wenn man nicht so genau hinguckt!«, beteuerte Conny eifrig.
Frau Wohlgast sagte: »Das ist interessant. Du musst mir mal etwas mitbringen, was du gemacht hast. Das würde ich mir gern ansehen. Sparst du noch für das Auto deiner Mutter? Dann hab ich eine gute Nachricht für dich. Du kannst zehn Mark dazuverdienen.« Frau Wohlgast zündete sich eine Zigarette an und beobachtete Conny durch den gekräuselten blaugrauen Rauch.
»Was soll ich tun?«
»Dich amüsieren. Du sollst zu einer Geburtstagsfeier gehen. Sie haben mehrere Sorten Torte, warte mal – Kirschtorte und Buttercremetorte und Nugattorte ... Es war doch noch eine vierte und fünfte? Eine Musikgruppe spielt, und es gibt ein großes Puppentheater im Garten und ganz viele Gewinne bei den Spielen. Richtig teure Gewinne, Spiele und Puppen. Ich glaube, der Hauptgewinn ist ein Fahrrad.«
Conny riss die Augen auf. »Und dafür krich ich zusätzlich noch was?«
»Allerdings.«
»Ist das – kommt das in eim Film vor? Soll ich da mitspielen?«
Eva Wohlgast lachte kurz. »Es hört sich so an, was? Ja, da sollst du mitspielen. Du und andere Kinder. Zieh dich bitte besonders hübsch an und tu ein paar Stunden lang so, als hättest du die allerbeste Laune. Egal, was passiert. Genau wie im Film. Als ob du eine Rolle spielst. Dafür bekommst du die zehn Mark. Hast du noch ein oder zwei Freunde, die du gern mitbringen möchtest?«

»Meine Freundin Nelli geht bestimmt gerne mit. Zu wann ist denn das?«
»Am Dienstagnachmittag, das ist der 5. Juli. Um vier Uhr, ungefähr bis sieben oder halb acht.«
Tante Ala fragte etwas in einer fremden Sprache, und Frau Wohlgast antwortete ebenso. Darauf hielt sich Tante Ala den Kopf mit beiden Händen und murmelte: »Oijoijoijoi!«
»Und wo sollen wir hinkomm?«, fragte Conny.
»Ein Stück von hier entfernt ist doch dieses schöne schneeweiße Haus mit den Türmchen und den orangefarbenen Markisen, kennst du das? Da sollt ihr hingehen. Übrigens, das Geld gibt es schon im Voraus. Das kann ich dir gleich geben, ich soll es auslegen. Ein Kind kannst du mitbringen? Dann bekommst du zwanzig Mark. Damit ihr auch wirklich gute Laune zeigen könnt ...«, erklärte Eva Wohlgast und verzog hinter ihrem halben Haarvorhang den Mund, ein wenig spöttisch oder ein wenig schmerzlich, schwer zu sagen, wenn man nur die Hälfte des Gesichts sehen konnte.

Als Damian Gebhardt fünf Jahre alt war, ließen seine Eltern sich scheiden. Sie stritten eine Weile um das Sorgerecht für ihr Kind – aber Anfang der Sechzigerjahre erhielten das sowieso fast immer die Mütter, und zwar allein.
Damians Vater, der Regisseur, schrieb seiner geschiedenen Frau einen bitteren Brief, in dem er zum Ausdruck brachte, wie sehr sein Sohn zu bedauern sei. Miranda, schrieb er, würde Damian unweigerlich zu einem unglücklichen Menschen machen.
Dieser Satz saß mit Widerhaken in ihrem Herzen.
Miranda Gebhardt war nicht nur eine leidlich erfolgreiche Schauspielerin, die auf Boulevardtheaterbühnen ihr Bestes gab und in Fernsehspielen interessante Nebenrollen verkörperte. Sie war außerdem eine Erbin. Mit ihrem Geld hatte Damians

Vater einige seiner experimentellen, erfolglosen Filme finanziert, und hinterher war immer noch eine Menge übrig gewesen.

Damian bewohnte im schneeweißen Haus mit den orangefarbenen Markisen zwei ungemein geräumige Zimmer. Darüber hinaus stand ihm auch der gesamte Dachboden zur Verfügung und natürlich konnte er, wenn er Lust dazu hatte, im großen Pool im Keller baden. Er durfte fernsehen, so lange er wollte, und er durfte bei Sofia, der Köchin, jeden Abend bestellen, was er am nächsten Tag gern zu essen hätte. Damian bestimmte, wohin seine Mutter in den Ferien mit ihm verreiste, und sie passte tatsächlich auf, dass sie in allen Schulferien Zeit hatte.

Miranda Gebhardt tat, was sie konnte, damit ihr Sohn ein glücklicher Mensch war, und sein etwas melancholisches, abwesendes Gesicht bestürzte sie immer aufs Neue.

Bevor Mutter und Kind nach Niendorf zogen, hatten sie in Blankenese gewohnt, und auch dort gab Miranda zu Damians Geburtstag große Feste mit Einladungen für viele, viele Kinder.

Dann stand er im weißen oder hellblauen Anzug mitten zwischen Torten, Luftballons und strahlenden Altersgenossen, die ihre gewonnenen Preise an sich drückten oder hochhielten. Miranda, den Fotoapparat in den Händen, rief: »Lach mal, mein Goldschatz!«, und ihr Sohn verzog seinen schönen, traurigen Mund zu einer Art Lächeln. Das beste dieser Fotos, das, auf dem Damian am ehesten glücklich wirkte, pflegte sie ihrem geschiedenen Mann zu schicken.

Miranda hatte längst begriffen, dass ihr kleiner Junge etwas ganz Besonderes war, intelligenter, begabter, reifer als alle seine Altersgenossen. In einem ihrer seltenen und meist leider nur kurzen Gespräche hatte er ihr anvertraut, dass er sich aus Kindern wenig mache und später auf keinen Fall selbst welche haben wollte.

Seine Mutter wusste, wie sehr er es verabscheute, zur Schule zu gehen. Und ihr war klar, wie wenig ihn diese großen Geburtstagsfeiern amüsierten. Er ertrug sie ihr zuliebe. Denn er seinerseits wusste, wie viel ihr daran lag, seinem Vater anschließend das Triumph-Foto zu schicken, auf dem Damian im Kreis anderer Kinder lächelte.

Im Sommer 1966 wurde er zehn, das war besonders zu feiern. Im Garten stand ein riesiges, orangefarbenes Leinenzelt: Leider weigerte sich das Wetter, mitzuspielen, es war viel kälter als vereinbart, der Himmel grau bezogen, manchmal nieselte es sogar.

Innerhalb des Zeltes spielte eine kleine Musikgruppe. Miranda lief strahlend umher, in einem weißen Leinenkleid und auf unerhört hohen Absätzen, aber ganz sicher und anmutig. Ihr schöner großer Mund war orangefarben geschminkt, an ihren Ohrläppchen saßen zwei faustgroße orangefarbene Plastikscheiben, und das Gestell ihrer Brille harmonierte damit in Rot- und Gelbtönen. Miranda rief die Spiele aus, nannte Lose und Gewinner und Sieger und lachte so viel, dass es sie völlig erschöpfte. Die Kinder, bezahlt und instruiert, lachten und strahlten ebenfalls – obwohl sich nicht leugnen ließ, dass einige (trotz Honorar) Damian durch den Kakao zogen. Doch das war seine Mutter von vorherigen Geburtstagsfeiern gewöhnt, man musste es in Kauf nehmen und so tun, als bemerke man es nicht.

Miranda Gebhardt wurde an diesem Nachmittag von zwei jungen Mädchen unterstützt – nämlich ihrer Hausangestellten Gudrun und deren Schwester – und darüber hinaus von einem Profi, Herrn Feldmann, einem etwas älteren Menschen mit blitzenden Jacketkronen, der früher in Hotelketten als Kinderanimateur gearbeitet hatte. Er besaß ein erstaunliches Stimmvolumen und stieß fortgesetzt ein sonores Gelächter aus.

Trotz der kühlen Witterung kam Miranda geradezu ins Schwitzen. Sie beobachtete ihren Sohn, der ruhig und verachtungsvoll zwischen den anderen Kindern stand. Er fühlte sich denen ganz deutlich ebenso überlegen wie sie sich ihm gegenüber. Es wirkte, als hätte man ein Vollblutfohlen in den Schweinestall gesperrt.
Plötzlich tat er ihr entsetzlich leid. Wie wäre es, diese blöden, lauten, primitiven Gören samt pickliger Musiker-Jünglinge und den angegrauten Herrn Feldmann, diesen Berufsoptimisten, einfach rauszuschmeißen? Sofia und den jungen Mädchen freizugeben, Pizza zu bestellen und den Rest des Tages zu zweit im Keller am Pool zu verbringen?
Genau in diesem Moment bemerkte sie, dass Damians Miene sich änderte. Er blickte aufmerksam und beinah erfreut an ihr vorbei auf jemanden, der eben kam.
Miranda drehte sich unauffällig um und schaute zur Gartenpforte. Zwei kleine Mädchen in festlichen Kleidern trabten über den Kiesweg zum Zelt und wurden von Gudrun begrüßt. Wie alle anderen weiblichen kleinen Gäste erhielt jede von ihnen eine große bunte Papierblüte an einem Haarreifen. Das dicke Mädchen sah damit reichlich lächerlich aus, aber der schwarzhaarigen Kleinen mit den riesigen dunklen Augen und den Grübchen stand der Schmuck sehr gut.
Die ist aber hübsch!, dachte Miranda erfreut. Sie ging zu ihrem Sohn und fragte halblaut: »Wer sind denn die beiden?«
Damian antwortete, ohne die Mädchen aus den Augen zu lassen: »Nelli. Nelli und Conny. Aus meiner Klasse. Ich wusste nicht, dass die kommen …« Dann blickte er zu seiner Mutter auf, und sie erkannte entzückt, dass seine Augen regelrecht leuchteten und dass er richtig, wirklich, tatsächlich lachte.
Er sah glücklich aus, es wirkte vollkommen echt.
Während sie hastig überlegte, wo sie den Fotoapparat hingelegt hatte, ging er auf die beiden neuen Gäste zu und sprach sie an.

So etwas hatte er noch nie getan. Er redete übrigens, vermutlich aus natürlicher Schüchternheit, zunächst mit dem rothaarigen, unansehnlichen Mädchen, na ja. Miranda hatte den Fotoapparat gefunden und beschäftigte sich damit, eine Reihe von Aufnahmen zu machen: Damian brachte den beiden Mädchen aus seiner Klasse je ein Glas mit Cola – zeigte der hübschen Schwarzhaarigen sein neues Trampolin – zeigte der dicklichen anderen den Goldfischteich – stellte beiden auf ganz erwachsene Art (zu niedlich) den aufgeblasenen Herrn Feldmann vor – stand mit ihnen nahezu entspannt auf dem Rasen und redete und lachte – er lachte! Miranda fotografierte wie verrückt und winkte ungeduldig ihrer Angestellten, die ihr eine neue Filmrolle bringen sollte, aber hoppla.

Nachdem der neue Film eingelegt war, suchte Miranda ihren Sohn. Dort stand das nette kleine Mädchen, allein … oder nein, einer dieser gewöhnlichen Jungen mit zu großen Händen, Füßen und Ohren hatte sich neben ihr aufgebaut und redete auf sie ein.

Wo war denn Damian hin –?!

Hatte er sich etwa von dem anderen Jungen in die Flucht schlagen lassen? Stand er traurig irgendwo herum und schaute aus der Entfernung den Nebenbuhler mit seinem Schwarm an?

Miranda suchte fast eine Dreiviertelstunde lang nach Damian. Und nicht nur sie: Auch Herr Feldmann, Gudrun und deren Schwester fahndeten mit zunehmender Nervosität nach der Hauptperson des Tages, dem Geburtstagskind, dem kleinen Hausherrn.

Zum Schluss war man drauf und dran, das Wasser aus dem Goldfischteich abzuschöpfen oder die Polizei anzurufen.

Miranda Gebhardt erlitt in der Küche einen kleinen hysterischen Anfall, in dessen Verlauf sie die Köchin Sofia ohrfeigte, als die sie beruhigen wollte. Worauf die Köchin kündigte und nur durch eine Lohnaufbesserung gehalten werden konnte.

Conny stand im Festzelt, die raschelnde Papierblüte auf dem Scheitel und sich sehr bewusst, dass Jochen Neidhard neuerdings verknallt in sie war. Er hatte ihr schon zwei seiner Gewinne weitergeschenkt. Sie beobachtete die jungen Musiker, alle fünf mit Tante-Martha-Frisuren plus Koteletten. Conny zuckte im Takt mit, so machte man das.

Da stand plötzlich Damians Mutter vor ihr, durch die Riesenbrille blickte sie wie mit Ameisenaugen, und sie fragte ziemlich schrill: »Weißt du, wo Damian ist? Er war doch vorhin noch bei dir und deiner Freundin ...«

Conny biss auf ihrer Unterlippe herum.

Einerseits hatte Damian sie extra gebeten, niemandem zu verraten, wohin er mit Nelli ging. Und sie wusste aus Nellis Erzählung von der romantischen Begegnung im Mädchenklo genau, wie viel ihrer Freundin daran lag, mit diesem Jungen ungestört zu bleiben. Sie hatten ja beide nicht geahnt, dass ausgerechnet *er* es war, zu dessen Geburtstag man sie einlud. Nachdem Nelli das begriff, hatte sie Conny fast die Hand zerquetscht. Insofern gönnte sie ihrer Freundin von Herzen das Alleinsein mit dem merkwürdigen Damian, diesem Pavian, obwohl sie selbst ihn wenig angenehm fand. Zu affig, zu eingebildet. (Immerhin musste sie zugeben, dass seine Wimpern ungefähr so lang und dicht waren wie die von Tante Ala, nur ohne Tusche.)

Andererseits sah Damians Mutter so aus, als ob sie gleich anfangen würde, laut zu kreischen oder zu weinen. Deshalb antwortete Conny zögernd: »Ich glaub, er hat gesacht, er will ihr das Schaf Luisa zeigen ...«

»Was?! Wieso denn – und ja sag mal, weshalb denn *der* und nicht dir?!«, rief Frau Gebhardt vorwurfsvoll, bevor sie abdrehte und auf das Haus zurannte.

Conny war zwar im Prinzip auch einigermaßen interessiert an dem Schaf Luisa, weshalb sie kurz überlegte, ob sie hinterherlaufen sollte. Doch in diesem Augenblick fing das große Puppentheater an, und Jochen kam, um sie dazuzuholen. Miranda Gebhardt rannte so eilig die Treppen hinauf, dass sie trotz ihrer enormen Sicherheit auf Stöckelabsätzen zweimal stolperte und einmal umknickte. Sie riss die Tür zum großen, ausgebauten Dachboden auf.

Durch das Oberlicht konnte man die graue Wolkendecke sehen. Der ganze Fußboden war hier oben mit Kunstrasen bedeckt, aus dem Plastik-Sonnenblumen ragten. Zwei Baumattrappen standen in einem genau berechneten Abstand, damit zwischen ihnen perfekt eine Hängematte Platz hatte. Ein kleines Strohdachhaus befand sich dahinter, und auf dem Kunstrasen weidete ein lebensgroßes weißes Schaf mit wolligem Pelz.

In der Hängematte saßen Damian und dieses hässliche dicke Mädchen. Miranda hörte ihren Sohn leise murmeln.

Als die Tür hinter ihr zufiel, wandte er den Kopf und lächelte seine Mutter an: »Mam, das hier ist Nelli!«

Miranda starrte durch die rot-gelbe Brille auf die beiden Kinder. »Ja. Von mir aus. Und warum lässt du deine Gäste alleine feiern? So was macht man nicht, mein Goldschatz. Das ist ungezogen!«, sagte sie gereizt.

Sie bemühte sich, das andere Kind nicht anzusehen. Allein diese kleinen schiefen Augen! Jetzt fing die auch noch an zu grinsen und zeigte riesige Vorderzähne.

»Damian!«, rief Miranda sehr heftig und streng. »Was zum Teufel machst du hier? So geht das doch nicht, ich meine …«

Damian legte seinen schönen Kopf zurück auf die Schulter des Mädchens, entspannt, mit einem ganz ungewohnten, verträumten Ausdruck in seinem Gesicht. »Ich bin glücklich«, teilte er seiner Mutter mit. (Das war's ja schließlich, was sie immer wollte.)

Miranda Gebhardt stemmte beide Hände mit den orangefarben lackierten Nägeln in die Hüften und stampfte mit einem Fuß auf. »Aber doch nicht *so*!«, schrie sie.

Das 5. Kapitel
stellt uns Robin vor, Walter, Fips und Hans sowie ein Mitglied der Familie van Loon. Außerdem ist vom Heiraten die Rede
1967–1970

An einem düsteren Mittwochnachmittag Ende Februar kam Hanne Hertz von der Arbeit nach Hause. Sie war müde und schlecht gelaunt, denn es gab schwierige Kolleginnen im großen Kaufhaus in der Mönckebergstraße, viel zu viele Frauen, die nacheinander schnappten und sich freuten, wenn es dem Opfer wehtat.

In der Linie 2 hatte sie trübe aus dem Fenster in den Regen gestarrt. Nun blieb es tagsüber schon wieder viel länger hell. Ein Gewinn war das auch nicht; man sah die Hässlichkeit der Pfützen und der schmutzigen Autos und die mürrischen Mienen der Menschen umso deutlicher. Hanne, fülliger und schwerer geworden, war eben einunddreißig Jahre alt, aber sie hatte das Gefühl, jede Art von Jugend läge bereits weit hinter ihr. Von der Straßenbahnhaltestelle am Niendorfer Markt war es noch ein gutes Stück zu Fuß und zu windig, einen Schirm aufzuspannen. Der wäre nur umgeklappt.

Hanne triefte das Wasser aus den Stirnfransen in die Augen, als sie die kreischende, niedrige Gartenpforte im Rebhuhnweg öffnete. Das Haus mit den vielen angebauten Ecken und Erkern lag völlig dunkel da, niemand schien zu Hause zu sein.

Während sie auf müden Füßen über den Gartenweg humpelte, überschlug Hanne kurz im Kopf: Dieter mochte sich eventuell trotzdem in seinem Zimmer befinden, dann schlief er wohl noch. Sein Dienst als Nachtwächter begann erst um einundzwanzig Uhr.

Tante Martha konnte zu einer ihrer Freundinnen gegangen sein, vielleicht besuchte sie ein spezielles Exemplar in einem Hamburger Krankenhaus oder in einem Altenheim.
Conny saß natürlich bei dieser seltsamen Frau Wohlgast im König-Heinrich-Weg in der gelben Villa und las ihr vor. Dafür gab es offenbar jedes Mal ein Geschenk, unsinnige und verrückte und nützliche und großzügige Gaben. Man ließ sich überraschen. Es schien dem Kind ja Freude zu machen, und die Frau war reich, wer weiß, was noch Gutes dabei herauskam. Schließlich, wo Uwe sein mochte, darüber lohnte es nicht, nachzudenken. Das war unergründlich.
Hanne wühlte, vor der Haustür, in ihrer Handtasche nach dem Schlüssel. Sie hörte hinter sich erneut die Gartenpforte quietschen, drehte sich um und erblickte ihre Tochter, die unter der Kapuze des grauen Lodenmantels strahlte und durch die Pfützen auf sie zuhüpfte, mit beiden Armen einen großen Gegenstand umklammernd.
»Conny. Was brings da? Vonner Frau ausse Villa?«
»Mama, das rätst du nie!«, schrie das Kind. »Ich hab's mir immer, immer gewünscht, schon ganz lange, und ich wusste nicht – ich hab mich nie getraut – und jetzt hat sie mir das einfach geschenkt, also Frau Wohlgast, einfach so, da kannst du auf keinen Fall Nein sagen! Er ist vom Tierasyl, also aus der Süderstraße, aber noch ganz jung, und vielleicht schon stubenrein, wir müssen mal sehen … Der Korb ist – der gehört dazu … Ich finde, er muss Robin heißen, wie Robin Hood, er hat so ein kleines Räubergesicht …«
Sie enthüllte ein mageres halbwüchsiges Hundetier mit spitzen Ohren, das sich vor dem Regen gleich wieder unter Connys Mantel zurückzog.
»'n Hund?« Hanne zuckte mit den Schultern und schloss nun wirklich die Haustür auf. »Wenn *du* dich um ihn kümmern und mit ihn gehen machs und so … Komm rein, zieh gleich

dein Mantel aus, du bist genauso durchweicht wie ich, Mensch, sogar dein Haar ist nass trotz Kapuze … Nimm dir ’n Handtuch, ne, und rubbel dir mal ’n Kopf ab, dassu dich nicht verkühls …« Sie knipste das Flurlicht an.
Conny hängte ihren nassen Mantel auf, holte ein Küchenhandtuch vom Haken und frottierte sich geistesabwesend den Kopf, während sie nachdachte. »Ich lass Robins Körbchen erst mal in meinem Zimmer … Wenn er vielleicht viel, viel größer wird, kann er später im Flur schlafen, was meinst du? Guck, zwei Büchsen Futter und Hundekuchen hat sie mir auch geschenkt!«
Der kleine Hund stand etwas unglücklich und frierend auf dem Linoleum im Flur und blickte glupschäugig von Conny zu Hanne auf.
»Ist er nicht süß?«, rief das Kind.
»Na ja …«, antwortete Hanne – und als sie Connys Enttäuschung bemerkte: »Doch, ganz putzich. Nimm man zwei vonne lütten Glasschüsseln, ne, stells ihm eine hin für Futter und eine mit Wasser …«
Jetzt wurde wieder an der Haustür geschlossen, und Uwe kam herein, einen anderen Mann im Schlepptau. »Guck, das’ mein Schwester Hanne, Hanne, das’ Walter, ne. Er weiß ebn nich wohin, bleibt er ’n büschen bei uns, ne? Krich das Zimmer in Anbau hinten. Mach’s uns was zu essen?« – und dann, mit einem Blick auf das magere Köterchen: »Wer’s er denn hier, wa?«
Der fremde Mann reichte Hanne eine sehr große, nasse, aber warme Hand und sagte ernst und wohlerzogen: »Teuber. Nabend, Frau Hertz!«
Was bei Uwe einen kleinen Lachanfall auslöste: »Mann, Walter, sach man Hanne zu ihr. Un das’ Bibi, meine Nichte. Bibi, sach bloß, hassu’n Hund oder was?«
»Ja. Das ist Robin. Süß, nicht? Hab ich von Frau Wohlgast …«

Uwe nickte nur. Er wurde jedes Mal erstaunlich wortkarg, sobald von ihr die Rede war.
Hanne, immer noch im Fokus des Gastes, strich sich etwas verlegen das feuchte Haar hinter die Ohren, fand es dort nicht gut aufgehoben und wischte es mit den Fingern wieder nach vorn.
Walter Teuber war um die vierzig, kaum mittelgroß, aber breit und bullig. Eine dicke Welle grau melierter Haare fiel ihm über große, hellblaue Augen, die neugierig und mit deutlichem Appetit alles musterten: die Wohnküche, den Welpen, das kleine Mädchen und vor allem die Frau, die eben eine Schürze überzog und auf dem Rücken verknotete, wozu sie den Bug nach vorn strecken musste. Teubers Blick verweilte so wohlgefällig auf Hannes molliger Oberweite, dass er die von Uwe angebotene Zigarette blind aus der Packung zupfte.
Connys Mutter klappte den Kühlschrank auf und fragte, extra etwas derb und rau: »Wollt ihr Bratkartoffeln? Kann ich viel von machen. Hab 'n Haufen Pellkartoffeln da. Conny, deck schon ma'n Tisch, mach's das?«
»Wie nu?«, fragte der Gast, der sich offensichtlich bei Familie Hertz wohlfühlte, mit breitem Schmunzeln. »Heissie Bibi oder heissie Conny?«
Das Kind stellte seinem Hündchen eine Glasschüssel mit Wasser hin, zeigte dem Gast schelmisch die Grübchen und antwortete: »Beides. Eigentlich heißt sie sogar Cornelia Habiba!«
Und ohne es selbst zu bemerken, fuhr sie mit den Fingern durch ihre Ponyfransen, um sie aufzulockern, bevor sie anfing, den Tisch zu decken.
In diesem Moment hüpfte Onkel Dieter schwerfällig in die Küche, blinzelnd vom Nachmittagsschlaf. Er trug die Prothese noch in der Hand, plumpste auf einen Küchenstuhl und befestigte gähnend den künstlichen Unterschenkel.
»Nee, nu guck!«, meinte Walter lebhaft. »Genau wie du, Uwe, bloß mit 'm abben Bein!«

»Stell noch 'n Teller dazu!«, rief Hanne ihrer Tochter zu, und fast im selben Atemzug: »Und noch ein' – oder has' schon gegessen, Tante Martha?«
Denn nun erschien das letzte Familienmitglied, kalte, nasse Luft mitbringend, im Mantel in der Küche. Die magere alte Frau zog ihr Kopftuch ab, begegnete dem Blick des Gastes und zupfte an ihrer weißen Beatlesfrisur herum. So wirkte Walter nun mal auf weibliche Wesen.
Im Moment fand Uwe Hertz das noch komisch. Später verfluchte er sich dafür, den Mann ins Haus geholt zu haben.

Nelli Schnoor sollte auf die Mittelschule gehen, das stand lange fest, und da hatte sie ihren großen Schwestern etwas voraus: Die hatten nur die Volksschule besucht. Mitte der Sechziger war Abitur noch was für Menschen, die studieren wollten. Die Intelligenteren und Begabteren gönnten sich (wenn sie's nicht nötig hatten, möglichst schnell Geld zu verdienen) die »mittlere Reife«. Und wer immer noch ganz plietsch war, aber praktischer veranlagt, der machte eben nur den Volksschulabschluss. Das war auch etwas.
Weder Hanne noch Dieter noch Martha wären von sich aus auf die Idee gekommen, Conny auf die »höhere Schule« zu geben. Wozu? Conny sollte Schneiderin lernen. Dafür reichte ja wohl die normale Portion Bildung.
Doch aus heiterem Himmel hängte Uwe sich rein und verlangte dringlich, seine Nichte müsse zur Realschule.
»Wer, Conny? Wieso?«, fragte Hanne erstaunt.
»Unter! Alle! Umstände!«, beharrte ihr Bruder. »Weil sie … weil … ach, egal jetzt. Das tut not, sach ich dir!« Statt es näher zu erklären, wurde er ganz unwirsch.
Hanne zog ihren guten Mantel an, pilgerte zur Schule, sprach mit Connys Lehrerin und bekam zu hören, schaffen würde das Mädchen es wohl … Die Lehrerin schien weniger enthusias-

tisch als Uwe. Hatte jedoch auch nichts dagegen einzuwenden.
Das Kind selbst wollte sehr gern in die Mittelschule, einfach weil es dann mit Nelli zusammenbleiben konnte. Übrigens riet auch Frau Wohlgast zu. Es wäre ihr eigentlich egal und sie wollte sich da raushalten. Aber wenn man sie schon frage: Doch, sie fände es vernünftig.
Und Nelli empfand großen Trost dadurch, dass Conny bei ihr blieb. Obwohl die neuerdings nicht mehr der allerwichtigste Mensch in ihrem Leben war. Nur noch der zweitwichtigste.
Damian Gebhardt nämlich lebte in einem Internat, weit weg in Bayern, nachdem er eines Tages mit zugeschwollenem Auge, gespaltener Unterlippe und vollgeblutetem Pullover von der Schule Paul-Sorge-Straße nach Hause kam. Aber er sollte sowieso Abitur machen.
Immerhin schrieb Nelli ihrem Freund oft kurze Briefe und bekam, seltener, lange Briefe zurück. Das war besser als nichts. In den Ferien – den bayrischen – sahen sie sich auch, und zwar ausschließlich in der Gärtnerei. Miranda Gebhardt konnte sich an Nellis Anblick einfach nicht gewöhnen.

Die Mittelschule im Bindfeldweg war ein Spürchen weiter entfernt als die Volksschule, weshalb die Mädchen auf Rädern hinfuhren. Nelli auf ihrem neuen dunkelblauen. Conny auf dem alten schwarzen von Tante Martha.
Sie kannten nur wenige der neuen Mitschüler. Nebeneinandersitzen, wie bisher, durften sie übrigens nicht, die Lehrerin, Frau Reesch, war aus irgendeinem Grund dagegen. Vielleicht befürchtete sie Privatgespräche und Unaufmerksamkeit. Sie setzte die Kinder nach ihrem Belieben.
So geriet Nelli neben eine Silke mit chronisch verstopfter Nase und ohne Humor, strebsam, jedoch erfreulicherweise völlig unzimperlich, wenn es darum ging, abschreiben zu lassen.

Conny saß für fast vier Jahre (Frau Reesch war ein Mensch, der zu seinen einmal gefassten Entschlüssen stand) an einem Tisch mit Susann van Loon. Daraus ergab sich allerlei.
Hätte es Susann nicht gegeben, wäre Conny zweifellos die anerkannte Klassenschönheit gewesen. Andersherum stand sie diesem Anspruch Susanns im Weg. Dass ausgerechnet diese beiden nebeneinandersaßen, auch noch mit den Gesichtern nach Südosten, also durch die Fenster voll angestrahlt, sogar bei geschlossenen Vorhängen (die waren dünn genug und ergaben eine schmeichelnde gelbliche Farbe), machte die Sache nicht besser und war nicht ganz fair ihren pubertierenden männlichen Klassenkameraden gegenüber. Hatte Frau Reesch die Sitzordnung aus unbewussten ästhetischen Gründen arrangiert?
Susanns Haar war so hell wie das von Conny schwarz; ein von Natur gesträhntes Hellblond, das sich im Lauf besagter fast vier Jahre zu Ellbogenlänge auswuchs, ganz glatt, ohne Wellen, in der Mitte gescheitelt. Ihre großen graublauen Augen liefen an den Winkeln nach unten, zu den Ohren hin, was ihr einen Anflug von Tragik verpasste und im Gegensatz stand zu Connys mutwilligen Grübchen.
Das Schönste an dem blonden Mädchen war ihr Mund. Und den verdankte sie merkwürdigerweise einem Makel. Susanns obere, spitze Eckzähne hatten, bevor sie durch eine Zahnklammer gebändigt wurden, weit, fast vampirhaft, vorgestanden. Nachdem diese Hauer zu manierlicher Form gezwungen worden waren, blieb Susann eine stark aufgeworfene, vorgeschobene Oberlippe, die reizend schmollend und sinnlich wirkte. Bei der Einschulung in die Mittelschule saß die silberne Klammer noch in ihrem Mund.
Auch Nelli zischelte ja durch so ein Ding, das ihre Besitzer häufig zu schweigsameren Menschen machte. Die Zahnärzte gingen großzügig damit um und behaupteten gern, ohne

Klammer – und womöglich die dafür nötige Entfernung einiger anderer Zähne – wäre das Erwachsenendasein der Zahnbesitzer nur Schmerz und Elend.
Susann van Loon saß kaum drei Minuten neben Conny, als sie sich halblaut, aber deutlich einen entscheidenden, vernichtenden Satz leistete, über die Schulter, zu ihrer Freundin Ursel: »Hilfe! Die stinkt nach feuchtem Keller!«
Conny war zu brünett, um wie ihre Mutter zu erröten. Sie kritzelte ihren Namen auf ein Heftetikett und tat, als hätte sie nichts gehört. Ihr Magen krampfte sich vor Wut zusammen. Das Schlimmste war, sie konnte sich nicht vormachen, Susann hätte dies aus schierer Bosheit behauptet. Ihr war wohl bewusst, wie ihr Zuhause roch.
Am nächsten Mittwochnachmittag wirkte Conny dermaßen unglücklich und verbissen, dass Frau Wohlgast unermüdlich fragte, bis sie einen plötzlichen Tränenausbruch verursachte: »Wäre ich doch bloß nicht in die Mittelschule gegangen! Da gehört so was wie ich nicht hin!«
»So was wie du …«, wiederholte Eva Wohlgast und schüttelte ihre silberne Haarhälfte so weit nach hinten, dass sie zwei sehr liebevolle und mitleidige dunkle Augenschlitze zeigte. »Na gut, euer Haus riecht vielleicht ein kleines bisschen … Dafür *habt* ihr immerhin ein eigenes Haus … Connymädchen, pass auf, ich schenke dir ein sehr schönes Eau de Toilette, das duftet nach Blumen, damit besprühst du dich jeden Tag, bevor du in die Schule fährst, und wenn es bald alle ist, dann sagst du es mir, und ich geb dir ein neues … ja?«
Conny heulte in beide Hände. Sie schien nichts zu hören.
Ihre Gastgeberin drehte den Kopf hin und her, als suche sie nach einem weiteren Geschenk, um damit zu trösten. Und dann fragte sie, ihre knarzende, dunkle Stimme so weich wie möglich machend: »Möchtest du vielleicht gern du und Tante Eva zu mir sagen?«

Conny schnupfte auf und nickte, mit schwimmenden Augen und einem kleinen Lächeln. »Ja, danke, gerne. Und das Odetolett möchte ich bitte auch …«

Susann van Loon trug schon als Dreizehnjährige hauchzarte Strumpfhosen und Schuhe mit kleinen Absätzen sowie enge Röcke. Sie kam ja auch nicht auf dem Fahrrad, wie Conny und Nelli und die meisten anderen Kinder, sondern wurde von einem schwarzen, glänzenden Mercedes angeliefert und eingesammelt. Dieser Wagen besaß getönte Scheiben, durch die man von außen nicht hindurchgucken konnte, und ließ dadurch die Frage offen, ob ihr Vater selbst oder ein Chauffeur das Mädchen transportierte.

Jedenfalls wohnte sie in einem der schönen Häuser am Bondenwald, die ganz bestimmt nicht nach feuchtem Keller rochen. Conny und Nelli vermuteten, dass van Loons mehrere Zofen und Diener beschäftigten.

Conny rettete ihr Selbstwertgefühl durch hervorragende Noten. Sie hätte es nicht ausgehalten, jetzt auch noch als Schülerin zu versagen. Weder ihre Mutter noch die Onkel, weder Tante Martha noch der inzwischen chronisch im Rebhuhnweg wohnende Walter Teuber hätten ihr bei den Hausaufgaben oder eventuell auftretenden Schwierigkeiten in Englisch, Französisch oder Mathematik helfen können. Das vermochten dafür Connys außerfamiliäre Tanten, Eva und Ala, sooft es notwendig war und ganz sachkundig.

So kämpften sich die Mädchen durch den Unterricht, Nelli mithilfe der nasenverstopften Silke, Conny durch Beistand in der gelben Villa.

Im zweiten Jahr in der Mittelschule fuhr Conny mit dem Einkaufsnetz zum Kaufmann in der Joachim-Mähl-Straße. Sie knibberte Robins Leine vor dem Laden fest und befahl ihrem

Hund, »Sitz« zu machen. Was er für eine halbe Sekunde tat, bevor er wieder aufstand.
Als sie die Tür öffnete, erblickte sie als Erstes (sehr ungern) die langen, hellblond gesträhnten Haare ihrer Tischnachbarin, die also auch gerade einkaufte. Komisch übrigens, dass van Loons so was ihr kostbares Töchterchen machen ließen, statt einen Diener oder eine Zofe zu schicken. Es musste sich wohl um einen sensationellen Notfall handeln, vielleicht einen Streik des Schlosspersonals.
Susann drehte den Kopf, als das Türglöckchen bimmelte, sah Conny eintreten und fuhr sofort wieder herum zum Kaufmann, der ihr Muschelnudeln abwog und den Blick fest auf die Waage gerichtet hielt. »Herr Neudorf!«, sagte Susann van Loon zu ihm, deutlich, scharf und akzentuiert, weil inzwischen ohne Zahnspange, »Sie sollten mal darauf achten, was für Leute bei Ihnen kaufen. Das ist ja das reine Proletariat, falls es Ihnen ...«
Was auch immer sie hinzufügen wollte, blieb indessen ungesagt. Denn Kaufmann Neudorf gehörte, was Susann nicht ahnen konnte, der Sozialdemokratischen Partei an und reagierte mit ganz eigenen, starken Gefühlen auf das Wort Proletariat.
Er versenkte mit einem kurzen Ruck das silberne Schäufelchen, schüttete die bereits in der Papiertüte befindlichen Nudeln zurück, deckelte den Behälter zu und äußerte mit feindselig glattem Gesicht: »Da ham Sie eigentlich recht, nich. Da sollte ich mal auf achten, wer hier kauft. Denn sach ich Ihn' gleich mal, *Sie* brauchen nich wiederkomm, nich. Da kann ich denn auch auf verzichten ...« Marschierte um seine Ladentheke herum zur Tür, die er mit Schwung für Susann aufriss, und wartete auf ihren Abgang.
Susann bekam vor Staunen kaum ihren reizenden, sinnlich aufgeworfenen Mund zu. Verließ natürlich, sobald sie begriffen hatte, das kleine Geschäft, mit einem kurzen, schnip-

pischen Naserümpfen gegen Conny und ohne sie dabei anzublicken.
Die unterdrückte ihr begeistertes Grinsen sowie den Impuls, Herrn Neudorf um den Hals zu fallen, zog den Einkaufszettel hervor und las ihre Wünsche – oder eigentlich die von Tante Martha – vor. Konnte jedoch nicht verhindern, dass ihre Stimme dabei vor Vergnügen vibrierte. Und als der Kaufmann ihr zum Schluss ein Tütchen mit fünf Himbeerbonbons gratis zusteckte, da tauschten sie doch ein Lächeln. Conny war sich klar darüber, dass es diesmal nicht um sie als hübsches Mädchen ging. Sondern um sie als Proletarierin.
Das war eine der sehr seltenen Gelegenheiten, bei denen sie über Susann van Loon triumphierte.

Hanne Hertz hatte sich zu ihrem Unglück in Walter Teuber verliebt und glaubte, dies Gefühl sei gegenseitig. Conny erinnerte sich an die Prophezeiung von Tante Ala, nach der es ungesund für ihre Mutter wäre, einen Mann mit schönen blauen Augen zu heiraten. Und was immer man Walter vorwerfen konnte, schöne blaue Augen besaß er gefährlicherweise.
Also suchte sie ein Gespräch von Frau zu Frau: »Mama, was Walter angeht …«
Hanne schnappte sofort zurück, als wäre sie angegriffen worden: »Meins, ich bin schon zu tatterich? Gönns' ihn mir nich?«
»Ja, doch. Ich wollte nur sagen, heiraten …«
»Och, Conny, nu is gut! Von Heirat is gor nich die Rede!«, beendete Hanne das Thema.
Einstweilen schlief Walter manchmal in ihrem Schlafzimmer anstatt hinten im Anbau. Dann übernachtete Hanne manchmal im Anbau. Dann fragten Uwe und Dieter gemeinsam, mit gleichmäßig gekrauster Stirn und angebrachtem Ernst, was Walter sich denn so dächte in Bezug auf ihre kleine Schwester.

Und schon war, im Frühjahr 1970, von Heirat die Rede. Conny konnte es nicht verhindern. Sie durfte nur das graue Kostüm ihrer Mutter für die Feier enger nähen, nachdem es der gelungen war, etwas abzunehmen. Tante Martha prunkte in einer neuen Bluse, die drei Herren der Familie mit je einer Margerite im Knopfloch und Conny im rosa Baumwollkleid mit sehr kurzem Rock und weißen Stiefelchen nach der letzten Mode. Robin wurde eine rote Schleife um den Hals gebunden. Er versuchte den Rest des Tages, noch in der Küche, als es Kaffee und Butterkuchen gab, sie zu zerkauen.
Nach dem Kuchen servierte Hanne Korn und ließ gleich die Flasche auf dem Tisch stehen, da ein Besucher zum Skat gekommen war. Den dritten Mann brauchten Uwe und Walter, weil Dieter zum Nachtwächter-Dienst verschwand und weil Skat nun mal Männersache war. Also gesellte sich der etwas krummbeinige Fips Tönning zu ihnen, der nie seine Mütze abnahm und dem vor langer Zeit mal das Haus der Familie Hertz gehört hatte: darum keine Feindschaft.
Die nagelneue Frau Teuber warf sich in bequeme Haussachen und setzte sich an die Pfaff, die inzwischen im Anbau stand, um noch Auftragsarbeit zu nähen.
Conny zog ebenfalls ihr gutes rosa Kleid aus und eine alte Hose an, um ein wenig die Küche aufzuräumen, während hinter ihr die Männer ihre Karten auf den Tisch klatschten und sich gutmütig gegenseitig beschimpften.
Einmal stand der Bräutigam auf, ging – bereits etwas unsicher – zum Waschbecken, an dem seine Stieftochter hantierte, um den vollen Aschenbecher in den Müll zu kippen. Dabei musste er Connys Schultern streicheln und ihr abschließend – die Onkel erklärten Fips gerade, was er falsch gemacht hatte – einen Klaps auf den Po geben.
Das Merkwürdige an Walter Teuber war, dass es schwerfiel, ihm böse zu sein. So lächelte Conny nur und warf ihm einen Blick

zu, als wäre er ein ungezogenes, aber niedliches Kind, bevor sie ihm mit der nassen Abwaschbürste ins Gesicht spritzte.
Nachdem sie das Spülwasser abgelassen und sich die Hände abgetrocknet hatte, befreite sie Robin von der inzwischen völlig zerfransten und besabberten Schleife, schnallte ihm sein Halsband um und machte mit ihrem Hund den Abendspaziergang.
Es hatte angefangen zu nieseln und wechselte nach und nach zu leichtem Regen. Conny wartete geduldig, während Robin am Fuß einer Laterne die verschiedenen Hundebotschaften entschlüsselte – als ein großer schwarzer Schirm über ihren Kopf gehalten wurde.
»Darf ich?«, fragte der Schirmbesitzer, ein brünetter junger Mann mit dichten, eckigen Augenbrauen, unter denen dunkle Augen sie neugierig anfunkelten.
»Danke!«, erwiderte Conny auf jeden Fall. Da Robin nicht knurrte, sondern interessiert die langen Jeansbeine beschnüffelte, nahm sie an, dass es sich um keinen Bösewicht handelte. Deshalb konnte sie sich auch erkundigen: »Wer sind Sie denn?«
»Ja, stimmt, ich kann mich gleich mal vorstellen«, fand der junge Mann. »Hans Soest. Sie sind Conny oder auch Bibi, das weiß ich, weil ich hin und wieder gehört hab, wie Ihre Familie Sie gerufen hat. Wie Ihr Familienname ist, weiß ich nicht …?«
»Hertz, mit t«, antwortete Conny.
»Hertz? Ob mit oder ohne t, das passt zu Ihnen.«
»Wieso?«
»Weil Sie ein herzförmiges Gesicht haben und einen herzförmigen Haaransatz. Weil Sie herzlich lachen können. Weil Sie warmherzig wirken. Weil Sie so hübsch sind, dass Sie bestimmt ganz viele Herzen brechen …«
»Sie haben mich wohl ziemlich genau beobachtet?«, fragte sie verlegen.

»Klar. Dauernd. Ich wohne da schräg gegenüber, sehen Sie, in dem roten Klinker.«
Conny, die gerade von Robin energisch weitergezogen wurde (er wollte ja noch wissen, was es Neues unter der Eiche zu schnuppern gab), blickte über die Straße und protestierte: »Aber da wohnen Naujacks!«
Hans Soest folgte ihr. »Sie sind nicht ganz auf dem Laufenden, Connybibi Hertz. Naujacks *haben* da gewohnt. Seit fast einem Jahr lebe ich dort, mit meinen Eltern. Oder vielmehr, ich war noch beim Bund. Das hab ich gerade hinter mir. Jetzt fange ich eine Fotografen-Ausbildung an.«
Weil das ganz so klang, als sei er selber stolz auf sich, bemerkte Conny, um nett zu sein: »Ui, toll. Was fotografieren Sie denn so?«
»Ich suche noch ein schönes Modell«, erwiderte der angehende Fotograf. »Kennen Sie eins?«
Robin zerrte sie noch nachdrücklicher weiter, sodass Conny, weil der junge Mann unter seinem Schirm stehen blieb, aus einiger Entfernung rief: »Nein, tut mir leid, nicht dass ich wüsste …«
Und Hans rief zurück: »Doch. Ich glaube nämlich, Sie kennen eins …« Worauf er samt Schirm über die Straße ging und auf das Haus zu, in dem früher die Naujacks gewohnt hatten.
Conny bedauerte sein Verschwinden. Nicht weil sie ihn besonders charmant oder anziehend fand. Sondern weil es jetzt noch stärker regnete. Eigentlich hätte er mit dem Schirm ruhig bei ihr bleiben dürfen …

Das 6. Kapitel

zeigt, wie ansteckend Windpocken sind, beschäftigt sich mit Schnee, Schlitten und Schafen und mit weiteren Mitgliedern der Familie van Loon
1970/71

Die Schulferien in den Bundesländern fanden zu recht unterschiedlichen Zeiten statt – in Bayern später als in Hamburg. Aus diesem Grund gelang es Familie Schnoor, Nelli zu überreden, in den großen Sommerferien für vierzehn Tage mit an den Bodensee zu fahren. Bis Damian in Hamburg ankam, wären sie wieder zurück.

Alle freuten sich auf diesen Urlaub, die drei Töchter Schnoor ebenso wie die Eltern und der sechsjährige Christian. Es war davon die Rede, Wasserskilaufen zu lernen, denn ein Verwandter von Vater Schnoor besaß auf der Insel Reichenau eine Schule für diese Sportart.

Und ganz genau zwei Tage vor Reiseantritt bekam das jüngste Schnoor-Kind Fieber, fühlte sich elend, zeigte rote Pünkelchen im Gesicht und auf der Brust und damit alle Anzeichen für die Windpocken, die vor Ferienbeginn in seiner Klasse aufgetaucht waren. Ein mitleidloser Doktor bestätigte die Diagnose und verbot dem Jungen zu verreisen.

Cilly Schnoor setzte sich ins Gewächshaus und weinte sich aus. *Einmal* im Leben hatte sie gewagt, sich auf einen Urlaub zu freuen! Das musste ja danebengehen. Die Angestellten der Gärtnerei könnten Christian nicht pflegen, und die rotgesichtige Frau Schwanke, die Haushaltshilfe, war zu derbe und unfreundlich dazu und weigerte sich zudem, zu kochen. Cilly musste also zu Hause bleiben bei ihrem kranken Kind, die anderen sollten ruhig fahren. (Oma Schnoor war, doppelt bedauerlich, im letzten Jahr gestorben.)

Vater Schnoor beteuerte mit gesträubtem Schnurrbart, er seinerseits wäre derjenige, der Christian pflegen wollte, seinen einzigen Sohn, Cilly hätte die Erholung nötiger!
Cordula und Corinna wollten sich mit ähnlichen Argumenten opfern, um ihren armen Eltern die Entspannung zu ermöglichen.
Nelli erzählte Conny am Telefon vom Dilemma der Familie Schnoor – und plötzlich sahen beide einen sinnvollen Ausweg: Christian würde von Conny gepflegt werden!
Familie Hertz verreiste traditionell sowieso nie, vielleicht aus Gewohnheit, obwohl sie sich's womöglich, wenn alle zusammenlegten, durchaus hätte leisten können. Conny würde für die zwei Wochen im Haus der Schnoors wohnen, in Nellis Zimmer.
Sie war auf jeden Fall vernünftig genug für diese Aufgabe, das traute Cilly Schnoor ihr zu. Schlimmstenfalls, wenn sie gar nicht weiterwusste, würde sie ihre Mutter hinzuziehen. Der Arzt wollte alle paar Tage nach Christian sehen.
Wirtschaftsgeld bekam sie in einem gigantischen Portemonnaie. Dass Conny schon leidlich kochen konnte (wenn auch keine besonderen Köstlichkeiten), war bekannt und wurde Nelli oft und gern unter die Nase gerieben. Zwar nahm Frau Schwanke inzwischen ihre Weigerung zurück und beteuerte, Christian allein versorgen zu wollen – doch das nützte ihr nun nichts mehr.
Herr Schnoor gab Conny einen Fünfziger obendrauf für »unerwartete Ausgaben«. Und wenn sie auch, nach Ansicht ihres Nachbarn Hans Soest, warmherzig war und den kleinen Christian womöglich gratis gepflegt hätte, so muss doch gesagt werden, dass sie mit etwas Derartigem gerechnet hatte.

»Nun sind sie endlich weg«, bemerkte der rot getupfte Patient, nachdem sich der Lärm im Haus, das Kofferschleppen und

Rufen und Herumrennen gelegt hatte und sie den Wagen der Schnoors losfahren hörten. »Liest du mir vor, Conny?«

»Wie fühlst du dich, Foxi?«, fragte sie mitleidig. Er sah tatsächlich ziemlich krank aus, nicht nur durch die roten Quaddeln. Dabei war aus dem hässlichen Baby inzwischen ein ganz ansehnliches Kind geworden. Sein Haar, nicht mehr hellrot, sondern kastanienbraun, kringelte sich, nach der gerade aufgekommenen Mode für Jungen, ziemlich lang um das schmale, dreieckige Gesicht. Die Augen standen schräg wie bei Nelli und Herrn Schnoor, aber sie waren groß, dunkelgrün und glänzend. Wobei Letzteres am Fieber liegen mochte.

»Ach, es geht. Gestern war mir noch viel schlimmer«, antwortete er. »Was kochst du heute Abend?«

»Ich kann Nudeln mit Hacksauce machen. Hast du denn schon wieder Appetit?«

»Ein bisschen. Und ich bin neugierig, ob du wirklich kochen kannst. Du bist ja noch gar nicht erwachsen.«

Darüber lachte Conny. »Gegen dich bin ich uralt, Foxi. Dich hab ich schon gewickelt, als du noch ein Baby warst. Ich könnte deine Mutter sein …«

»Könntest du nicht!«, widersprach er ärgerlich. »Das ist dummes Gerede, das regt mich auf. Und du sollst mich nicht aufregen, weil ich Fieber hab.«

»In Ordnung, Foxi. Damit du schneller gesund wirst, werde ich behaupten, dass ich ganz jung bin. Kaum älter als du.«

»Genau. Jetzt lies mal vor. Was hast du mitgebracht?«

»Heldensagen. Magst du so was?«

»Weiß nicht. Aber du musst dich neben mich legen und den Arm so um mich legen, so macht Mutti das auch. Dann kann ich mit ins Buch gucken und die Bilder sehen …«

Conny legte sich neben den kleinen Jungen. Als sie ihn in den Arm nahm und er seinen Kopf an ihre Schulter legte, merkte sie, wie er glühte. »Du hast noch ganz schön Fieber, Foxi!«

»Hab ich auch. Sonst hätte ich ja mit verreisen können und Wasserski lernen. So, jetzt fang an, bitte«, bestellte er. Und schlief gleich darauf, während des Vorlesens, ein.
Auch Robin schlief, vor dem Fenster in einem Fleck Sonne liegend, schnorchelte leise und zuckte im Traum mit den Pfoten.
Conny schwieg also. Sie lauschte den Vogelstimmen aus dem Garten, die sie durch das halb offene Fenster hörte, und betrachtete das Gesicht neben sich, die dunklen Augenringe, die plusterigen Pocken auf den Wangen und der kleinen Nase, die gebogenen rotbraunen Wimpern. Christian atmete durch den halb geöffneten Mund, leichte, schnelle Atemzüge.
So sieht er doch sehr liebenswert aus, dachte sie. Eigentlich ist er ja auch ganz nett, wenn er wach ist. Und von dem Fünfziger kann ich mindestens 35 Mark sparen …
Sie legte den Kopf vorsichtig zurück aufs Kissen und schlief ebenfalls ein.

Zwei Tage später erfuhr Conny am Telefon, dass die gesamte Familie Schnoor am Bodensee mit Windpocken darniederlag, sodass keiner von ihnen lernen konnte, Wasserski zu laufen.
Christian wurde ziemlich schnell gesünder, der besuchende Arzt war zufrieden. Nach sechs Tagen stand der Junge auf, zu lebhaft, um im Bett zu bleiben, solange er nicht halb tot war.
Trotzdem kümmerte sich Conny gewissenhaft um ihn. Sie kochte, sie las vor, sie schaute mit ihm Fernsehsendungen und spielte Spiele. Und sie merkte mit einiger Rührung, wie viel Mühe das Kind sich gab, um nicht anstrengend und strapaziös zu sein.
»Du bist eigentlich ein lieber Kerl, Foxi!«, musste sie ihm zum Schluss der Ferien bescheinigen.

»Zu dir muss man lieb sein«, war die Antwort. »Wahrscheinlich heirate ich dich später mal, Conny. Aber dann koche ich lieber selber. So *richtig* gut kannst du das nämlich nicht ...«
Als die Schnoors, ziemlich bleich und mit kaum abgeheilten Pocken, aus dem Urlaub zurückkamen, fühlte Conny sich gerade hundeelend und fieberheiß. Am Abend dieses Tages erkannte man die ersten roten Punkte in ihrem Gesicht.
Da hatte sich übrigens herausgestellt, dass es den Verwandten mit der Sportschule auf der Reichenau ebenfalls erwischt hatte. Und das genau zur Saison ...

Vielleicht, weil es zum Ende des Jahres häufig regnete, schafften es Hans Soest und sein großer schwarzer Schirm, mit Conny immer vertrauter zu werden.
Bei ihrer kleinen Feier am 31. Dezember wurde er bereits eingeladen und betrachtete neugierig aus seinen glitzernden dunklen Augen Familie Hertz, die mit bunten Papierschlangen geschmückte Wohnstube und die anderen beiden Gäste: Nelli und Damian.
Conny und Nelli feierten inzwischen traditionell umschichtig von Jahr zu Jahr gemeinsam Silvester (beziehungsweise ihre Geburtstage), mal bei der einen und mal bei der anderen Familie.
Der fünfzehnjährige Damian Gebhardt war gewaltig in die Höhe geschossen und überragte jeden Erwachsenen, sogar die beiden Onkel. Sein sehr langes, welliges braunes Haar band er im Nacken zusammen. Er trug einen naturweißen Malerkittel mit bauschigen Ärmeln und enge lila Samthosen, in braune Stiefel gestopft. Er sah so schön und – trotz seiner langen, dünnen Figur – so anmutig aus, dass Hans überlegte, ob er ihn fotografieren sollte. Seltsam, das plumpe rothaarige Mädel gehörte ausgerechnet zu dem?
Damian hatte sich im weitesten Sinne mit Conny ein wenig angefreundet und beachtete die anderen Anwesenden nicht –

bis auf Nelli natürlich, deren Hand er nicht losließ. Er blickte meistens versunken auf den mit bunten Luftschlangen umwickelten, sachte vor sich hin nadelnden Weihnachtsbaum und hoffte, dass sein Lügengebäude über eine Feier bei einem Internatsfreund in Bayern nie zusammenkrachen und seine Mutter nichts merken würde.

Nellis großes, flächiges Gesicht mit den schräg stehenden kleinen Augen leuchtete vor Glück: Sie hatte Damian neben sich, Conny in nächster Nähe und ihre gerade Nase im Gesicht. Dass sie Kleidergröße 46 trug, war sehr unerheblich. Die einzigen Menschen, denen sie gefallen wollte, fanden sie schön und vor allem liebenswert.

Im Übrigen verstand Conny sich neuerdings immer besser darauf, Kleider oder Kittel zu nähen, die Nellis massiger Figur schmeichelten.

Damian musste ungern Nellis Hand für einen Augenblick loslassen, weil Hanne sie und Conny in die Küche bat, um ihr zu helfen, die Würstchen zum Kartoffelsalat heiß zu machen und zu servieren. (Tante Martha sollte mal sitzen bleiben und ihren Rücken ausruhen.)

Und dann wurde Hanne von Dieter ans Telefon gerufen, sodass die Mädchen am Küchentisch allein blieben.

»Wie findest du den Hans?«, fragte Conny schnell, denn Nelli war ihm bisher noch nie begegnet.

»Ach, soweit recht nett. Sieht doch ganz gut aus …«, erwiderte die mit dem Sachverstand der Besitzerin des attraktivsten Lebewesens weit und breit.

»Na, es geht …«, stimmte Conny zu. »Wo hat Mama bloß den Senf –? Ach, hier … Ja, er lernt Fotograf. Macht dauernd Bilder von mir, so viel hatte ich noch nie.«

»Er ist sehr verliebt in dich, glaube ich.«

»Ja, ist er wohl.«

»Na, und du? Nicht so doll?«

»Ich weiß nicht …«, sagte Conny nachdenklich und biss auf den Deckel der Senftube. »Einerseits … Tja … Aber andererseits … Es muss sich anders anfühlen, glaube ich.«
»Was macht ihr miteinander?«, fragte Nelli und angelte heiße Würstchen aus dem Kochtopf.
»Machen? Ach so. Na, bisschen rumknutschen«, antwortete Conny lässig, damit es klang, als hätte sie Erfahrung mit dergleichen.
Nelli kannte sie zu gut: »Ach, wirklich? Endlich!«, meinte sie. Da sie mit dem Mann ihres Lebens bereits seit Jahren zusammen war, hatte sie früher damit angefangen. »Aber mehr willst du nicht, oder? Will er mehr?«
Conny rührte vorsichtig mit dem großen Besteck den Salat um. »Natürlich will er, er ist ja gesund, soviel ich weiß. Aber er ist sicher ein anständiger Kerl – Mensch, ich werde in ein paar Stunden erst sechzehn! Und was will ich? Keine Ahnung, Nelli. Wie gesagt, ich glaube, es muss sich anders anfühlen. Macht ihr denn schon mehr?«
Nelli schüttelte lächelnd den Kopf. »Wir haben ja unendlich Zeit«, sagte sie zufrieden.
Conny biss in eins der Würstchen. »Guck mal in die Speisekammer! Mama hat eine Riesen-Buttercremetorte gebacken. Die wird kurz nach zwölf serviert für dich und mich. Und Onkel Uwe will für uns beide eine Platte auflegen: »Happy Birthday, Sweet Sixteen«.
Sie warf Robin den Wurstzipfel zu. »Ich freue mich auf das nächste Jahr! Endlich Schluss mit der Schule. Und dann lerne ich Schneiderin. Und dann … Wer weiß. Ich hab das Gefühl, dass ganz wichtige Sachen passieren 1971. Also, für mich wichtige. Entscheidende. Was wünschst du dir für das neue Jahr, Nelli?«
»Dass alles so bleibt. Auch meine Figur. Noch dicker muss ich nicht werden.«

Jetzt kam Damian in die Küche, weil er es ohne seine Freundin nicht mehr aushielt, und die Onkel fanden Tanzmusik im Radio, weshalb Walter sofort mit Tante Martha zu tanzen anfing, deren Rücken sich jetzt genug ausgeruht hatte.
Hans Soest ließ sich noch einmal Sekt nachschenken, obwohl der für seinen Geschmack zu süß war. Komisch übrigens, dass Conny, die aus diesem Umfeld stammte, einen so guten Geschmack besaß. Sie kleidete sich tadellos, ohne Übertreibungen, mit sicherem Gefühl für Farben. Daran mochte vor allem diese Gönnerin schuld sein, die in der Villa im König-Heinrich-Weg residierte und sich nach allem, was Hans aufgeschnappt hatte, die Freizeit von einem der beiden athletischen blonden Onkel versüßen ließ.
Hans schnupperte ganz diskret vor sich hin und stellte fest, dass es in diesem Haus ziemlich muffig roch. Aber was tat das? Conny duftete stets sauber und nach einem frischen Blumenparfum. Er war wirklich sehr, sehr verliebt in sie. Und während draußen schon Böller explodierten, Walter Teuber elegant mit seiner Stieftochter tanzte und Hanne und Uwe sich darüber stritten, ob das, was die beiden da machten, nun »Hassel« sei oder Disco-Fox, hatte er den Einfall, Conny mal in der Sonne zu fotografieren mit einer Schale voll Wasser vor sich, unsichtbar natürlich, um die tanzenden Wasserreflexe in ihre großen Augen zu bekommen …

Auf Sonne für diese Idee musste Hans noch warten. Ende Januar schneite es ergiebig. Immer wieder rüttelten Kinder und junge Leute an einer hölzernen Gartenpforte im Niendorfer Gehege. Solange sie verschlossen blieb, hielt das Eis auf den beiden Teichen links und rechts neben der hübschen geschwungenen Holzbrücke noch nicht.
Aber eines Tages ließ sie sich öffnen, und ziemlich schnell füllten sich die beiden Eisflächen mit Schlittschuhläufern, wäh-

rend Schlitten über die Brücke in den Wald gezogen wurden. Hier gab es eine Rodelbahn mit gelindem Auf und Ab für Flachländer. Conny hatte Foxi versprochen, mit ihm gemeinsam den »Todeshügel« hinunterzurutschen – allein war ihm das von Mutti Schnoor nämlich verboten.
Der besagte Hügel besaß die gefährliche Höhe von drei oder dreieinhalb Metern und war sehr belagert, man musste freie Bahn abwarten, um sich in die Tiefe zu stürzen.
Ein bisschen Schnee fiel immer noch, träge, zusammenpappende, große Flocken aus gelblich grauem Himmel. Hinter Conny und Christian wartete ein dunkelblonder junger Mann mit einem kleinen Mädchen, sieben- oder achtjährig. Conny warf einen Blick über die Schulter und dann noch einen und noch einen: Was für ein Traumprinz war das!
Inzwischen war er aufmerksam geworden, guckte seinerseits zurück und lachte, wobei sich seine braunen Augen mit schimmernden hellen Punkten zu füllen schienen. Als ob der kleine Sternschnuppen in den Augen hat!, dachte Conny fasziniert.
Foxi zog sie ungeduldig an der Hand: »Bitte, komm doch mal, wir sind dran!«
Sie brachten ihren Schlitten in Position, der Junge setzte sich zwischen ihre Beine – und der reizende junge Mann gab ihnen einen genau richtig berechneten Schubs, nicht zu stark und nicht zu schwach. Sie segelten den Hügel hinunter und kamen nach einer längeren Kurve auf ebenem Boden sanft zum Stehen.
»Noch mal, Conny!«
Hinter ihnen glitt der Schlitten mit dem Traumprinzen und dem kleinen Mädchen dahin und stoppte dann auch.
Als sie zum dritten Mal den Hügel hinaufstapften, unterhielten sie sich bereits. Hans Soest hätte es sehen sollen: Auch ohne Sonne und Wasserschüssel tanzten Lichter in Connys Augen. Das wusste sie nur nicht, während sie dasselbe Phänomen in den Augen gegenüber anstaunte.

Von Sandra, dem kleinen Mädchen, wurde der junge Mann Vico gerufen. Eigentlich, erklärte er, sei er Viktor getauft, aber alle sagten seit jeher Vico. Die Kleine sei seine Kusine, und er hatte ihr Weihnachten versprochen, sobald es genug Schnee gäbe …

Vico war achtzehneinhalb und ging aufs Gymnasium. Er erzählte, dass er Medizin studieren würde, um Arzt zu werden wie sein Vater. Und er wollte wissen, ob Conny irgendwann Zeit hätte, mal mit ihm alleine und ohne die Kinder spazieren zu gehen? Denn die beiden Kleinen, ungefähr im selben Alter, hatten sich sehr wenig zu sagen – oder eher: Sie begannen schon zu streiten.

Ganz kurz und schwach tauchte in Connys Hinterkopf der Gedanke an Hans Soest auf und verblasste sofort wieder. Am Donnerstagnachmittag hätte sie Zeit … Sie verabredeten, sich auf der hölzernen Brücke zu treffen, gegen halb fünf, dann sollten die Hausaufgaben ja wohl gemacht sein. (Und wenn nicht, dann mache ich sie nachts, dachten alle beide.)

Die ansässigen Krähen flogen als kreischende Wolke über ihre Köpfe zu den Baumwipfeln, in denen die Horste saßen.

»Jetzt gehen gleich die Laternen an«, wusste Conny, und das wussten alle, die in der Gegend wohnten: Die Krähen waren pünktlich. »Ich muss nach Hause, wenn es dunkel wird.«

»Aber – bloß weil die Laternen angehen, wird es doch noch nicht dunkel!«, widersprach Vico.

Du lieber Himmel, wenn der traurig guckt, sieht er ja noch süßer aus!, dachte Conny entzückt.

»Doch, eigentlich schon … Und ich muss ja noch Foxi nach Hause bringen …«

»Und ich Sandra – oh, da kommt ihre Schwester – guck mal, Sandra, Sannchen holt dich ab!«, rief Vico.

Zu ihrem Entsetzen sah Conny Susann van Loon, ihren Schul-Albtraum, auf sich – oder vielmehr auf Vico zukommen. In den großen graublauen Augen, die sich in den Winkeln so tragisch senkten, war reichlich viel Wut zu erkennen. Kurz vor der Nase ihres Cousins stoppte sie und fauchte: »Was machst du denn mit *der* – um Gottes willen?! Ich kann es gar nicht fassen!«

»Wieso?«, fragte Vico erstaunt. »Ähm – Conny, das ist Susann, meine Kusine, Sannchen, das ist …«

»Brauchst du mir nicht zu erzählen! Die sitzt leider in der Klasse direkt neben mir!«, fuhr Susann ihn an. Und dann kratzte sie auf einmal mit einer kurzen, bösartigen Bewegung über Connys rechte Hand, von der die gerade den Handschuh gezogen hatte, um sie Vico zum Abschied zu reichen. Conny quiekte überrascht. Auf ihrem Handrücken saßen drei rote Striemen!

»Sag mal, spinnst du?«, fragte Vico seine Kusine entrüstet. »Möchtest du dich vielleicht mal entschuldigen –?«

Aber Susann hatte schon ihre kleine Schwester am Arm hinter sich hergerissen und trabte zügig davon.

»Tut es weh, Conny?«, fragte Foxi. Er zog Connys Hand, bevor Vico sie greifen konnte, zu sich hinunter und pustete auf die Kratzer.

»Ich weiß nicht, was Susann hat. Plötzlich den Verstand verloren, scheint mir. Entschuldige, Conny! Glaub bitte nicht, dass der Rest der Familie van Loon auch einen Dachschaden hat. Du triffst dich doch bitte trotzdem Donnerstag mit mir auf der Brücke?«

»Natürlich«, sagte Conny mit strahlendem Lächeln. Schon weil Susann davon Bauchweh kriegt, dachte sie.

Sie lieferte den kleinen Jungen in der Gärtnerei ab, begrüßte kurz ihre Freundin und erzählte von Vico, dem Cousin – ausgerechnet! – der schrecklichen Susann.

»Zeig mal – diese Hexe! Willst du ein Pflaster?«, fragte Nelli besorgt.

»Nein, es sieht schlimmer aus, als es ist. Susann ist beinah explodiert! Das scheint ihr Lieblingscousin zu sein«, meinte Conny.
»Ich kann ihn nicht leiden«, brummelte Christian Schnoor. Aber der musste jetzt sowieso in die Badewanne.

Als Conny am Donnerstagnachmittag mit Robin an der Leine zur Holzbrücke zwischen den Eislaufteichen kam, wartete Vico schon, und seine braunen Augen leuchteten: bewundernd, mutwillig, fröhlich.
»Schön, dass du da bist! Hallo, Hundi! Ja, du bist ja ein ganz Feiner – nicht anspringen, bitte! Hast du Schlittschuhe, Conny? Wir könnten hier auch mal laufen, solange Winter ist ...«
»Ich hab aber keine!«
»Dann wird diese Idee sofort begraben. Wollen wir ein bisschen durch den Wald schlendern?«
Conny hakte sich bei Vico ein. Das war doch wohl sinnvoll, um nicht auszurutschen? Sie trug einen rosa Schal mit Fransen und ihre netteste rosa Wollmütze mit einer gestrickten Blüte an einer Seite über dem Ohr und sie wusste, dass sie sehr hübsch aussah. Dafür hätte sie keinen Spiegel gebraucht: Jedes Mal, wenn Vico sie anschaute, konnte sie es seinem Gesichtsausdruck entnehmen.
»Sind alle Mitglieder deiner Familie so brünett – mit so rabenschwarzem Haar und so nachtschwarzen Augen?«
»Nein, im Gegenteil. Meine beiden Onkel und meine Mutter sind blond, Mama sogar hellblond mit ganz weißer Haut und Sommersprossen!«
Er blieb stehen. »Wie ist das möglich? Und dann so was wie du dazwischen?«
»Na ja, ich bin eben das schwarze Schaf der Familie«, behauptete Conny und zeigte ihre Grübchen.
»Wie süß – ein Schäfchen. Ein schwarzes.«

»Also, mein Vater war ein halber Orientale. Meine Großmutter kam aus Tunesien«, erklärte sie.
»Daher! Jetzt ist alles klar. Meine Eltern sind auch beide helläugig, und meine Schwester und ich haben trotzdem braune Augen. Da kommen wohl ebenfalls die dunklen Pigmente meiner Großmutter durch, die war brünett. Du, meine Kusine Susann hat übrigens meinen Eltern neulich abends bei uns zu Hause wahre Schauergeschichten über dich erzählt.«
Conny zuckte unwillkürlich zusammen. Sie zog Robin von einem dunklen Klumpen im Schnee weg, der eventuell ein toter Vogel sein mochte. »Was hat sie denn gesagt?«
»Ach, richtig gehässig. Ich glaube, die kleine Madame ist eifersüchtig. Dass du unehelich bist und aus einer ganz primitiven Asozialen-Sippe stammst und dass deine Verwandten ab und zu im Gefängnis sitzen und so was …«
Connys Gesicht verfinsterte sich. Sie blieb stehen und schaute Vico mit zusammengezogenen Brauen an. »Und was machst du, wenn ich dir sage, das stimmt eigentlich wirklich alles?«
Er beugte sich über sie, nahm ihr Kinn zwischen Daumen und Zeigefinger und hob ihr Gesicht. »Dann finde ich das schrecklich interessant, du zauberhaftes schwarzes Schäfchen.«

Um Conny zu beweisen, wie wenig er sich daraus machte, rief Vico sie an und lud sie für den Samstagnachmittag zu sich zum Tee ein.
»Was meinen denn deine Eltern dazu?«, fragte Conny zweifelnd.
»Denen hab ich das erst mal nicht erzählt. Du, ich lade öfter mal spontan Jungs oder Mädels aus meiner Klasse oder aus dem Sportverein zu uns zum Tee. So was sind meine Eltern gewöhnt. Das ist schließlich hanseatische Gastfreundschaft, oder? Wenn die erst mal nicht wissen, wer du bist, und sich in dein süßes Gesicht verguckt haben, dann können wir ihnen

immer noch erzählen, dass du aus einer gefährlichen Verbrecherfamilie stammst. Ach, die müssen dich doch einfach mögen! Meine Schwester Femke wird übrigens auch da sein, die lebt schon nicht mehr zu Hause, sondern studiert und wohnt am Grindel. Femke wird dich allein deshalb lieben, *weil* du aus so einer Ecke kommst. Die ist so richtig unkonventionell und hasst alles, was spießig ist …«

Conny zog sich für den Samstag möglichst seriös an, mit einem alten Kostüm ihrer Mutter, an dessen Ärmeln und Kragen sie Persianerpelzstreifen von einem Mantel ihrer Tante befestigt hatte und das eigentlich zu erwachsen für sie war.

Familie van Loon – zumindest dieser Zweig – wohnte in der Ordulfstraße in einer vornehmen älteren Villa, pastellfarben bemalt, mit etwas Fachwerk. Conny ging über die Platten des kurzen Gartenwegs und bemühte sich, tief und langsam zu atmen.

Bildete sie sich das ein, oder war sie mal, vor ungefähr zehn Jahren, mithilfe ihres kriminellen Onkels durch ein Kellerfenster dieses Hauses gerutscht? Auf jeden Fall wirkte es so, als gäbe es hier gute Beute. Aber inzwischen besaßen van Loons sicherlich eine Alarmanlage …

Conny klingelte. Die Tür wurde von Vico selbst geöffnet, der versuchte, gelassen und gleichmütig zu wirken, während er unsicher und angespannt aussah. »Conny! Wie schön, komm bitte rein!«

Sie wurde von ihm in ein sehr großes, helles Wohnzimmer geführt. Auf weißen Sofas mit weißen Sofakissen zwischen weißen Vitrinen saßen wie erstarrt zwei Menschen: ein feiner Herr und eine feine Dame, beide mit Teetassen in der Hand, kerzengerade, ohne Lächeln. Die Frau sah ähnlich aus wie die Königin von England, aber nicht so nett.

Rundherum an den Wänden war alles mit weißen Bücherregalen gepflastert. Haben die etwa diese ganzen Bücher gelesen?, fragte sich Conny. Sie war kurz davor, wie in Kindertagen einen Knicks zu machen. Undeutlich und von Weitem hörte sie, dass Vico sie seinen Eltern vorstellte. Sie beugte den Kopf und murmelte etwas Erfreutes.

Dann schaute sie auf und blickte in vier eiskalte, ablehnende blaue Augen.

Sie stand eine Minute lang auf dem dicken, dunkelroten Teppich im Wohnzimmer der van Loons und wusste nicht, was sie sagen oder tun sollte. Es war eine der längsten Minuten ihres Lebens. Sie warf einen kurzen Seitenblick auf Vico und erkannte, dass er nervös mit seinen Fingernägeln knipste.

Nun trat eine jüngere Frau mit wuscheligem Haar ins Zimmer, in Jeans, Socken und zu langem Pullover. Sie rief mit viel zu lauter Stimme, als wäre sie weit weg: »Hallo, hallo, ich bin Femke. Du bist Conny, was? Vico hat schon von dir rumgeschwärmt. Heißt du nicht Hertz? Süß! Ein richtiges Herzchen! Du siehst nicht ein Stückchen so runtergekommen aus, wie diese verklemmte Zicke von Susann dich beschrieben hat. Sicher ärgert unser Sannchen sich jedes Mal den Blutdruck in die Höhe, wenn sie sieht, wie hübsch du bist. Der reden sie nämlich seit ihrer Kindheit alle fälschlich ein, sie wäre so eine Schönheit …«

Die beiden feinen Personen auf den weißen Sofas blickten jetzt ausgesprochen indigniert auf ihre Tochter.

»Femke, also wirklich –!«, äußerte Vicos Mutter leise. Sie stellte derart behutsam ihre Teetasse auf der Untertasse ab, dass es kein Geräusch verursachte.

»Ach, lass bloß gut sein, Mutter!«, rief Vicos Schwester. »Los, komm, Vico, wir wollen in dein Zimmer gehen. Hier gefriert ja die Luft!«

Sie goss plätschernd Tee in eine Tasse, fragte Conny: »Nimmst du Zucker, Herzchen? Ein Stück?« – worauf die nickte, warf den weißen Würfel in den Tee, dass es spritzte, griff sich eine

Handvoll Plätzchen, die auf einem Teller lagen, und marschierte zur Tür.
Vico nahm Connys Hand und zog sie hinter sich her. Bevor sie aus dem Zimmer waren, warf Conny einen kurzen Blick über die Schulter zurück.
Das Ehepaar van Loon saß wie erstarrt auf den weißen Sofas. So, wie im Märchenbuch der Hofstaat von Dornröschen. Nur nicht schlafend, sondern mit weit geöffneten, kalten blauen Augen.

Das 7. Kapitel

trieft vor Tränen, schafft silberne Ringe an und feiert Connys Geburtstag mal ganz anders

1971/72

Als Connys Mutter gerade ein halbes Jahr lang verheiratet war, zog ihr Mann es bereits vor, mehrere Nächte in der Woche woanders zu übernachten. Hanne Teuber lag allein im Bett und weinte. Sie glaubte auch zu wissen, bei wem Walter schlief. Sie hatte ihn zufällig in der Stadt mit der Frau gesehen, den Arm um ihre Schulter gelegt. Brünett war sie, nicht richtig hübsch, aber ziemlich aufgedonnert und vor allem: jung! Nicht viel älter als Conny ... Mit Walter zu reden, wusste Hanne, hätte keinen Zweck. Er würde böse werden und erklären, er müsse wegen irgendeines Jobs in Hamburg übernachten. Was genau er machte, war so unklar wie Uwes geheimnisvolle Geschäfte – es brachte jedenfalls immer was ein, das musste man ihm lassen.

Hanne ahnte nicht, was sich manchmal zwischen ihrem Mann und ihrer Tochter abspielte. So war Walter Teuber etwa kurz vor Weihnachten, als Conny wegen einer starken Erkältung einen Tag im Bett verbrachte, in ihr Zimmer gekommen, um ihr heißen Tee zu bringen. Weitere Heilungsmethoden bot er sofort an: eine Massage zum Beispiel, dazu müsste Conny ihren Schlafanzug ausziehen, er half schon mal dabei. Sie klappste ihm auf die Finger, lachend. Conny besaß großes Geschick darin, sich zu verteidigen, ohne zu verärgern. Außerdem hatte sie Walter trotz allem recht gern und war ganz überzeugt, ihn stets bändigen zu können. Sie machte sich nur Sorgen um ihre Mutter. Mit ihr zu reden, wusste Conny, hätte keinen Zweck. Sie würde böse werden und erklären, Conny denke sich das

bloß aus, weil sie von Anfang an dagegen gewesen war, dass Hanne Walter heiratete.
»Wenn du nicht sofort brav bist, hetzte ich Robin auf dich!«, hatte sie ihrem Stiefvater gedroht, und das war sehr komisch, da der mittelgroße dünne Hund auf ihrer Bettdecke lag, eins seiner Fledermausohren schlapp fallend, das andere in die Höhe gerichtet, gelinde hechelnd: Das sah wie ein gutmütiges Grinsen aus.
Und als Walter immer noch an ihrem Schlafanzug knöpfte, fuhr sie fort: »Außerdem schreie ich um Hilfe, dann kommt auf jeden Fall Tante Martha, wenn ich nur lange genug und laut genug rufe!«
Da hatte er sie, selber lachend, in Ruhe gelassen.

Noch im selben Winter flog ein größerer Einbruch in einem Juweliergeschäft in Hamburgs Innenstadt auf. Eine raffinierte Sache, akribisch geplant, ganz sicher nicht von Uwe Hertz und Walter Teuber ausgebrütet – die jedoch dabei erwischt wurden. Sie erhielten später, als die Sache vor Gericht kam, übrigens sehr gute und teure Anwälte, die erreichten, dass beide nur zu geringen Haftstrafen verurteilt wurden (weniger als ein Jahr, trotz Vorstrafen). Und sie erzählten nicht, wer das Ganze erdacht hatte.
Für die beiden Männer also ging die Angelegenheit besser aus, als zunächst befürchtet. Für ihre Familie allerdings, Hanne, Conny, Dieter und Tante Martha, hätte die Katastrophe kaum schlimmer sein können. Die beiden Täter landeten sofort in Untersuchungshaft und der Fall für mehrere Tage in der Zeitung. Daraus ergab sich eine Menge.
Eine Kollegin von Hanne glaubte plötzlich zu wissen, dass sie in den letzten Monaten immer wieder bestohlen worden war. Von wem – wenn nicht vom Mitglied einer solchen Familie? Hannes Chef, der seine Ruhe haben wollte, verschwendete sei-

ne Zeit nicht damit, irgendetwas nachzuprüfen. Er kündigte Hanne ganz einfach mit der Begründung, er müsse sein Geschäft verkleinern. Die Kolleginnen waren entweder schon länger bei ihm oder hatten kleine Kinder. Frau Teuber musste gehen – und Schluss.

Onkel Dieter suchte sich diesen Zeitpunkt aus, um in der Fabrik, die er nachts bewachte, eine Treppe runterzufallen und sich das restliche Bein zu brechen. Da er nicht angestellt gewesen war, fiel sein Verdienst auch weg. Es kam alles auf einmal.

Der Mann, der den Juwelenraub ausgedacht und eingefädelt hatte und für Uwe und Walter die Anwälte bezahlte, damit sie den Mund hielten, ging nicht so weit, ihre übrig gebliebene Familie zu unterstützen.

Hanne saß in der Küche auf einem Stuhl und weinte. Zunächst schien das angebracht und normal, doch sie konnte scheinbar nicht damit aufhören. Sie weinte vielleicht nicht nur um die jüngsten Ereignisse, sondern um alles, das ihr jemals geschehen war, vom Tod ihrer Eltern beim großen Bombenangriff im Krieg über das unerklärliche Verschwinden von Khaled Jochmann, Connys Vater, bis zum Fremdgehen ihres doch ziemlich neuen Ehemanns.

Onkel Dieter (in einem geliehenen Rollstuhl), Tante Martha und Conny saßen ratlos um sie herum.

Robin versuchte es eine Weile damit, dass er seinerseits jaulte wie ein kranker Wolf, die Schnauze in die Höhe gereckt und immer wieder neu ansetzend mit einem kleinen Jodler, der sirenenartig anschwoll. Der Klang war schwer erträglich. Hanne nahm überhaupt keine Notiz davon, einige Nachbarn umso mehr. Einer kam vor die Tür und schimpfte laut auf die Straße. Conny stellte ihrem Hund anderthalb Stunden früher als sonst den Futternapf auf den Boden, worauf er seine Darbietung einstellte und gekochte Fleischabfälle und Reis in sich hineinwarf. Danach weinte er nicht weiter.

Hanne ihrerseits blieb unvermindert dabei.
Conny reichte ihr neue Taschentücher, die sie schließlich, als sonst keine mehr im Haus waren, von einer Klorolle abrupfte.
Tante Martha umarmte Hanne immer wieder, streichelte ihr Haar und redete auf sie ein. Das hätte sie auch lassen können. Onkel Dieter rollte hin und zurück und stellte vor ihr einen Schnaps ab. Den musste er selber trinken.
Ab und zu, wenn Hanne das Gesicht hob, um sich zu schnäuzen, erblickte die verstörte Familie ihr geschwollenes, fleckiges Gesicht, Augenlider und Oberlippe gerötet und dreimal so dick wie gewöhnlich, die Nase ebenfalls umfangreicher, als Conny, Martha und Dieter sie in Erinnerung hatten. Hanne wurde von Schluchzern geschüttelt wie von einem schweren Schluckauf.
Das ging so für Stunden. Man versuchte, Hanne Essen anzubieten, aber das war natürlich ganz sinnlos.
Man stellte ihr ein Glas Wasser hin – das kippte sie aus Versehen um, es rieselte dem entsetzten Hund, der unterm Tisch gelegen hatte, auf die Schnauze, sodass er beleidigt in die Wohnstube flüchtete.
Die Tränen flossen stundenlang, woher immer Hanne das viele Wasser nahm.
Irgendwann ging Dieter ins Bett. Irgendwann legte Tante Martha sich hin. Robin schnarchte vor dem Backofen, in sicherem Abstand vom Tisch.
Conny saß weiterhin da, die dritte Rolle Papier auf dem Schoß.
Dann schlug die kleine Pendeluhr im Flur zwei Schläge, und Hanne nahm die Hände vom Gesicht und blinzelte angestrengt durch ihre dicken Augenlider. Keine Tränen mehr, sie schluchzte nur noch alle anderthalb Sekunden schwer auf. Sie sah restlos verzweifelt aus, völlig trostlos.

»Mama? Was kann ich denn bloß für dich tun?«, fragte Conny mit schiefgelegtem Kopf. »Sag mir, was ich machen soll, und ich mache es! Ich schwöre, dass ich alles tun will, damit's dir besser geht.«
»Denn geh von diese höhere – hf – Schule ab und ver – hf – dien Geld!«, brachte Hanne heiser, zwischen Schluchzern, hervor. Sie blickte böse vor sich auf die Tischplatte und kratzte mit dem Fingernagel an einem Fleck darauf.
»Aber – mit der Schule bin ich ja bald fertig? Ich hab doch jetzt fast schon die mittlere Reife ... Ich will doch Schneiderin lernen, ich ...«
»Du hast gefracht – hf – wassu tun kanns – hf – und ich hab das gesacht ...«, erwiderte Hanne.
»Gut, dann machen wir das so. Willst du jetzt nicht was essen, Mama? Nein? Aber trinken wirst du was, du musst doch ausgetrocknet sein nach den vielen Tränen, die du geweint hast?«
Und Hanne erklärte sich bereit, ein Glas mit lauwarmem Wasser zu trinken. Conny zuliebe.

An einem Abend im Mai, als die Amseln im Garten lieblich und schmelzend sangen, kam Conny vom Gang mit ihrem Hund nach Hause.
Sie nahm Robins Halsband ab. Der Hund schüttelte sich so heftig, dass ein Schauer von Fellhaaren durch die Luft flog, und warf sich selbst dann mit heftigem Plumps auf den Boden.
Conny hängte ihre Jacke in der Garderobe auf und begann, Kartoffeln für das Abendessen zu schälen – als die uralte Klingel an der Haustür schnarrte.
Conny öffnete und stand einer großen, schlanken Figur in einem hellen Sommermantel gegenüber, die sie ernst und vorwurfsvoll aus einem Auge musterte.
»Tante Eva!«

Frau Wohlgast schüttelte ihre silberblonde Welle aus dem Gesicht und schaute nun auch aus dem zweiten Auge ernst und vorwurfsvoll.

»Willst du reinkommen …?«, fragte Conny, wenn auch ungern. Ihr Zuhause war nicht so, dass sie es Menschen mit Geschmack und Niveau unbedingt präsentieren mochte.

Aber Eva folgte ihr, schweigend und düster, bis in die Küche, wies mit der Hand auf den Platz, der zeigte, wo Conny eben noch gesessen hatte, und ließ sich auf dem gegenüberliegenden Stuhl nieder. »Bitte, du hast gerade Kartoffeln geschält, mach weiter, die sollen wohl bald fertig sein.«

Conny nickte, nahm den Schäler und fuhr in ihrer Tätigkeit fort. »Tante Eva – bitte, guck mich nicht so böse an. Natürlich hab ich ein ganz schlechtes Gewissen, das kannst du dir doch denken!«

»Ich gucke nicht böse. Jedenfalls will ich das nicht. Ich bin auch nicht zum Schimpfen hergekommen – obwohl ich einiges zu beanstanden hätte. Du hättest dich wenigstens abmelden können. Mich kurz besuchen oder zumindest anrufen und mir mitteilen, dass in Zukunft der Mittwochnachmittag von mir anders genutzt werden kann.«

»Ich weiß. Ich war ein paarmal kurz davor. Ich hatte nur Angst …«

»Wovor?«

»Dass du mir abraten würdest. Sieh mal, ich hab beispielsweise die Schule abgebrochen …«

»Das weiß ich. Ich hab mit deiner Lehrerin telefoniert. Die ist übrigens auch schockiert. Ach, Conny, wie konntest du?! Wie konntest du?!« Frau Wohlgast schlug ihre gepflegte Hand mit den dunkelrot lackierten Nägeln auf den Tisch, und Robin, der sie beim Eintreten nur argwöhnisch gemustert hatte und inzwischen eingeschlafen war, zuckte hoch und bemerkte halblaut, trocken und missbilligend: »Waff.«

»Du warst sehr gut in der Schule. Es war doch nur noch eine kurze Zeit! Warum, Kind?«
Conny zerschnitt die geschälten Kartoffeln und stand auf, um sie in einem Sieb zu waschen.
»Weil meine Mutter das wollte. Sie war so über alle Maßen unglücklich … Ihr Mann und Onkel Uwe im Knast! Alles in der Zeitung – zwar mit abgekürzten Namen, aber jeder hier weiß doch, wer gemeint ist! Sie selbst aus dem Job geflogen! Onkel Dieter hat sich sein letztes Bein kaputt gemacht und konnte auch nicht mehr arbeiten. Irgendwie hatten wir plötzlich nur noch die winzige Rente von Tante Martha …«
»Und was sollte es da helfen, wenn du deine Ausbildungschancen abwürgst?«
Conny setzte die Kartoffeln mit Wasser und einem Teelöffel Salz auf den Herd und schaltete ihn ein. Dann holte sie vier Zwiebeln aus dem Kühlschrank und begann, sie zu häuten.
»Mama hat ungefähr sieben Stunden lang geweint hier in der Küche, genau da, wo du jetzt sitzt, richtig geweint, laut und literweise, sie konnte nicht aufhören. Wir hatten alle schon Angst, sie fällt tot um. Sie war nicht ansprechbar, sie hat weder gegessen noch getrunken. Wir haben alles versucht, um sie zu sich zu bringen.«
Eva Wohlgast stand auf und setzte sich auf einen anderen Stuhl.
»Ich weiß schon, was du meinst, Tante Eva. Es ist unvernünftig, auch in so einer Situation, die Schule nicht zu Ende zu machen. Aber meiner Mutter lag so viel daran, dass ich sofort aufhöre …«
»Warum?«
»Vielleicht, weil sie selbst so ein mieses Leben hatte, immer. Nie Glück. Nie was Feines. Und dann ich mit der ›höheren Schule‹ …«

»Sie hat es dir nicht gegönnt? Sie wollte gern, dass du auch ein mieses Leben hast?! Aber hätte sie sich nicht verdammt noch mal *mit dir* und *für dich* freuen können, wenn's dir besser geht? Hätte sie nicht einfach stolz auf dich sein können?«

»Na ja, vielleicht ist sie dafür noch zu jung ...« Conny schnitt die Zwiebeln in sehr dünne Scheiben, füllte sie in eine Pfanne, streute Salz darauf und begann, die Scheiben behutsam mit einem Holzlöffel zu teilen, sodass lauter Ringe entstanden, große und kleine. »Wie du dir denken kannst, hab ich mein Gespartes rausgeholt. Dreitausendeinhundertvierzehn Mark und zwanzig Pfennige. Wir saßen ja auf einmal ganz auf dem Trockenen. Du glaubst nicht, wie wir das Geld in die Länge ziehen! Wir haben aber ziemlich schnell alle Arbeit gefunden. Onkel Dieter pult irgendwelche Gummiteile auseinander in einer Fabrik, das macht er im Sitzen – vier Mark die Stunde. Tante Martha konnte nicht mehr arbeiten, die würde auch keiner nehmen, sie wird ja nächstes Jahr schon achtzig. Die hat den Haushalt gemacht ...«

»Und wo ist sie jetzt?«

»Im Krankenhaus. Sie hat eine Kopfrose bekommen, vor Aufregung, sagt unser Arzt ...«

Eva Wohlgast rollte ihre schmalen dunklen Augen. »Ihr lasst nichts aus. Und was für Arbeit hast du gefunden?«

»Ich verkaufe. Von Montag bis Freitag in einem Fachgeschäft für Nähartikel in Schnelsen. Und samstags in einem Schuhgeschäft in Altona in der Herrenabteilung.«

»Warum denn ausgerechnet in der Herrenabteilung?«

»Weil sie da gesucht haben. Der Geschäftsführer hat mir gesagt, dass die Verkäuferinnen in der Herrenabteilung dauernd weggeheiratet werden. Sie brauchen ständig neue«, erklärte Conny und lachte ein bisschen.

Eva lächelte, wenn auch schmal. »Das sind ja tolle Chancen, unter die Haube zu kommen. Aber du hattest doch im Winter

schon einen Freund? Von dem hast du mir ein bisschen erzählt, ein werdender Fotograf ...?«
»Hans. Mit dem hab ich im Februar Schluss gemacht. Also, ich hab ihm mitgeteilt, dass ich mich wahnsinnig in jemand anders verliebt hatte. Ich fand das fair ...«
»Wärst du doch auch mir gegenüber so fair gewesen!«, fand Frau Wohlgast. »Darf ich hier rauchen? Danke. Du hast dich also wahnsinnig verliebt? In wen denn, wenn ich fragen darf?«
»Er heißt Vico. Er geht noch zur Schule. Macht bald Abitur. Die Familie wohnt in der Ordulfstraße. Ach, der ist übrigens zufällig ein Cousin von dem Mädchen, das in der Mittelschule neben mir saß und das damals gesagt hatte, ich rieche nach feuchtem Keller, erinnerst du dich? Die haben denselben Nachnamen, van Loon.«
Eva Wohlgast atmete den Rauch tief ein und ließ ihn erst nach längerer Zeit aus der Nase strömen. »Ach nein. Die Brüder van Loon sind mit mir zusammen zur Schule gegangen. Arno und Bruno van Loon. Zwei bildschöne edle Nazigesichter mit Schmissen, messerschmalen Lippen und gletscherblauen Augen. Welches ist der Vater von deinem Liebsten?«
»Ich weiß es nicht. Außerdem ist er nicht mehr mein Liebster. War er eigentlich nie. Das fing gerade an, als das mit Walter und Onkel Uwe passierte und alles in der Zeitung landete. Da haben Vicos Eltern ihm unter strengsten Auflagen verboten, mit mir weiter Umgang zu haben.«
»Und daran hat er sich gehalten? Ein feiner Held.«
Conny zuckte die Schultern. »Das sagt seine Schwester Femke auch. Die besucht uns immer noch, ganz lieb, hat schon dreimal einen Korb mitgebracht voller Kartoffeln und Brot und Nudeln und Büchsen und Zigaretten und so. Die reinsten Care-Pakete. Femke findet, dass Vico feige ist. Sie ist richtig böse auf ihn und hat ihm deswegen schon eine Szene gemacht. Ich weiß nicht ... Wir kannten uns ja noch nicht so ganz richtig ...«

»Immerhin hat es gereicht, um dich wahnsinnig verliebt sein zu lassen.«

Conny lächelte, und obwohl ihre Grübchen sofort auftauchten, lag ein wenig Bitterkeit darin und bog ihre Mundwinkel nach unten. »Das war *er* wohl auch, glaube ich. Ich kann ihn irgendwie verstehen. Weißt du, ein Mensch aus so einer Familie und so was wie ich …«

»Wenn du noch ein einziges Mal in deinem Leben sagst, ›so was wie ich‹, kriegst du Prügel von mir. So, also du verkaufst alle möglichen Sachen. Und was macht deine Mutter?«

»Sie putzt in Büroräumen und in einer Schule. Nachts.« Conny schaltete die kochenden Kartoffeln klein.

»Ihr macht es euch nicht leicht. Warum hast du dich nicht gleich an mich gewandt? Hast du nicht daran gedacht, dass ich dir helfen könnte? Weißt du nicht, dass ich ziemlich viel auf der Bank hab, Connymädchen?«

»Ja. Doch.«

»Und wusstest du nicht, wie viel mir daran lag, dass du einen vernünftigen Schulabschluss hast?«

»Aber – hast du nicht damals gesagt, es wäre dir eigentlich egal, ob ich auf die Mittelschule gehe?«

»Ach, Schätzchen! Ich hab mich damals hinter Uwe geklemmt, damit er das durchsetzen soll! Übrigens, dein dusseliger Onkel hat mir auch keinen Piep gesagt. Was mit dem passiert ist, hab ich ebenfalls aus der Zeitung erfahren. Dabei könnte ich ihm einen hervorragenden Anwalt besorgen. Aber er behauptet, ein guter Freund bezahlt den Anwalt für deinen Stiefvater und ihn. Was machst du mit den Zwiebeln?«

»Die schmore ich gleich. Mit Muskatnuss, in etwas Mehl und Margarine, mit wenig Milch aufgegossen. Ich kann nicht sehr gut kochen, aber das gibt ein prima Essen zu den Kartoffeln, hat auch Vitamine. Wir sparen natürlich wie verrückt …«

»Natürlich. Das ist ja begreiflich …«, meinte Eva Wohlgast trocken und drückte ihre Zigarette auf den Kartoffelschalen aus. »Also, Connymädchen, ich hoffe doch, du wirst mich in Zukunft wieder besuchen? Vielleicht darf ich dein Vorlesehonorar nach all den Jahren mal verdoppeln oder vervierfachen?«

»Tante Eva! Ich hab doch schon lange nicht mehr vorgelesen. Ich hab dich nur noch besucht und mich mit dir unterhalten.«

Frau Wohlgast stand auf. »Das ist ein saftiges Honorar wert.«

»Außerdem kann ich mittwochnachmittags nicht kommen, da arbeite ich.«

»Ach zum Wiesel, dann kommst du eben abends oder nachts oder am Sonntag!«

Conny lächelte. »Das mache ich gerne. Versprochen! Ich ruf dich vorher an.«

Sie brachte ihren Gast zur Tür. »Ich danke dir, dass du mich besucht hast, Tante Eva. Und dass ich wieder zu dir kommen darf. Und überhaupt …«

»Du dummes Schätzchen!«, sagte Eva mit ihrer tiefen, knarzigen Stimme, umarmte Conny sehr fest und schüttelte sie gleichzeitig.

»Ich hab immer – entschuldige, aber ich fand wirklich immer, es war ganz großes Glück, dass wir versucht haben, ausgerechnet *dich* zu beklauen …«

Eva Wohlgast lächelte und schüttelte ihre helle Haarwelle vor ein Auge. »Das hab ich auch immer gedacht …«

Sie stolzierte, lang und dünn, über den Gartenweg und drehte sich an der Pforte noch einmal um. »Weißt du, was ich gemacht hätte, um deine Mutter dazu zu bringen, nicht stundenlang weiterzuheulen? Ich hätte ihr kräftig eine gescheuert!«

Das Leben wurde wieder ein bisschen heller nach diesem Besuch, obwohl Tante Martha starb, ob nun an ihrer Kopfrose oder am Alter.

Auch von Frau Wohlgast erhielt Familie Hertz in den folgenden Monaten Körbe mit Lebensmitteln – oft befanden sich darin zwischen vernünftigen Sachen wie Grieß und Haferflocken besondere Delikatessen: Gänseleberpastete oder Krabbensalat, und hin und wieder schaute ein verkorkter Flaschenhals aus dem Korb.
Außerdem fand Conny bei Tante Eva einen weiteren Erwerbszweig. Sie änderte oder entwarf und nähte Kleider für sie und wurde dafür ganz unverhältnismäßig bezahlt.
Im Sommer, als Conny morgens Robin um die Bäume schnuppern ließ, wechselte Hans Soest über die Straße und erkundigte sich, wie es ihr ginge: »Nur weil du einen anderen Freund hast, müssen wir uns ja nicht böse sein?«
Sie klärte ihn darüber auf, dass sie zurzeit überhaupt keinen Freund hätte. Da erzählte Hans, dass er jetzt ein eigenes Auto fuhr, eine alte Ente, dass sein Vater neuerdings in Pension sei, er und Mutter wollten einen Wohnwagen kaufen und ein wenig herumreisen – und von seiner Ausbildung: »Ich brauche immer noch dringend ein schönes Modell! Ich würde dir auch ein Honorar zahlen, Connybibi – kein großes natürlich, aber …«
Conny ließ sich gern zu einem Abendessen im Restaurant einladen stattdessen. Fotografieren ließ sie sich auch, endlich mit unsichtbarer Wasserschüssel für Reflexe in den Augen. Und schließlich ließ sie sich küssen, denn ein netter Kerl war Hans auf jeden Fall und bestimmt nicht unansehnlich.
»Im kommenden Jahr bist du siebzehn – was meinst du, ob wir uns dann verloben wollen? Vielleicht schon an deinem Geburtstag? Heiraten könnten wir zwei Jahre später, dann müsste ich bereits ganz gut verdienen«, phantasierte er.
Er sah so glücklich aus, dass Conny nicht widersprach. Warum auch? Das war alles noch lange hin …

Bereits im Dezember wurden, wenige Wochen nacheinander, Walter und Uwe in die Freiheit entlassen. Sie wirkten so geläutert und gebessert, wie man es erwarten konnte, und fanden beide ehrenwerte, schlecht bezahlte Anstellungen, in einer Werkstatt und in einem Supermarkt. Obwohl sie dem großen Mann vom Kiez, der ihren Anwalt bezahlt hatte, natürlich einiges schuldig waren, machten sie also einen frommen und gezähmten Eindruck.
Walter Teuber erwärmte die Sympathie für seine Ehefrau aufs Neue, schlief durchgehend zu Hause und vermied es sogar, mit Conny zu flirten. Stattdessen trumpfte er plötzlich stiefväterlich auf und verlangte, dass sie sich weniger schminke.
Zum Jahreswechsel benutzte Damian Gebhardt den nicht existierenden Schulkameraden in Bayern vom letzten Jahr, um noch einmal mit Nelli Silvester samt anschließendem Geburtstag zu feiern, diesmal in der Gärtnerei.
Hans Soest hatte seinen Willen durchgesetzt, es sollte eine Verlobung geben. Ihre Familie riet Conny zu.
Eine Verlobung in diesem zarten Alter war nicht besonders ungewöhnlich, solange man die Hochzeit erst ein, zwei Jahre später plante. Soest schien ein zuverlässiger, solider Mensch zu sein, Conny zärtlich ergeben, mit vernünftigen Zukunftsplänen. Er fuhr Hanne, als es eilte, mit seiner Ente in die Stadt, machte für die Onkel bei Bedarf den dritten Mann zum Skat und ging notfalls auch mal mit Robin um die Bäume, wenn es sich ergab. Er zwang auf sanfte, liebvolle Art sowohl seine Eltern als auch Conny, einige Male bei Kaffee und Keksen beisammenzusitzen und »sich zu unterhalten« – obwohl alle drei durchaus nichts miteinander anzufangen wussten. Immerhin schlug Conny hier nicht die kalte Ablehnung entgegen, die Vicos Eltern für sie empfanden.
Die Ringe, hübsche, ziselierte silberne Reifen, waren auf der Innenseite graviert mit: Hans – beziehungsweise Conny – und

dem Datum, 1.1.1972. Die trug der junge Mann in einem Schächtelchen in seiner Brusttasche.
Außer eigenen Gästen, Verwandten und Freunden, hatten Schnoors alle zu sich eingeladen, die gesamte Familie Hertz und sogar Tante Eva, weil Conny sie immer so nannte und inzwischen nahezu jeder, auch die Beteiligten selbst, das Gefühl hatten, es handele sich um echte Verwandtschaft.
Schnoors ließen sich nicht lumpen. Tonnen von bunten Papierschlangen, im Garten ein vorbereitetes Feuerwerk, in der Küche angelieferte kalte Platten, es versprach, eine wunderbare Nacht zu werden.
Conny hatte wochenlang die Pfaff benutzen dürfen, um für ihre Mutter, Tante Eva, Nelli und sich selbst besondere Gewänder für eine besondere Nacht anzufertigen. Eva Wohlgast bezahlte die Stoffe für Familie Hertz, als Verlobungsgeschenk.
Gegen sechs Uhr abends zog Conny sich an: Ihr Kleid war aus dunkelrotem Wollstoff, rund um den überaus kurzen Saum und um die Ärmelkanten mit Rüschen aus demselben Stoff besetzt. Ihr Haar trug sie in einem raffinierten geflochtenen Gebilde oben auf dem Hinterkopf, dünne Strähnen ringelten vor den Schläfen und kitzelten ihren Hals. An den Ohren schaukelten zwei goldene Laternchen, groß wie Walnüsse. Das Schminkverbot von Walter hatte sie grob missachtet, denn zurzeit war dramatisches Make-up sehr in Mode. Conny trug an diesem Abend sogar dicke schwarze Wimpern auf die Augenlider geklebt, die hatte Nelli ihr geschenkt.
»Gehen wir alle zusammen?«, fragte Hanne, die mit dem Rest der Hertz-Familie in der Diele stand. Dieter und Uwe hielten in Weihnachtspapier eingepackte Flaschen in den Händen, die wollte man Familie Schnoor überreichen. Denn es schien idiotisch, einem Gärtnereibesitzer Blumen mitzubringen.
»Ich will eben noch schnell mit Robin um den Block, dann muss er erst wieder morgens, wenn kaum noch Feuerwerk ex-

plodiert!«, erklärte Conny, zog ihren Mantel an und legte einen schwarzen Schal mit gebührender Vorsicht um ihre komplizierte Frisur. »Ich komme gleich nach, in spätestens zwanzig Minuten …«

Doch als sie nach diesem Gang zurück nach Hause kam, um den Hund mit frischem Wasser und Hundekuchen in dem Zimmer einzusperren, das am weitesten von der Straße und eventuellem Feuerwerkslärm weg lag und das früher Tante Martha gehört hatte – da klingelte das Telefon.

Im Hörer befand sich die Stimme von Vico van Loon: »Conny? Ach, mein schwarzes Schäfchen, wie schön, dich zu hören! Was für ein Glück, dass du gleich selber rangehst … Bist du sehr böse auf mich? Du musst doch ganz böse auf mich sein? Wahrscheinlich findest du mich scheußlich und feige … Du, ich muss dir etwas ganz Dringendes sagen. Es ist wirklich wichtig! Kannst du eben mal kurz zu mir kommen? Ich bin allein zu Hause, weil ich erkältet bin. Meine Eltern sind zu einer Feier in Nienstedten gefahren und werden auch dort übernachten. Bitte, sei nobel und komm ganz kurz her. Nur eine Minute … Bitte, bitte … Es ist wirklich wichtig …«

Conny blickte erstaunt vor sich hin und gab Robin automatisch, geistesabwesend, schon mal einen Hundekuchen. Während sie auf das hastige Knirschen und Mampfen hörte einschließlich Abschlecken der Krümel vom Boden, dachte sie nach.

Jetzt schnell zu Vico?

Sie könnte ganz nett und gelassen so tun, als sei sie in keiner Weise jemals böse gewesen, als hätte alles sie nicht weiter berührt. Sie könnte ihr süßes rotes Kleid, ihre Frisur, die Ohrringe und die dicken schwarzen Wimpern präsentieren – deshalb wäre es angebracht, wenigstens auf einen Augenblick einzutreten und Mantel und Schal abzulegen. Die fürchterlichen Van-Loon-Eltern würden ja bestimmt nicht dort sein. Und dann,

wenn sie an Vicos Gesicht erkannte, dass sie ihm gefiel und dass er bereute, sie im Stich gelassen zu haben, dann würde sie auf die Uhr blicken und rufen: »Oh, jetzt muss ich aber wirklich zusehen! Wir feiern heute Abend meine Verlobung mit Hans, weißt du, genau um zwölf, da sind viele Gäste, die auf mich warten …«
Darüber hinaus war sie neugierig, was er ihr wohl so Wichtiges und Dringendes zu sagen hätte.
»Conny?«, fragte Vico. Er klang ziemlich traurig. So, als ob er glaubte, sie würde es ihm abschlagen.
»Natürlich. Ich hab nicht viel Zeit, aber auf ein paar Minuten komm ich eben vorbei«, erwiderte Conny in freundlich-gleichmütigem Ton.
Gleich darauf rief sie schnell noch bei Nelli an und schilderte, was gerade passiert war. »Ich möchte gern wissen, was er mir sagen will. Ich fahre eben mit dem Rad hin, zu Fuß sind das ja fast zwanzig Minuten. Ich komme dann auch mit dem Rad zu euch. Falls es ein kleines bisschen länger dauert und jemand was merkt, dann sag bitte einfach allen, sie sollen sich keine Sorgen machen, ich komme gleich …«

Im Haus der Schnoors ging die Silvesterfeier los. Conny musste ja, wie Nelli ausgerichtet hatte, jeden Augenblick erscheinen.
Cilly Schnoor, die sehr guter Laune war, begrüßte Hanne Teuber mit: »Hallo, meine Kleine!« – wozu Hanne, die gerade sagen wollte: »Danke für die Einladung, Frau Schnoor!«, verwirrt lächelte.
Familie Hertz suchte einigermaßen verlegen einen Platz inmitten der anderen zehn oder zwölf Gäste. Als Eva Wohlgast erschien, setzte sie sich kerzengerade und mit würdevoller Miene neben Uwe, der auf der Stelle hochschoss und ihr ein Glas Sekt besorgte.

Hans Soest trat mit seinen Eltern auf, die Schnoors ziemlich gut kannten: Mutter Soest kaufte seit zwei Jahren Rabatten, Buchsbäume und Rosenstöcke in der Gärtnerei, dabei wurde viel geplaudert.
Hans fragte verständlicherweise, wo Conny stecke, und erhielt die beruhigende Auskunft, die käme gleich. Dann ließ er sich von einem der Gäste in ein interessantes Gespräch über Kameras verwickeln, sprach mit einem anderen über den Nobelpreis für Willy Brandt, hörte sich an, was Corinna Schnoor über ihre neue Lieblingsmusikgruppe, ›Redbone‹, echte Indianer!, zu sagen wusste, und geriet Eva Wohlgast in die Hände, die seine Meinung zur Tatsache begehrte, dass die Frauen in der Schweiz nun tatsächlich das Wahlrecht besäßen. So realisierte er erst kurz vor neun, dass seine Freundin immer noch nicht aufgetaucht war. Inzwischen wurde bereits kräftig gefeiert, laut gelacht und noch viel lauter Musik gespielt.
Hans drängelte sich ungern zu Nelli und ihrem Damian durch: »Was hat Conny denn gesagt, wo sie noch hinwill?«
Aber Nelli zuckte nur mit den Schultern.
Also versuchte er, sich keine Sorgen zu machen. Immerhin *hatte* sie sich gemeldet und angekündigt, es könne später werden …

Als Conny am 1. Januar 1972 bei Familie Schnoor auftauchte, erfuhr sie, Hans Soest und seine Eltern wären vor etwa einer Stunde gegangen. Und ihre Mutter, die Onkel und der Stiefvater vor einer halben.
Cordula und Corinna halfen ihren Eltern gähnend beim Aufräumen, Damian lag schon im Gästezimmer.
Nelli musterte ihre Freundin mit leichter Besorgnis. Connys Haar fiel aufgelöst und wirr über den Mantelkragen, ihr Gesicht wirkte ungeschminkt, von den künstlichen Wimpern war nichts zu sehen. Aber ihre Augen schimmerten wie flüssi-

ges Metall, ihre Wangen glühten und sie lächelte auf eine merkwürdige, schmerzlich-süße Art.
»Was war denn bloß los?«, fragte Nelli leise. »Was wollte Vico dir denn unbedingt Wichtiges erzählen?«
»Oh?«, sagte Conny. »Ach, stimmt … Nein. Ich weiß nicht. Keine Ahnung …«

Im 8. Kapitel
fahren wir nach Venedig und müssen einsehen, dass kleine Leute niemals recht bekommen
1972

Jeder war unzufrieden mit dieser Silvesternacht.
Zum Beispiel der kleine Christian Schnoor, der mit Conny hatte Blei gießen wollen und der doch Vico van Loon sowieso nicht leiden konnte.
Oder Familie Schnoor, die sich veralbert vorkam mit dieser nicht stattgefundenen Verlobung.
Natürlich Familie Soest, die sich erst recht veralbert vorkam mit der nicht stattgefundenen Verlobung: Hans pfefferte das Kästchen mit den Ringen in die Kommodenschublade vom Schuhschrank und wollte nie wieder darüber sprechen, was er seinen Eltern ziemlich laut klarmachte.
Und Familie Hertz, die sich einbildete, dass ganz Niendorf ihre Conny nun für ein schlechtes, verdorbenes Frauenzimmer halten musste.
Sogar Conny selbst – nachdem der Glückszauber, in dem sie sich befunden hatte, langsam verblasste – ärgerte sich darüber, es Vico so leicht gemacht zu haben. Wie viel sinnvoller wäre es gewesen, die Uninteressierte, Spröde zu spielen!
Nach fast elf Monaten hatte er sich gemeldet und sie gerufen, und ihr war nichts Besseres eingefallen, als sofort angerannt zu kommen und in seine Arme zu springen. Warum sah er aber auch so entsetzlich attraktiv aus in seinem dunkelgrünen Pyjama mit dem schwarzen Bademantel drüber und dem verwuschelten Haar? Warum wirkte er so rührend, wenn er sich zerknirscht entschuldigte, sodass man ihn einfach trösten musste? Warum wusste er so genau, wo und wie sie gerade am liebsten

gestreichelt werden wollte, als ob ihre Haut selber ihm das verriet? Und wie würde es jetzt weitergehen –?
Abgemacht hatten sie gar nichts (warum bloß nicht?).
Conny wartete, hörte kaum ein Wort von den Mahnungen und Vorwürfen ihrer Familie, wartete … Musste nicht das Telefon klingeln? Musste er nicht zu ihr kommen? Konnte er sich nicht vorstellen, in was für einer Situation sie jetzt steckte, nach dieser Silvesternacht?
Der 3. Januar war ein Montag und der erste Arbeitstag im Jahr. Aber Conny fuhr nicht zu ihrem Nähartikel-Geschäft in Schnelsen. Stattdessen legte sie Robin an die Leine, marschierte zur gelben Villa im König-Heinrich-Weg und klingelte an der Haustür. Es war noch recht dunkel draußen, kurz nach acht, und es dauerte eine Weile, bis geöffnet wurde.
Eva Wohlgast zeigte im Licht der kleinen Laterne über ihrer Haustür nicht einmal die übliche Gesichtshälfte – sie verhängte nahezu ihr gesamtes Gesicht mit silberblonder Welle. Ganz in der Tiefe war etwas wie ein zwinkerndes, schmales schwarzes Auge zu vermuten.
»O mein Gott, Connymädchen? Komm rein!«
Conny und ihr Hund kamen ins Haus und sahen zu, wie Eva in einem bodenlangen Morgenrock in die Küche schlurfte, Wasser für Tee aufsetzte und sich eine Zigarette anzündete. »Los, erzähl. Ich höre zu …«
Conny zog den Mantel aus und setzte sich. »Silvester – ich war nämlich bei Vico, du weißt schon, Vico van Loon. Er hatte mich angerufen, kurz bevor ich zur Feier bei Schnoors losgegangen bin …«
»Es war sehr ungezogen von dir, alle sitzenzulassen. Extrem ungezogen.«
»Ich weiß, Tante Eva.«
»Andererseits bin ich ganz froh, dass du dich nicht mit diesem blassen Feld-Wald-und-Wiesen-Fotografen verlobt hast. Das

gefiel mir auch nicht. Warum musst du dich binden, bevor du über den Nestrand geguckt hast? Mit dem ersten – oder von mir aus zweiten – jungen Mann, der dir begegnet ist? Es gibt Milliarden von den Dingern …«
Eva unterbrach sich, weil das Wasser kochte und sie den Tee aufgießen musste.
»Was für Dinger?«
»Männer. Milliarden! Mach dich doch erst mal kundig und guck dir ein paar mehr davon an.«
»Ja, gut. Aber ich glaube … Also, ich habe tiefere Gefühle für Vico, weißt du? Ich meine – du kannst dir ja sicher denken – am Silvesterabend, da ist es passiert …«
Eva schüttelte ihr Haar etwas weiter zurück. »Das konnte sich jeder denken. Was zum Wiesel hat das mit tieferen Gefühlen zu tun?«
»Sonst hätte ich es doch nicht getan.«
»Möchtest du einen Keks zum Tee? Wie kommst du darauf, dass es mit tieferen Gefühlen zu tun haben muss? Das zu tun, von dem du sagst, ›es ist passiert‹, das kann *unter Umständen* auch mit tieferen Gefühlen zu tun haben, ja. Es kann auch aus verletzter Eitelkeit passieren. Aus Langeweile. Aus Einsamkeit. Aus Angst. Aus guter Laune. Aus Herrschsucht. Aus Besitzgier. Um jemanden zu verletzen. Um jemanden zu beeindrucken. Um sich lebendig zu fühlen. Oder weil's einen nun mal gerade juckt. Lass dich nicht von diesem Klischee kirre machen, dass es sich dabei vor allem um Liebe dreht!«, predigte Eva und schüttete Kekse auf einen Glasteller. »Das ist eine Erfindung von Leuten, die das Ganze gerne moralisch garnieren möchten. Warum übrigens verkaufst du keine Garnröllchen? Heute ist doch Montag, oder?«
Conny senkte den Kopf. »Ich bin einfach nicht hingefahren. Ich wollte unbedingt mit dir sprechen, Tante Eva. Weil es heute schon drei Tage her ist – oder jedenfalls zwei Tage … Also

heute Abend sind es drei … Und Vico hat sich bis jetzt nicht gemeldet …«
Eva gähnte durch die Nase und rieb sich die Stirn. »Dass der Junge feige ist, hatten wir doch schon rausgearbeitet. Pass mal auf, Conny, mir fällt gerade ein: Ich mache eine Reise nach Italien, nach Venedig. Möchtest du mich nicht als meine bezahlte Gesellschafterin … nein, unmöglich, das klingt nach Kitschroman aus dem letzten Jahrhundert – als meine Freundin mit gutem Taschengeld begleiten? Alleine reisen ist so öde … Es würde dich ablenken und mir guttun. Du hast doch keine Ferien gehabt, seit du von der Schule weg bist, oder?«
Conny riss ihre großen dunklen Augen auf. »Venedig? O ja, wahnsinnig gerne! Ich bin überhaupt noch nie verreist! Fahren wir mit dem Zug?«
»Das dauert mir zu lange. Wir werden fliegen.«
»Fliegen! Tante Eva, ich muss … ich muss gleich sofort im Geschäft anrufen, natürlich, und mich entschuldigen. Und ich muss sehen, wo ich Robin unterbringe … Oder wollen wir den mitnehmen?«
Eva drückte ihre Zigarette aus, betrachtete durch einige hängende Haarsträhnen den Hund, der sich gerade, die Stirn konzentriert gerunzelt, mit einer Hinterpfote am Bauch kratzte, und schüttelte den Kopf.
»Dann werde ich Nelli fragen. Foxi kümmert sich bestimmt um Robin. Für wie lange sind wir verreist?«
»Eine Woche oder zwei oder drei, je nachdem, wann wir anfangen, uns zu langweilen. Oh – hast du einen Reisepass?«
Conny schüttelte bestürzt den Kopf. »Ich brauchte doch noch nie einen – ach! Jetzt kann ich nicht mit, oder? Das dauert lange, bis ein Pass fertig ist, soviel ich weiß.«
Eva legte einen Finger an die Nasenspitze und dachte nach. »Eine der positiven Eigenschaften von Geld ist, vieles möglich zu machen, das für Menschen *ohne* Geld unmöglich ist. Du

wirst heute am frühen Nachmittag mit einem Taxi in die City fahren, in den Glockengießerwall. Da triffst du Herrn Meifarth, der ist mein Anwalt und Berater. Der wird dafür sorgen, dass du ein Papier erhältst, das als Passersatz gelten kann. Ich rufe ihn nachher an. Ich organisiere das. Und sobald wir alles Nötige haben, fahren wir los, morgen oder übermorgen. Uns hetzt niemand.« Sie blickte auf die Küchenuhr. »Ich werde gleich baden und mich anziehen und zum Reisebüro gehen … Hast du einen vernünftigen Koffer? Nicht zu groß? Man nimmt immer zu viel mit …«

Conny schüttelte den Kopf. »Wir haben einen einzigen Koffer, der ist riesig und aus Leder und schon ganz schwer, bevor überhaupt was drin ist.«

»Dachte ich mir. Warte, komm mit in mein Schlafzimmer, da steht einer auf dem Schrank, den gebe ich dir, der hat die richtige Größe.« Sie ging voran die Treppe hinauf, gefolgt von Conny. Robin machte im Wohnzimmer »Sitz«, weil er gleichzeitig einen Keks erhielt.

In Evas breitem Doppelbett entstand bei ihrem Eintritt einiges Geraschel, als ob etwas Großes sich tief unter die Decke wühlte. Conny bekam einen mittelgroßen hübschen Leinenkoffer mit Lederecken vom Schrank gereicht. Sie bemühte sich um völlige Unbefangenheit und warf keinen einzigen Blick auf die Kleider, die über einem Stuhl hingen.

»Kannst du nicht Connys Hund füttern und ausführen, solange sie zwei bis drei Wochen verreist ist?«, fragte Eva das Bett.

»Nein, ganz unmöglich!«, sagte Onkel Uwes Stimme unter der Daunendecke hervor.

»Ich verstehe. Dann musst du wirklich jemand anderen finden, Conny. Diesen Foxi oder so was«, meinte Eva. »Ich lasse mir gleich mal Badewasser ein. Du findest selbst hinaus?« Und wieder zum Bett: »Der Tee ist fertig. Wäre schön, wenn jemand Eier kocht und Frühstück macht …«

Conny rannte mit dem Koffer nach unten, bevor das Bett antworten konnte.

Sie waren am frühen Abend auf dem Flughafen Marco Polo gelandet und mit einem Wassertaxi zum Hotel gefahren.
»Falls du sie noch ein ganz kleines bisschen weiter aufreißt, fallen deine Augen ins Wasser!«, meinte Eva erfreut, die ihre Begleiterin beobachtete. »Macht es dir Spaß, Connymädchen?«
Conny nickte heftig. »Ganz enorm!«
»Ich liebe diese Stadt. Sie ist aus Mondlicht – nur Perlmuttfarben, alles ist silber, blau, grau und rosa, du wirst sehen. Und die Jahreszeit eignet sich vortrefflich für einen Besuch hier. Im Sommer wirst du ohne Mitleid totgetreten von fotografierenden Touristen mit großen Füßen.«
Das Hotel war alt, verschnörkelt, quadratisch wie eine Pralinenschachtel und wuchs aus dem Wasser. Der Fahrstuhl glich einem goldenen Käfig, er quietschte und keuchte, während er langsam nach oben stieg.
Conny befand sich in einem seltsamen Zustand. Ihr Herz raste die ganze Zeit, seit sie gemeinsam mit Eva ins Taxi gestiegen und zum Flughafen gefahren war. Tatsächlich war sie bis dahin (außer als neugeborener Säugling, woran sie sich nicht erinnern konnte) noch nie Taxi gefahren – selten genug mal im Auto, mit Familie Schnoor vielleicht oder einige Male mit Hans Soest. In einem Flugzeug zu sitzen schien für sie gar nicht in Frage zu kommen. Sie war noch nie im Leben verreist, außer auf drei Klassenreisen, jeweils mit dem Bus: in die Lüneburger Heide, nach Borkum und nach Malente.
Conny konnte sich ein Hotel nicht vorstellen – obwohl sie immerhin geahnt hatte, dass es ganz anders aussehen musste als eine Jugendherberge. Frau Wohlgast brachte sie zu ihrem Zimmer, direkt neben dem eigenen, kam mit hinein, schloss

die schweren Samtvorhänge und sah sich zufrieden um. »Das ist hübsch, nicht? Schau, hier ist dein Bad ...«

Sie öffnete eine schmale Tür, und Conny seufzte überwältigt: »Ist das nur für mich? Die ganze Wanne und diese ganzen goldenen Kringel überall ...? Und was ist *das* da, Tante Eva?«

»Ein Bidet. Eine sehr sinnvolle kleine Extra-Wanne. Die gibt es hierzulande in den billigsten Hotels. Schau es dir an, die Form und die Höhe, dann kannst du dir denken, wozu es da ist. Der deutsche Tourist«, fügte Eva verächtlich hinzu, »benutzt ein Bidet meist nur zum Füßewaschen. Wir sind Barbaren. Gut! Pack ein wenig aus, mach dich frisch, vergiss den Zimmerschlüssel nicht und fahr mit dem Fahrstuhl nach unten – wenn du vom Flur aus links abbiegst, kommst du ins Restaurant. Dort treffen wir uns, in ungefähr zwanzig Minuten, ja?«

Conny nickte und setzte sich doch, sobald sie allein war, erst mal auf das Bett, das an der Kopfseite bei der Wand etwas wie einen angedeuteten Himmel besaß, einen Baldachin aus demselben geblümten, schweren Samt wie die Gardinen. Sie betrachtete das Zimmer – nicht sehr groß, ganz in Dunkelblau, Dunkelrot und Gold dekoriert – ging noch einmal ins Bad, in dem diese Farben sich fortsetzten – blickte durch das Fenster und sah unter sich das schwarze Wasser glitzern. Etwas entfernt plätscherte eine Gondel vorbei.

Ich bin in Venedig!, dachte sie. Die Begeisterung blubberte in ihrem Bauch wie eine Badetablette. Am Morgen war sie noch traurig gewesen: Vico ließ nichts von sich hören, den vierten Tag inzwischen. Aber neben all dem, was sie seitdem erlebt und gesehen hatte, schrumpfte dieser Kummer und wurde blass, als hätte man ihn mit dem falschen Waschmittel und der falschen Temperatur gewaschen.

Sie packte aus und zog das rosa Kleid an, das sie zur Hochzeit ihrer Mutter getragen hatte, hängte sich zwei rieselnde rosa Plastik-Trauben in die Ohren und schminkte ihren Mund mit rosa Lippenstift. Dann nahm sie ihre Handtasche und den Schlüssel, schenkte dem wunderschönen Zimmer noch ein breites Lächeln und machte sich auf, um das Restaurant zu suchen.

Das war ebenfalls nicht groß (das ganze alte Hotel besaß überschaubare Maße) und ebenfalls bildschön.

Eva studierte, eine Zigarette rauchend und ein halb geleertes Cocktailglas vor sich, die Speisekarte. »Setz dich, Conny. Schau in die Karte. Eine Seite ist in Englisch, die müsstest du verstehen. Wenn nicht, frag mich. Ich spreche ein wenig Italienisch, ich hab vor dem Krieg mal einige Jahre hier verbracht, in Venedig und in Verona und Padua. Überall da, wo Shakespeare war …«

»Tante Eva – seit wann wolltest du eigentlich überhaupt hierher fahren?«

»Ach, das war ein ganz spontaner Entschluss.«

»Du möchtest mich von Vico ablenken?«

»Funktioniert es nicht?«

»Doch. Sogar sehr gut.«

Eva schüttelte beide Gesichtshälften frei. »Das freut mich, Connymädchen!«

Conny senkte den Kopf auf die Speisekarte und kämpfte plötzlich mit den Tränen – was dafür sprach, dass ihr Seelenleben auf keinen Fall ganz in Balance war: »Du bist so lieb«, brachte sie mühsam hervor.

»Gar nicht. Ich tu mir selbst etwas Gutes, indem ich dem düsteren Hamburger Januar entkomme. Allein hätte ich keine Lust gehabt und wäre nie auf die Idee verfallen. So, jetzt suchen wir uns was Feines zum Essen aus. Morgen zeige ich dir diese wunderbare Stadt. Und vielleicht vergisst du ja den kleinen Feigling.«

Conny schüttelte den Kopf. »Weißt du, ich verstehe es einfach nicht. Vico wirkte derart verliebt, an Silvester …«

»Das war er ja vielleicht auch. Verliebtheit verfliegt so schnell wie Parfum. Da ich gerade vorhin Shakespeare erwähnt hab: Du hast mir mal Romeo und Julia vorgelesen, erinnerst du dich?«
Conny lächelte. »Ja. Wir haben das teilweise sogar gemeinsam gelesen. Tante Ala war Julia, ich Romeo und du Mercutio – der in einer Minute mehr spricht …«
»… als er in einem Monate verantworten kann. Ja. Aber erinnerst du dich an diesen Dummkopf, den Romeo? So beginnt das Stück doch schon – zunächst ist er in Rosalinde verknallt und will sterben deswegen. Dann begegnet er Julia, Rosalinde verschwindet vollkommen aus seinem Bewusstsein, er liebt nur noch Julia und will schließlich ihretwegen sterben, was er auch tut. Sei vorsichtig, Connymädchen, mit Männern, die sich so schnell so über alle Maßen verlieben. Die kühlen ebenso schnell wieder ab, und dir bricht das Herz. Und weißt du was? Dein Herz ist zu wertvoll, um gebrochen zu werden … Darüber hinaus ist es sinnlose Dramatik, jemandem hinterherzu sterben.«

Eva zeigte Conny Santa Maria della Salute und den Markusdom, die Glasbläser auf Murano und den Lido (angenehm leer um diese Jahreszeit.) Sie ging mit ihr in die Galleria dell'Accademia – aber auch in Mode- und Schuhgeschäfte, in denen sie für beide dies und das an reizenden Kleinigkeiten kaufte.
Als sie an einem ruhigen, perlgrauen, nebeligen Spätnachmittag auf dem Canal Grande in einer Gondel saßen, da schob sich die Sonne für einige Minuten durch die Wolken, wodurch das Wasser plötzlich rosa und violett schimmerte.
»Ist das romantisch!«, rief Conny leise.
Eva Wohlgast blickte sie kritisch aus dem rechten, frei liegenden Auge an und meinte: »Conny, fall bitte nicht drauf rein. Du bist anfällig dafür, ich weiß. Aber fall nicht darauf rein.«

»Auf was?«, fragte Conny erschrocken.
»Romantik. Das Wort klingt so nett, weich und gekringelt. Positiv. Ist es aber nicht. Es hat mit Sehnsucht zu tun. Alle romantischen Geschichten beinhalten Sehnsucht. In Wahrheit ist das nichts weiter als Sentimentalität. Eine vorübergehende pompöse Gemütsverfassung, wie unser guter Romeo sie ständig hatte. Ein Hineinsteigern in Rührung und Kitsch. Connymädchen, sieh dich bitte vor. Wenn du süchtig danach wirst, dann willst du immer mehr davon naschen. Dann erträgst du alle möglichen unangenehmen Situationen, die du eigentlich energisch ändern müsstest, bloß weil der Schmerz und die Melancholie so schön sind. Vico van Loon ist genau der Junge, der dir eine lebenslange Sucht dieser Art verpassen könnte. Bitte versprich mir, dass du ihn sehr skeptisch betrachtest, ja? Ohne Romantik ...«
Während die Sonne sich etwas konsterniert wieder hinter die Wolken zurückzog, versprach Conny, sich vorzusehen mit der Sehnsucht und der Sentimentalität und der Romantik.

Nelli Schnoor absolvierte nach der mittleren Reife eine kaufmännische Ausbildung in einem großen Gartencenter bei Pinneberg. Nebenbei lernte sie mittwoch- und freitagabends Schreibmaschine schreiben – Zehnfingersystem, blind – und Stenografie an einer Abendschule in Eppendorf. An den übrigen Abenden brachte ihre Mutter ihr Kochen bei, weil eine Frau das können muss.
Seit der junge Gebhardt sich um sie bemühte (wenn er auch erst sechzehn war und auf jeden Fall ziemlich merkwürdig), sah Familie Schnoor nicht mehr ganz so schwarz, was die Chancen ihrer Jüngsten anging, eventuell zu heiraten.
Mitte Januar kämpfte Nelli seit Tagen mit einer Erkältung. Sie schlief mit einem kalten Wickel um den Hals, nahm jeden Abend zwei Aspirin in einem großen Wasserglas und schluckte

teelöffelweise Ascorbinsäure. Das machte man damals so. Einstweilen war nicht entschieden, wer den Kampf gewann, Nelli oder die Influenza. Sie fühlte sich auf jeden Fall ziemlich elend.

Ihr kleiner Bruder Christian, der sich vergeblich einen eigenen Hund wünschte, kümmerte sich erfreulicherweise fast alleine um Robin, der während der Italienreise seines Frauchens mit Korb und Näpfen in der Gärtnerei wohnte.

An einem windigen, nasskalten Abend kam Nelli, müde und fröstelnd, vom Schreibmaschinenkurs nach Hause. Sie nieste, als sie über Pfützen hüpfte, mehrmals, bekam das Gefühl, sie hätte den Kampf verloren, und dachte nur noch sehnsuchtsvoll an ihr warmes Bett.

Doch ihre Mutter trat ihr in der Diele entgegen, rollte ausdrucksvoll mit den Augen und sagte halblaut: »Besuch für dich!«

Cilly ließ dann auch ihre Tochter im großen Wohnzimmer allein mit der Dame im orangefarbenen Tweedkleid, die auf der vordersten Kante eines Sessels saß und ihre große Brille nervös mit der gespreizten Hand gegen die Nasenwurzel schubste. »Fräulein Schnoor – wir haben uns ja mal vor Jahren kurz kennengelernt ...«, fing Frau Gebhardt an. Sie griff ungeduldig nach einer geblümten Kaffeetasse, die Cilly neben sie gestellt hatte, und nahm mehrere große Schlucke. Danach schwieg sie für eine volle Minute. Entweder weil ihr die Worte fehlten, oder weil sie sich gewaltig die Zunge verbrannt hatte.

Nelli starrte Damians Mutter, vor ihr stehend, wie hypnotisiert an. Vielleicht war ihre allgemeine Erschöpfung schuld daran – sie fühlte sich absolut hilflos. In ihrem Kopf rotierte ein einziger Satz in verschiedenen Farben: Was will die von mir?

Frau Gebhardt sprach jetzt endlich weiter. »Also, es ist so. Damian hatte mir dieses Jahr vor Weihnachten – und ebenso letztes Jahr vor Weihnachten – mitgeteilt, er werde die Festtage bei einem Mitschüler namens Hubert von der Klagemühle verbringen, genauer, auf dem Landgut von dessen Eltern im Bayrischen Wald. Das gefiel mir gut …« Sie warf den Kopf mit einem kurzen Ruck in den Nacken und fuhr sich mit der Hand über die stoppelkurzen Haare. »Ja, das klang doch gut. Heute jedoch habe ich mit dem Internatsleiter telefoniert. Da kam ich auf Hubert von der Klagemühle zu sprechen. Und erfuhr: Einen Schüler namens von der Klagemühle gibt es dort nicht.«

Miranda Gebhardt lachte einmal kurz und etwas blechern. »Auf der ganzen verdammten Schule gibt es nicht einmal einen *Hubert*. Nicht einen einzigen. Das Äußerste, was der Internatsleiter mir zu bieten vermochte, war ein Hunold Kramer. Das ist nicht ganz dasselbe, da werden Sie mir zustimmen, Fräulein Schnoor. Außerdem kommt Hunold Kramer nicht aus dem Bayrischen Wald, sondern aus Berlin. Jetzt können Sie sich auch schon denken, dass seine Eltern kein Landgut besitzen, stimmt's?«

Nelli räusperte sich unglücklich. Ihr fiel absolut keine Antwort ein.

Miranda Gebhardt stand auf. Sie überragte Nelli um ein gehöriges Stück, denn sie war nicht nur groß, sie trug auch, wie fast immer, Schuhe mit besonders hohen Absätzen.

»Nur, um das abschließend zu sagen, Fräulein Schnoor: Ich lasse mich nicht gern für dumm verkaufen. ›Von der Klagemühle!‹ Wie phantasievoll. Bis vor einigen Jahren war mein Sohn immer absolut ehrlich mir gegenüber. Absolut ehrlich. Es wirft kein gutes Licht auf Sie, meine Liebe, dass sich das geändert hat …«

Sie stelzte aus dem Haus, prallte unvermutet auf Christian, der eben vom Abendspaziergang mit Robin zurück nach Hause kam, stolperte fast über den patschnassen Hund, hielt sich an

Christians Schulter fest, indem sie ihm fünf lange Fingernägel in den feuchten Anorak bohrte, und zischte: »Pass doch auf, Kerl!« Dann klackerten ihre Absätze über die Gehwegplatten davon.

»Was war *das* denn?«, fragte Foxi belustigt.

Aber seine Schwester mochte nicht antworten. Die wollte nur ins Bett …

In Connys Zimmer lagen, als sie aus Venedig zurückkam, acht dicke Briefe, alle von Vico, frankiert und gestempelt. Zweieinhalb pro Woche. Sie dachte an das, was Eva über Romantik, Sehnsucht und Melancholie erzählt hatte, empfand plötzlich, dass die Briefe sie gleichgültig ließen, und warf sie ungeöffnet in die Mülltonne, die auch noch kurz darauf geleert wurde. Falls sie das hinterher bereute, war es jedenfalls zu spät.

Sie begann nun, ganz wie ihre Freundin Nelli, eine Ausbildung zur Einzelhandelskauffrau. Die Stelle hatte Hanne über eine ehemalige Kollegin für sie gefunden: ein ziemlich großer und düsterer Laden für Nähartikel bei der Mundsburg, ähnlich wie der in Schnelsen, in dem Conny nur verkauft hatte. Der war zwar netter gewesen, doch die bildeten leider nicht aus.

Connys Chef war ein Herr Korz, ein dünner Mann fast ohne Haare, dafür mit erstaunlich vielen Goldzähnen. Er war wortkarg und mürrisch, in dem Geschäft kauften wenig Leute. Conny wunderte sich manchmal, weshalb Herr Korz oder vielmehr sein Geschäft nicht längst pleite war.

Einmal kam ihr auf ihrem Nachhauseweg Vico entgegen, der neben seiner Schwester herging, lebhaft redend. Sie duckte sich hinter eine stachelige, blattlose Hecke, bis die beiden vorüber waren, doch sie hörte noch sein Lachen. Beim Schlittenfahren und in der Silvesternacht hatte er ein paarmal so gelacht, sehr ansteckend, sehr liebenswert.

Vielleicht hatte in seinen Briefen eine sinnvolle Erklärung für das tagelange Schweigen gestanden?

An einem regnerischen Vorfrühlingstag erschreckte Conny ihre Mutter, weil sie bereits kurz nach zwölf Uhr mittags wieder in der Küche auftauchte.
»Was' nu los? Bistu krank? Wieso bistu nich in dein Laden?«
Conny warf sich auf einen Küchenstuhl, die Arme auf den Tisch und den Kopf obendrauf. »Da geh ich nie wieder hin, Mama. Herr Korz – das ist so ein Ferkel. Plötzlich hat er – also, da geh ich nie wieder hin!«
Conny blieb dabei. Sie schilderte abends noch den Onkeln und ihrem Stiefvater, was der Ladenbesitzer, dieses Ferkel, versucht hatte. Sie sagte immer noch »Herr Korz«, so sprach man schließlich von seinem Chef, auch, wenn er Anstalten machte, einem unter den Rock zu fassen.
Uwe, Dieter und Walter blickten sich finster an. Nein, Conny musste nie wieder in diesen Laden. Als jedoch Eva Wohlgast davon erfuhr und die Ansicht äußerte, den Kerl müsse man anzeigen – da reagierte Familie Hertz ganz uneinsichtig. Anzeigen? Nö. Das wusste man aus Erfahrung: Kleine Leute bekamen ja doch nie recht, egal, wie sehr sie im Recht waren.
Eva schlug einen guten Anwalt vor, ihren Herrn Meifarth zum Beispiel. An den wollte Connys Verwandtschaft aber auch nicht glauben. Diese Ausbildung war zu Ende. Da konnte man nichts machen.
Stiefvater Walter bot allerdings an, dem Kerl an einem dunklen Abend mal die Fresse zu polieren. Uwe war dafür – Dieter, Hanne und Conny dagegen, deshalb wurde diese Idee auch verworfen.

Im 9. Kapitel
wird viel gearbeitet, ein Röntgenbild verweigert und ein Schäferstündchen mit einem Schaf verbracht
1972–1974

Alle bemühten sich, einen neuen Ausbildungsplatz für Conny zu bekommen: Hanne, die Onkel und Walter Teuber. Conny versuchte selbst, eine Lehrstelle zu finden – und erfuhr eines Tages um drei Ecken herum, dass Herr Korz über sie verbreitete, sie hätte Geld aus seiner Kasse mitgehen lassen. Das sagte sie niemandem aus ihrer Familie weiter. Sie fürchtete sämtliche Konsequenzen.

Eva wollte sich diesmal auch nicht einbringen. Sie schmollte, weil man ihr Angebot, die Sache vor Gericht durchzufechten, ausgeschlagen hatte.

Einstweilen arbeitete Conny aushilfsweise bei einem Fotografen in Rahlstedt, Herrn Plettenberg. Sie musste vor allem Passbilder belichten und Fotopapier in niedrigen Plastikschalen in flüssigen Chemikalien schwenken, nicht zu lange und nicht zu kurz, damit die Fotos weder zu blass noch zu dunkel wurden.

Es regnete viel. Die Tage wurden länger, aber sie waren wenig frühlingshaft, trübe und düster. Es kam Conny so vor, als ginge sie morgens bei Dunkelheit aus dem Haus und käme abends bei Dunkelheit zurück. Dazwischen stand sie in der Dunkelkammer oder im fensterlosen, dämmrigen Atelier von Herrn Plettenberg, einem Mann mit buschigem Schnauzbart und noch buschigeren Augenbrauen.

Zwar flammte im Atelier immer wieder mal das Blitzlicht auf für die Leute, die Passfotos haben wollten und die sich dazu auf einem Drehhocker vor einer hellgrauen Wand niederlassen mussten, ein Ohr frei machen und einen neutral-freundlichen

Ausdruck auf ihr Gesicht legen. Aber das war eigentlich auch die einzige Helligkeit des Tages.
Im Augenblick des Blitzlichtes stand regelmäßig in jeder Ateliérecke kurz der Tod. Das sahen die Kunden nicht, weil sie geblendet waren. Und hinterher bemerkten sie es auch nicht, weil die Skelette wieder in den dämmrigen Ecken verschwanden.
Doch Conny sah es, und es machte ihr Angst. Ihr Chef, der sie sonst in jeder Weise zufriedenließ, schwärmte für menschliche Knochen. Er redete viel und gern darüber.
Die Gerippe im Atelier waren echt. Plettenbergs Freund, ein Mediziner, konnte ihm von Zeit zu Zeit dergleichen besorgen. Die vier Klappergestalten hatten Namen: Iwan, Otto, Ferdi und Frau Möller. Conny wagte nie zu fragen, ob das ihre wirklichen, ursprünglichen Namen gewesen waren oder ob ihr Chef sie umgetauft hatte, nachdem sie ihm gehörten.
Plettenberg unterhielt sich mit den vieren wie mit Haustieren, verlangte von Conny, dass sie jeden von ihnen alle paar Tage mit einem Staubpuschel am Stiel reinigte, und hätte es sicher gern gesehen, wenn auch sie eine persönliche Beziehung zu ihnen aufgebaut hätte. Dabei war sie schon froh, wenn sie nicht von ihnen träumte.
Sie hielt bis April durch, weil Herr Plettenberg sie freundlich behandelte und überdurchschnittlich bezahlte für ihre Hilfsdienste. Als er ihr eines Tages dann doch tief in die Augen blickte und fragte, ob sie grundsätzlich etwas dagegen hätte, ihm zuliebe Röntgenbilder von sich machen zu lassen, reichte es ihr. Sie kündigte am nächsten Tag, telefonisch. Und verkaufte erst mal wieder Schuhe in der Herrenabteilung, nun täglich. Mit der erfreulichen Option, vom Fleck weg geheiratet zu werden.
Statt eines Freiers betrat eines Tages im Juni eine stämmige junge Frau mit wild verwuscheltem Haar das Geschäft, erkannte

Conny, wollte es nicht glauben und umarmte sie heftig und herzlich: Femke van Loon, Vicos Schwester.
»Hallo, Herzchen! Jobbst du hier?«, rief sie interessiert – und viel zu laut, wie von der anderen Straßenseite.
Conny bekam sie nicht aus dem Laden, bevor sie sich nicht mit ihr zur Mittagspause verabredet hatte.
Aber eigentlich war sie ja selbst interessiert daran, vielleicht etwas über Vico zu erfahren. Ein kleines Problem war nur, dass man mit Femke nichts Diskretes oder Geheimes besprechen konnte, weil die außerstande zu sein schien, gedämpft zu sprechen. Jeder, der Ohren hatte, bekam ihre Äußerungen noch in der entferntesten Ecke mit.
Sie aßen an einem Stehimbiss im Bahnhof Altona Bratwürstchen mit einem blassen Scheibchen Brot, das gab es gratis dazu: Conny sparte immer noch oder vielmehr schon wieder auf ein Auto für ihre Mutter. Femke gab zu, völlig pleite zu sein, wie immer am Monatsende.
Conny erfuhr, dass Vico derzeit in Süddeutschland studierte, in zwei oder drei Jahren jedoch nach Hamburg zurückkommen würde, um hier sein Studium fortzusetzen.
Sie wischte den Senf säuberlich mit ihrem Stückchen Brot vom Pappteller. »Weißt du eigentlich«, fragte sie beiläufig, »wieso er sich Anfang des Jahres nicht bei mir gemeldet hat? Ich war ja Silvester kurz da, also im Haus eurer Eltern …«
Femke blinzelte erstaunt und dröhnte dann in voller Lautstärke: »Nicht gemeldet? Soviel ich weiß, hat er dir Dutzende von Briefen geschrieben!«
»Acht Stück.«
»Gut, acht – das ist doch eine Menge. Und da stand nicht drin, dass Papa am 1. Januar, morgens, den Infarkt hatte? Dass wir alle tagelang im Krankenhaus rumgehockt und – ja, wie sagt man? – ›gebangt‹ haben? Weißt du, selbst wenn Eltern noch so widerlich sind, sind sie eben doch Eltern.«

»Oh! Das tut mir leid … Hat dein Vater es überstanden?«, fragte Conny höflich – obwohl ihr gerade danach war, zu tanzen und zu hüpfen, egal, ob Vater van Loon noch lebte oder nicht. Vico hatte tatsächlich einen ganz soliden, ehrenwerten Grund gehabt, sich in den ersten Tagen des Jahres nicht zu melden! Einen sterbenden oder beinah sterbenden Vater konnte man doch wohl gelten lassen?
»Ja, hat sich wieder berappelt, der Alte. Du hast, glaube ich, Vico nie geantwortet? Warst du irgendwie sauer auf ihn?«
»Ich war Anfang des Jahres wochenlang verreist, mit einer Bekannten, in Venedig«, erklärte Conny ausweichend. Sie fand selbst, dass es gut klang – wenn auch vielleicht etwas unglaubwürdig für jemanden, der in einem Billig-Schuhladen verkaufte.
Aber Femke meinte: »Toll! Venedig kenne ich noch nicht, würde mich auch interessieren. Italien überhaupt mag ich sehr. Ach, und als du zurückgekommen bist, war er wohl schon weg?«
Woher hätte ich das wissen sollen?, fragte sich Conny. Sie nickte jedoch lächelnd.
»Herzchen, du bist so ein lieber Kerl – lass uns mal was zusammen machen. Tanzen am Samstagabend – oder du besuchst mich in meiner Wohnung. Ich wohne zwar noch mit einem Mann zusammen, Leo, der mir inzwischen gewaltig auf die Nerven geht. Ich muss ihn irgendwie rausekeln, das schaffe ich auch noch. Eigentlich hab ich ihn schon so gut wie hinter mir. Komm, ich geb dir meine Telefonnummer!«

Also besuchte Conny ungefähr zwei Wochen später Vicos Schwester in einem der Grindelhochhäuser. Zwei Zimmer, Küche, Bad und ein Blick über halb Hamburg.
Femkes beinah schon verflossener Freund Leo saß mit nacktem Oberkörper in der Küche, die ebenfalls nackten Füße auf

dem Tisch, und las Zeitung. Er begrüßte Conny so herzlich, als hätte er lange auf ihren Besuch gewartet, strahlte mit makellosen Zähnen und erklärte, sie sei ja wirklich – wie von Femke vorausgesagt – eins der schönsten Mädchen, die er je gesehen hätte.

»Wenn du willst, kannst du ihn haben, Herzchen. Ich suche gerade ein neues Frauchen für ihn«, bemerkte Femke dazu. »Wenn meine Eltern wüssten, dass ich hier in wilder Ehe lebe, würden sie mir sowieso auf der Stelle den Monatsscheck sperren ...«

Ihr eigenes Zimmer hatte sie statt der Tapeten mit spiegelndem Silberpapier beklebt, was einen sonderbaren Effekt gab. Alle ihre Möbel waren entweder schwarz lackiert oder mit schwarzem Stoff überdeckt. Sie bot Conny einen Joint an und nahm es nicht weiter übel, als die erschrocken ablehnte: »Du bist ja auch noch reichlich jung, glaube ich? Gerade siebzehn, oder? Süß!«

Leo trat ein, ohne anzuklopfen. Er war gerade dabei, sich ein Hemd überzuziehen, und er strahlte Conny immer noch an. Zweifellos war er ein hübscher junger Mann, ungefähr in Femkes Alter, also Mitte zwanzig, schlank, braun gebrannt, mit mittelblondem Haar.

»Sag mal, Conny, hättest du Lust, morgen mit mir das Keith-Jarrett-Konzert zu besuchen?«, fragte er, während er die Hemdknöpfe schloss.

Sie blickte etwas verwirrt auf Vicos Schwester. Die meinte: »Tu ihm doch den Gefallen. Tu mir den Gefallen. Sonst schleift er mich wieder mit. Nichts gegen Keith Jarrett, aber Leo ertrage ich nicht mehr ...«

»Morgen kann ich leider nicht, ich bin schon zum Kino mit meiner Freundin Nelli verabredet«, sagte Conny wahrheitsgemäß. Da sie Leo indessen sympathisch fand (und da in ihrem Hinterkopf der Gedanke entstand, Vico könnte von seiner

Schwester erfahren, dass sie keineswegs einsam vor sich hin welkte, sondern gewissermaßen umschwärmt war), fügte sie freundlich hinzu: »Vielleicht ein anderes Mal irgendwas anderes?«

So kam es, dass Leo an einem warmen Juliabend im Rebhuhnweg einen netten kleinen Fiat parkte, Hanne Hertz zu deren Bestürzung einen Blumenstrauß mitbrachte und fast so wirkte, als ob er ihre Hand küssen wollte, die sie ihm schleunigst entriss.

Auf der Straße öffnete Leo für Conny die Tür auf der Beifahrerseite, bevor er um sein Auto schlenderte und sich hinters Steuer setzte. Hans Soest, der genau in diesem Moment die Mülltonne für den nächsten Morgen an den Straßenrand rollte, durfte alles genau beobachten und zog verbittert die Mundwinkel nach unten. In diesem Jahr hatte er mit Conny noch kein Wort gewechselt – falls sie sich irgendwo begegneten, drehten beide den Kopf zur anderen Seite.

Leo nahm Conny mit zu einem großen Fest an einem See, Lampions von Baum zu Baum und eine Tanzfläche unter Sternen. Er verhielt sich bezaubernd, erzählte ein wenig von sich und fragte sie ein wenig aus, spendierte Speise und Trank und tanzte so gekonnt, dass niemand Connys Unbedarftheit auf diesem Gebiet bemerkte – nicht einmal sie selbst.

Nachts vor der Haustür der Familie Hertz, im netten kleinen Fiat küsste er sie ebenfalls gekonnt und konstatierte schließlich: »Du bist in irgendwen verknallt, stimmt's? Dein Herz ist nicht frei, so viel kann man merken.«

Was Conny zugeben musste. Eigentlich verbrachte sie den gesamten Abend im Bewusstsein, Vico könnte alles darüber erfahren. Und damit wurde sie Leo nicht gerecht. Er verabschiedete sich liebenswürdig, meldete sich jedoch nie wieder und zog auch fast gleichzeitig aus der Wohnung im Grindelhochhaus und von Femke weg.

Als Conny Vicos Schwester später fragte, weshalb ihr der junge Mann eigentlich so auf die Nerven gegangen war, erklärte die: »Er war einfach zu nett.«

In den Osterferien 1973 besuchte Damian seine Mutter im Haus mit den orangefarbenen Markisen. Da es in den letzten Jahren zwischen ihnen wiederholt Differenzen gab, hatte er mehrmals hintereinander die Ferien auf Reisen mit seinem Vater oder in dessen Haus in Winterhude verbracht – was Miranda über alle Maßen ärgerte. Sie war seit Langem im Zweifel, ob sie dagegen klagen sollte, fürchtete jedoch, sich noch unbeliebter zu machen.

Nun hatten sich Mutter und Sohn über lange, behutsame Briefe und Telefonate so weit angenähert, dass er es tatsächlich mal wieder wagte, nach Niendorf zu kommen.

Damian wanderte, in weiten violetten Hosen und bestickter, ausgeleierter blauer Strickjacke, am Ostersonntagnachmittag im Garten umher und betrachtete nachdenklich die roten, gelben und orangefarbenen Frühlingsblumen, während seine Mutter und Gudrun den Tisch deckten. Eigenartigerweise sah das scheußlichste Kleidungsstück an seiner langen, überschlanken Figur immer noch edel und teuer aus.

Nach einem ganz ungewöhnlich frost- und schneelosen Winter war es Anfang April bereits sehr warm: fast 20 Grad. Osterwetter, bei dem man im Garten Kaffee trinken konnte.

Eben stellten Gudrun und Miranda Gebhardt synchron eine Apfelsinen- und eine Rüblitorte auf den Tisch. Damian schlenderte zur Terrasse und guckte misstrauisch. »Wer soll das denn alles essen?«

Miranda strahlte. »Erinnerst du dich an Herrn Angermann? Unsern Nachbarn in Blankenese? Der kommt zufällig heute vorbei. Wir haben neulich telefoniert, da ergab sich das so. Er ist ein netter alter Herr – du hast doch nichts dagegen?«

Damian gab keine Antwort auf diese Frage. Er zog nur seine fein gezeichneten Augenbrauen zusammen.

Gegen halb vier klingelte es an der Haustür, und kurze Zeit später trabte ein weißhaariger Herr, dem die Schulterpolster im Anzug ein wenig verrutscht waren, aus der Glastür auf die Terrasse. Hinter ihm her stöckelte etwas Blondes mit spitzem Busen, nicht mehr ganz Teenager und noch nicht junge Dame.

»Ich habe meine Enkelin Angelina mitgebracht. Das hat sich so ergeben«, deklamierte Herr Angermann, plumpste auf einen Gartenstuhl und musterte wohlgefällig den Kaffeetisch.

Damian schaute die Torten an, schaute Herrn Angermann an, schaute seine Mutter an – und nahm sich seinerseits einen Stuhl, ohne Angelina Angermann einen Blick zu gönnen.

Nachdem die Herren also saßen, bot Miranda Fräulein Angermann mit zwitscherndem Gelächter den vorletzten Platz an und goss Kaffee ein. Sie redete nach links und rechts, sie vermutete sogar, was Angelina oder ihr Großvater Damian fragen wollten, und beantwortete es, weil ihr Sohn darauf nicht reagierte, selber. Sie führte im Prinzip ein Gespräch zwischen vier Personen ganz alleine.

Damian saß ganz in sich selbst versunken am Tisch. Die kleine Blondine scheute sich zu sprechen und guckte einfach mit runden Augen vor sich hin. Herr Angermann nahm von jeder Torte zwei Stücke und hatte den Mund zu voll zum Reden.

»Wenn mein Sohn sein Abitur gemacht hat, wird er Kunst studieren, glaube ich. Oder direkt Musik. Nicht wahr, mein Goldschatz?«, rief Frau Gebhardt, nach all ihrem Geplauder noch einmal die letzte Fröhlichkeit zusammenkratzend. »Ach, und erzähl doch mal, was du zu deinem nächsten Geburtstag bekommen wirst! Damian?! Damian!!«

»Woher soll ich das wissen?«, fragte er müde.

»Nun, dann so: Sag doch mal, was du dir zum nächsten Geburtstag *gewünscht* hast!«

Ihr Sohn zwinkerte in die Sonne und in die Forsythienzweige und drehte eine seiner langen Locken geistesabwesend um einen Finger.
»Er hat sich nämlich einen weißen Flügel gewünscht!«, verriet seine Mutter triumphierend.
Herr Angermann machte, den Mund voller Rüblitorte, ein beeindrucktes Geräusch.
»Das ist doch ein sehr vernünftiger Wunsch für jemand, der wie ein Engel aussieht«, bemerkte Angelina auf einmal mit sanfter Stimme.
Damian blickte sie an, als sei er gerade aufgewacht, und lächelte mit einiger Sympathie. »Danke schön, das hast du ja lieb gesagt!« Dann sah er zu seiner Mutter, bemerkte die plötzliche grelle Hoffnung in ihren Augen, und das Lächeln rutschte von seinem Gesicht. »Du weißt ja, Mam, dass ich heute Nachmittag noch einen Besuch machen wollte. Herr Angermann – Angelina – ich war nicht informiert, dass Sie zum Kaffee kommen würden, sonst hätte ich natürlich anders geplant«, erklärte er. Er sprach, wie immer, viel zu glatt und selbstsicher für einen Menschen seines Alters.
Er stand auf, verbeugte sich jeweils kurz gegen die Gäste, fügte hinzu: »Ich wünsche Ihnen noch einen angenehmen Nachmittag und interessante Gespräche mit meiner Mutter« und verschwand durch die gläserne Tür im Haus.
»Möchten Sie noch ein *kleines* Stückchen Apfelsinentorte, Angelina?«, fragte Frau Gebhardt so liebenswürdig wie möglich. »Sie können sich das leisten mit Ihrer zarten Figur …«

Damian spazierte durch den Frühlingsnachmittag zur Gärtnerei Schnoor, erfuhr im Gewächshaus, seine Freundin sei hinten im Garten, und suchte sie dort.
Nelli trug einen weiten gelben, von Conny genähten Kittel über der fülligen Figur und ein Kopftuch, mit Zipfeln im Na-

cken gebunden. Sie war, wie immer, ganz ungeschminkt, auf ihrer hübschen geraden Nase saß eine Spur Sonnenbrand. Als sie Damian bemerkte, warf sie Rosenschere und Bastbänder von sich, rannte ihm entgegen und flog ihm an den Hals.
»Ich hab dir jemanden mitgebracht«, sagte er nach einer Weile. »Hier, guck mal. Das ist unser Ältester. Er heißt Richard …« Und er zog aus seiner ausgebeulten Jackentasche einen weichen hellbraunen Plüschhasen mit hängenden Ohren, großen Füßen und durchtriebenem Gesichtsausdruck.
Nelli nahm den Hasen ganz behutsam in die Arme, legte seinen Kopf an ihre Brust und blickte mit unbewusst madonnenhafter Innigkeit auf ihn hinunter. Damian stand mit schräg geneigtem Kopf davor, tatsächlich so andächtig wie ein junger Mann, der zum ersten Mal die Heiligkeit der Vaterschaft begreift.
Cilly beobachtete die beiden durchs Küchenfenster und sagte zu Corinna, die eben ein paar Gläser abtrocknete: »Nun sieh sie dir an. Einerseits sind sie doch wirklich noch die reinen Gören …«

Bis zum Spätsommer 1974, in dem sie einen Job in Billbrook in einer Maschinenfabrik annahm, arbeitete Conny als Serviererin, Flaschenreinigerin, Putzfrau (indem sie zwei Jobs von Hanne übernahm, die der körperlich zu anstrengend wurden) und Bürogehilfin. Sie suchte nicht mehr nach einer Ausbildungsstelle.
Um sich selbst bei allem nicht zu verlieren, entwarf sie in ihrer freien Zeit immer noch und immer mehr Kleider, Kittel, manchmal auch Mäntel, und nähte sie. Sie schenkte die fertigen Stücke ihrer Mutter, Tante Eva und vor allem Nelli. Meistens wurde ihr der Stoff bezahlt. Aber sie hatte auch schon etwas für Kolleginnen angefertigt oder fertige Stücke auf einem Flohmarkt verkauft: Geld für ihr Sparschweingehege. Conny

beobachtete mit Anteilnahme Nellis Liebe zu Damian, die unwandelbar beglückend schien – wenn man von der zukünftigen Schwiegermutter mal absah.
Und sie hielt den Kontakt zu Vicos Schwester, weil sie ständig hoffte, dadurch auch mit ihm in Verbindung zu bleiben. Jedes Wort, das sie zu Femke sagte, war darauf bedacht, ihm überliefert zu werden. Wenn sie Femke besuchte oder sich mit ihr in der Stadt traf, machte sie sich so sorgfältig zurecht und zog sich so bewusst an, als sei sie mit Vico selbst verabredet. Denn es konnte ja immerhin sein, dass die Schwester dem Bruder in einem Brief oder am Telefon ihr Aussehen schilderte.
Als sie Eva Wohlgast erklärt hatte, dass Vico nach der Silvesterromanze mit dem eventuellen Sterben seines Vaters beschäftigt war und damit doch wohl entschuldigt, meinte die nur: »Ach was. Zwei Minuten für ein Telefongespräch in vier Tagen kann man in jeder Katastrophe aufbringen, wenn's einem wichtig ist. Zeit hat man nie, Zeit nimmt man sich!«
Worauf Conny gekränkt schwieg und Eva gegenüber die van Loons erst mal nicht mehr erwähnte.
Femke studierte sehr wenig engagiert irgendwelche Wirtschaftsfächer, weil ihr Vater das bezahlte und ihr gleichzeitig die Miete sowie einen monatlichen Scheck spendierte. Sie hatte alle möglichen Affären mit allen möglichen Männern. Sie fuhr Motorrad, und zwar schnell, denn, wie sie sagte: »Ich lebe gern gefährlich!«
Sie riet Conny immer mal wieder, zu Vico Kontakt aufzunehmen: »Ruf ihn an, Herzchen! Ich geb dir seine Nummer. Ihr passt doch irre gut zueinander. Unsere Eltern leben ja nicht ewig. Ich glaube, er macht sich auch noch viel aus dir. Soll ich ihn nicht zumindest mal von dir grüßen?«
Dazu lächelte Conny nur und wechselte das Thema.
Aber Femke schien doch mit ihrem Bruder über sie zu reden. Denn als Conny im September eines Nachmittags mit einigen

Kollegen aus der Fabrik kam, stand Vico am Straßenrand, mit blassem Gesicht und sehnsüchtigen Augen.

Diesen Anblick hielt Conny für derart unrealistisch, dass sie sich unauffällig selber in die Hüfte kniff. Indessen schien es kein Traum zu sein. Vico kam auf sie zu, die Kollegen wichen erstaunt zurück, sie wurde in einen ziemlich hässlichen grauen VW mit dem Kennzeichen TÜ gezogen und weggefahren.

Nun trug sie weder ein hübsches Kleid, noch war sie, direkt nach dem Arbeitstag und ohne Erwartungen an den Feierabend, neu geschminkt. Nicht mal ihre Haare saßen gut, die hatte sie am Abend waschen wollen.

Doch Vico, der mit Blick auf die Elbe, riesige Strommasten und kastige Gewerbebetriebs-Gebäude irgendwo im Gebüsch parkte, sah sie mit schwimmenden Augen an und behauptete: »Ich hab mich zwar die ganze Zeit an dich erinnert, Schäfchen, aber ich wusste nicht mehr, wie schön du wirklich bist!«

Glaubhaft war das irgendwie schon, auch für ihr Empfinden wirkte er noch attraktiver als vor anderthalb Jahren, trotz Günter-Netzer-Frisur, die ihm eigentlich sogar ganz gut stand.

Vico berichtete, er würde Anfang 1975 wieder nach Hamburg ziehen, um hier weiterzustudieren. »Zu Hause wohnen werde ich bestimmt nicht, also bei meinen Eltern. Femke besorgt mir eine kleine Wohnung oder ein Zimmer in einer vernünftigen WG. Was machst du denn inzwischen?« Conny zählte ihre verschiedenen Jobs auf und hob heitere Episoden hervor wie die Bekanntschaft mit Skelettliebhaber Plettenberg – und sie erzählte, dass viele männliche Kunden sich beim Anblick einer hübschen jungen Verkäuferin spontan entschlossen, ein paar Schuhe einfach schnell so, ohne Anprobe, zu kaufen; eventuell, weil sie der Frische ihrer Socken nicht trauten.

Herrn Korz, das Ferkel, ließ sie hingegen weg und tat überhaupt so, als sei ihr an einer Ausbildung nichts gelegen.

Das befremdete Vico. »Du musst doch einen Beruf lernen, finde ich. Also, ich meine, es wäre optimal, wenn du eine Ausbildung zur MTA machen könntest! Das müsste möglich sein, ich werde mich erkundigen. Dann könntest du später, wenn ich eine eigene Praxis habe, mit mir zusammenarbeiten, als meine Assistentin. Stell dir das vor …«

Conny versuchte es ohne Begeisterung. Sie wusste so ungefähr, was eine MTA war, und fühlte kein Bedürfnis, in diesem Beruf ausgebildet zu werden. Weshalb sie Vico anvertraute: »Eigentlich möchte ich immer noch am liebsten Schneiderin werden.«

Vico machte eine ungeduldige Handbewegung. »Dazu bist du doch viel zu intelligent, Schäfchen. Schneiderin! Das ist ein Handwerk. Du hast durchaus den Grips für einen wissenschaftlichen Beruf, lass mal, das kann ich beurteilen. Es würde dir Spaß machen!«

Conny beschloss, wegen einer eventuellen Ausbildung, die jenseits der Wirklichkeit lag, keinen Streit anzufangen.

Vico wurde nun auch schweigsamer und anschmiegsamer, er nahm auf diese unnachahmlich süße Art ihr Kinn zwischen Daumen und Zeigefinger und blickte ihr tief in die Augen. Das Gebüsch verbarg sie hoffentlich vor neugierigen Blicken, und die Septemberdämmerung verdunkelte die Szene.

Allerdings stellte sich heraus, wie wenig ein normaler VW sich als Liebeslaube eignete; Vico gab zu, es noch nie probiert zu haben. Vielleicht fehlte ihnen auch sonst die Erfahrung. Sie stießen sich am Armaturenbrett und an den Schalthebeln, scheiterten am Verstellen der rostigen Sitze und überlegten zum Schluss, ob sie die Scheiben herunterdrehen und einige Körperteile, wie zum Beispiel Beine, ins Freie hängen – oder lieber gleich den Wagen verlassen und sich ins Gebüsch begeben sollten.

Letztendlich wurde aus der Akrobatik eine Umarmung, nur fehlte inzwischen die romantische Stimmung. Conny schaute

gereizt und unkonzentriert aus dem Fenster, in die Hornbrille einer Spaziergängerin, die mit ihrem Schäferhund gerade genau dieses Gebüsch durchschnüffelte. Als Vico, mit gerötetem Gesicht, die Scheibe nach unten kurbelte und wenig liebenswürdig fragte, ob sie etwas Bestimmtes suche, erwiderte die Frau: durchaus, den Gummiball von ihrem Ajax.
»Hier drinnen ist er nicht!«, rief Vico scharf. Daraufhin verschwanden Spaziergängerin und Hund jedenfalls, das Paar im Auto wickelte sich auseinander, brachte seine Kleidung in Ordnung und fuhr in sehr gedämpfter Stimmung zurück in die Stadt.
»Das wird anders, wenn ich in Hamburg wohne. Dann haben wir ein vernünftiges Bett!«, kündigte Vico unterwegs an. »Ich bringe dich natürlich nach Hause«, fuhr er fort. Doch als sie in Niendorf ankamen, hielt er es doch für besser, am Ende des Rebhuhnwegs zu halten. »Es hat keinen Zweck, dass deine oder meine Leute uns sehen. Noch nicht. Warum sollen wir jemand verärgern? Wir heiraten ja doch eines Tages, Schäfchen«, sagte er.
»Wer heiratet?«, fragte Conny, der wirklich jede Stimmung abhandengekommen war, ziemlich mürrisch.
»Na, wir. Ich heirate. Du heiratest. Wir beide werden Herr und Frau van Loon. Abgemacht?«
Jetzt konnte sie doch wieder lächeln. »Versprochen?«
»Versprochen«, antwortete er mit tiefer Stimme und aufrichtigem Blick.

Das 10. Kapitel
heiratet schon mal, hat Heimlichkeiten und beinhaltet Mord und Totschlag
1975/76

Über ihre gute Bekannte, Frau Wohlgast, war Frau Gebhardt damals an ihr schneeweißes Haus gekommen, nicht weit von der gelben Villa entfernt im König-Heinrich-Weg. Manchmal besuchten sich die Damen gegenseitig zum Tee, bei Eva – oder zum Kaffee, bei Miranda.

Anfang Mai war der Teetisch im Garten der Villa unter einem dunkelrosa blühenden Pflaumenbaum gedeckt. Miranda Gebhardt hatte den Kopf zurückgelegt und starrte durch ihre Riesensonnenbrille in die Blüten. Sie hatte Schönheit nötig. Sie hatte Seelentrost nötig.

»Möchtest du von den Vanillekringeln?«, erkundigte Eva sich, weil sie wohl dachte, Miranda hätte auch etwas Süßes nötig.

»Nein, lass mal, ich lebe sehr Diät. Seit der Heirat hab ich vor Kummer fünf Kilo zugenommen!«, seufzte ihr Gast. »Oder genauer, seit ich davon erfahren habe. Da war dieses Fettmonster mit den Biberzähnen ja bereits mehrere Wochen lang Frau Gebhardt! Man hat es ja nicht für nötig gehalten, mich zu informieren!«

»Wie hättest du denn reagiert?«, wollte Eva wissen und biss ihrerseits herzhaft in einen Keks.

»Ich hätte getobt, was denkst du denn? Was würdest du denn sagen, wenn dein achtzehnjähriger, noch zur Schule gehender, einziger, begabter, geliebter, kostbarer Sohn, auf den du große Hoffnungen gesetzt hast, aus heiterem Himmel eine dicke, unansehnliche, uninteressante kleine Kuh heiratet? Es hat mich fast umgebracht. Ich leide Schmerzen seitdem, täglich.

Krämpfe im Magen, Herzschmerzen, Kopfschmerzen übelster Sorte …«

Eva grinste hinter ihrem Haarvorhang. »Dann kannst du doch eigentlich dankbar sein für jeden Tag, den du's später erfahren hast?«

Miranda Gebhardt nahm einen Schluck Tee ohne Zucker und presste die Lippen fest zusammen. Sie schüttelte heftig den Kopf. »Ich hätte alles getan, um es zu verhindern. Und das wussten die Bälger auch. Was fällt diesen verdammten Gesetzgebern auch ein? Volljährig mit einundzwanzig, das war vernünftig, da ist ein Mensch reif! Wie soll denn so ein unreifer Bengel von achtzehn Jahren wissen, was gut für ihn ist? Ich ahne übrigens nicht, wie alt seine sogenannte Frau ist – du kennst sie doch ein bisschen?«

»Nelli? Natürlich. Die ist genauso alt wie mein Ziehkind Conny, beide zwanzig seit dem ersten Ersten.«

Miranda tupfte mit der Serviette vorsichtig ihre orangeroten Lippen ab. »Wirklich? Dann haben sie zwei Tage nach ihrem Geburtstag geheiratet. Also ist die auch noch älter als Damian!«

»Ja. Skandalös«, stimmte Eva vergnügt zu.

»Wenn er schon so was machen muss – warum dann nicht mit diesem Ziehkind von dir, dieser Conny? Die ist zumindest optisch repräsentativ …«, regte Frau Gebhardt sich auf.

Eva zuckte die Schultern. »So verschieden sind die Ansichten. Conny trifft sich jetzt seit einem Vierteljahr in Hamburg klammheimlich mit ihrem Freund, damit seine Eltern bloß nichts davon merken. Denen ist nämlich schnuppe, wie optisch repräsentativ sie ist, die kriegen ihrerseits Zustände, weil sie aus einer Proletenfamilie stammt …«

»Stimmt ja, dein kerniger Lover ist Connys Verwandter, nicht? Dieser Gladiator, der so tätowiert ist – und der war auch schon im Knast, ich erinnere mich. Aber das ist doch irgendwie apart! Das ist rassig. Wie hausbacken, sich über so was aufzuregen …«, seufzte Miranda und versenkte ihren Blick wieder in die rosa Blüten.

»Und wo ist Damian nun? Er ist doch zugleich mit seiner Hochzeit von der Schule abgegangen?«

»Die im Internat haben keine Ahnung«, antwortete Miranda düster. »Der Herr Volljährig ist weg. Verschwunden. Durchgebrannt. Ich hab sogar in dieser Gärtnerei angerufen und gefragt, ob sie dort wohnen, aber das tun sie nicht. Die Leute – Schnoor oder so – sind sicherlich selbst nicht restlos begeistert, dass ihre feine Tochter ohne ihr Wissen und ihren Segen abgehauen ist. Sie steckte noch in einer kaufmännischen Lehre, die hat sie wohl abgebrochen. Höchstwahrscheinlich sind sie bei meinem Geschiedenen, wo sonst? Nur – sehr viel Platz hat der auch nicht. Und außerdem ist er pleite, nachdem sein letzter Film total gefloppt ist. Der kann die Gören nicht ewig finanzieren, der ist selbst viel zu schwach auf der Brust. Dann können sie Sozialhilfe beantragen oder sich prostituieren oder bei mir auf der Matte stehen …«

»Und – würdest du die beiden aufnehmen?«

Miranda nahm ihre Sonnenbrille ab und putzte sie nachdenklich mit der Kante ihres Rocks. »Wenn ich das wüsste. Ich möchte diese groteske Ehe gern annullieren lassen, ihn in die Schule zurückschicken und sie zu ihren Blumentöpfen. Aber damit riskiere ich nur, dass sie ein für alle Mal abhauen und ich nie erfahre, wo sie gestorben sind. Ich hätte nicht mal Anteil an Enkeln.« Sie knallte die Brille zurück auf ihre Nase und seufzte tief. »Was bleibt mir übrig? Ich würde ihnen das obere Stockwerk überlassen und den Dachboden. Der hat schon immer Damian gehört. Man könnte oben noch eine Küche einbauen, das wäre kein Problem. Falls die kleine dicke Kröte überhaupt kochen kann …«

Vico ließ Conny diesmal nicht im Stich, das musste man ihm lassen. Er besuchte sie im Herbst und Winter noch zweimal, und Conny, die jedes Mal wochenlang Angst hatte, dass »was passiert« sein könnte, ließ sich die Anti-Baby-Pille verschreiben. So was gab es jetzt. Und hätte Hanne damals schon diese Möglichkeit gehabt, dann gäbe es keine Conny …

Die beiden Besuche von Vico in Norddeutschland wurden von Conny sehr unterschiedlich erlebt. Der erste war perfekt, ein Abend mit Tanzen, gutem Essen im Restaurant und Liebe in Femkes Wohnung hoch über Hamburg – Vicos Schwester selbst schlief in dieser Nacht woanders.

Beim zweiten Besuch gerieten sie in Streit.

Vico war gereizt und unfreundlich. »Es tut mir leid, Schäfchen, mein Geld reicht heute nicht mal für einen Restaurantbesuch!«, bemerkte er gleich zu Beginn des Abends in einem Ton, als sei letztendlich Conny schuld daran.

Sie holten sich Würstchen vom Winterdom, der auf dem Heiligengeistfeld logierte, und waren für die Liebe wieder auf das unkomfortable Auto angewiesen, noch dazu in klirrender Kälte.

»Ich weiß nicht, ich finde, wir sollten es heute bleiben lassen«, meinte Conny. »Ich friere schrecklich und ich habe keine Lust auf diese Verrenkungen, und …«

Doch Vico unterbrach sie: »Sei so gut, rede keinen Blödsinn. Dazu bin ich schließlich den weiten Weg hergekommen! Denk bitte mal an die Reisekosten.«

Dabei fiel ihr ein, dass sie deshalb ja auch das Geld für die Pille ausgab. Also hielt sie wütend still und verabschiedete sich, zum Rebhuhnweg zurückgebracht, unwirsch und in großer Eile – tatsächlich auch, um endlich ins Warme zu kommen.

Ende des Jahres war sie immer noch sehr ärgerlich auf Vico und schlug Nelli (die im Januar heiraten wollte) deshalb vor,

einen Junggesellinnen-Abend zu veranstalten: Von so etwas hatte Eva ihr mal erzählt.
Sie gingen in eine Diskothek, und Conny begegnete prompt einem gut aussehenden und witzigen Mann, Tobias Dabelstein, der sich auf der Stelle in sie verliebte. Als er erfuhr, dass Nelli einige Tage später Hochzeit machen würde (und Conny als Trauzeugin unterwegs war), schlug er Conny vor, es nachzumachen: Er würde sie heiraten, und Nelli dürfte dann die Trauzeugin sein. Er erwähnte noch, dass er seit einem Jahr eine eigene Fahrschule hätte – er würde seine Frau bestimmt nicht verhungern lassen! Tobias war nett, sie traf ihn noch ein- oder zweimal, dann entschuldigte Vico sich in einem langen, zauberhaften Brief.
Kurz darauf besorgte Femke ihrem Bruder in Rotherbaum ein Zimmer in einer WG, die Akrobatik im Auto hatte ein Ende. Vico gehörte nun, wenn auch heimlich, zu Conny. Er fungierte sogar als zweiter Trauzeuge bei Nellis und Damians Hochzeit. Und er machte sich selbst – und seiner Freundin – immer wieder Hoffnung, dass seine Eltern sich eines Tages einverstanden erklären und Conny, nach und nach, sogar lieb gewinnen würden.

»Wenn uns die Liebe nicht so früh begegnet wäre«, philosophierte Nelli Gebhardt, die mit Damian inzwischen im Obergeschoss des schneeweißen Hauses wohnte, im Gespräch mit ihrer Freundin, »dann hätten weder du noch ich es nötig, so mit den Schwiegereltern rumzuhühnern. Dabei muss ich sagen, Damis Vater ist schwer in Ordnung. Bloß leider hat er kein Geld. Wir sind zu jung. Dagegen lässt sich nichts machen, als abzuwarten, bis man älter ist. Dami kann so viel – aber nichts, was uns Geld einbringt. Und ihr seid eben auch noch nicht so weit. Andere Leute haben andere Sorgen. Und einstweilen sind wir doch glücklich, dass wir überhaupt mit den Männern zusammen sein dürfen, die wir lieben?«

Auf sie selbst traf das bestimmt zu. Conny wusste hin und wieder nicht, ob sie sich nicht wohler fühlen würde, wenn sie Vico nie begegnet wäre. Manchmal sah alles wunderschön aus. Doch dann stritten sie sich oder sie verhedderten sich in Missverständnissen. Alles wäre ihrer Ansicht nach einfacher gewesen, wenn sie ein wenig mehr das Gefühl hätte haben können, dass auf ihren Liebsten Verlass war …

Familie Hertz und das Ehepaar Teuber machten immer noch keine Urlaubsreisen. Normalerweise kippten alle Familienmitglieder ihr Geld Anfang des Monats zusammen, abzüglich einiger heimlicher Summen, die jeder für sich selbst zurückbehielt.

Die Onkel und Walter bestimmten über das Familiengeld, weil alle zusammen undeutlich empfanden, Männer verstünden nun mal mehr von Finanzen als Frauen. Vielleicht war diese Ansicht noch in der Zeit entstanden, als Dieter und Uwe sich für die kleine Schwester und die alte Tante verantwortlich gefühlt hatten.

Meistens deckten die Einnahmen die Ausgaben, selten gab es Überschuss. Manchmal sah es knapp aus, weil irgendeine Summe für Anschaffungen oder »Geschäfte« benötigt wurde.

Im August 1976 ergab es sich, dass die Männer in rabenschwarzer Laune herumfluchten. Hanne und Conny glaubten zu begreifen, dass Uwe sich »verkalkeliert« hätte, wie und wo auch immer. Nun fehlte es an allen Ecken und Kanten.

Beim Abendbrot forderte Walter seinen Schwager auf, sich mehr Geld als sonst bei seiner »Olsch« zu holen.

Darauf sprang Uwe vom Tisch auf, dass die Lampe wackelte, und brüllte, bei der hätte er sich noch nie Geld geben lassen und würde das auch nicht tun, und wenn alle im Haus verhungerten. Außerdem forderte er Walter auf, nicht in diesem Ton von Eva zu sprechen: »So kannssu von deine Weiber redn,

aber nich von ihr, issas klar?« (Womit er wohl eher nicht seine Schwester meinte. Und das gab Hanne wieder schwer zu denken. Wer sollte das sein, Walters »Weiber«?)
Als Walter nicht antwortete, wiederholte Uwe sein Begehren um Verständnis bedeutend lauter. Inzwischen musste selbst Eva im König-Heinrich-Weg sein Gebrüll hören, und er sah, mit geschwollenen Schläfenadern und glühenden Augen, so gefährlich aus, dass Walter nur in seinen Teller brummelte, er sei ja nicht taub.
Das genügte Uwe immer noch nicht. Er packte den Schwager vorn am Hemd, riss ihn ebenfalls vom Stuhl und schnaubte in sein Gesicht, ganz ursprünglich ginge diese Situation sowieso von ihm aus. Er sollte mal zusehen, die Summe aufzutreiben.
»Ich seh zu … Ich krich das hin … Nu lass doch ma los!«, bestellte Walter.
Und er schaffte in der Tat innerhalb einiger Tage das benötigte Geld herbei, nun herzhaft auf die Schulter geklopft und belobigt von den Onkeln.
Allerdings geschah gleich darauf Folgendes: Als Conny nachmittags allein zu Hause war, klingelte das Telefon und eine leise, sehr kultivierte Männerstimme sprach in ihr Ohr: »Gehören Sie zu Walter Teuber? Richten Sie ihm bitte aus, wenn er nicht innerhalb der nächsten zwölf Stunden zurückgibt, was ihm nicht gehört, dann wird es ihm über alle Maßen leidtun …« – Dann wurde aufgelegt.
Conny gab ihrem Stiefvater die Botschaft weiter, der nur mit den Schultern zuckte und die Backen aufblies. »Jo. Der soll man nich so viel heiße Luft machn …« Aber er sah doch ängstlich dabei aus.

Der nächste Tag war ein sonniger Freitag. Hanne besuchte eine Freundin in Stellingen, die eine sagenhafte Käse-Kirschtorte backen konnte, und leistete sich – schiet auf die Kalorien! – davon in aller Seelenruhe drei große Stücke zu drei großen Tassen Kaffee. Außerdem konnte sie groß angelegt über Walter herziehen, die Freundin war über alles im Bilde und geizte nicht mit zustimmenden Bemerkungen.

Auf dem Bahnsteig, auf die U-Bahn wartend, die schon aus dem Tunnel gerumpelt kam, lächelte Hanne ganz entspannt vor sich hin – als sie sich plötzlich von hinten unerwartet hart und rücksichtslos angerempelt fühlte.

Sie fiel vornüber auf die Schienen und stieß sich die Knie, was nicht einmal besonders wehtat, stützte sich mit den Händen ab und war eigentlich mehr erstaunt als bestürzt oder ängstlich. Dann fuhr die Bahn ein – und es wurde vollkommen dunkel um Hanne Teuber.

Conny hatte an diesem Freitagnachmittag auch etwas Schönes vorgehabt. Nach vier Jahren brachte sie sieben verschiedene Sparschweine und einen Porzellan-Sparelefanten, die sie überall in ihrem Zimmer versteckt hatte, zur Sparkasse. Weil sie sich jedes Mal, wenn sie Geld in eins der Tiere stopfte, die Summe notierte, war sie ganz sicher, dass es nun reichte für den roten Opel Kadett, den sie schon vor einigen Tagen ausgewählt hatte. Sie machte mit dem Händler ab, dass er ihn vor ihrer Haustür im Rebhuhnweg parken sollte.

Außerdem ging sie zu dem netten Fahrlehrer Tobias Dabelstein, den sie vor Jahren mit Nelli in der Diskothek kennengelernt hatte und der sie vom Fleck weg hatte heiraten wollen. Ihm übergab sie ebenfalls Geld und erhielt dafür einen Gutschein für zwanzig Fahrstunden. Sollte ihre Mutter es schneller schaffen, bekam sie natürlich noch was raus …

Conny fuhr am frühen Abend sehr glücklich nach Hause. Dieser Tobias war ein wirklich netter Kerl, er hatte ihr Kaffee spendiert und zwinkernd gefragt, ob sie nun nicht bald heira-

ten könnten? Das tat ihr gut, mit Vico war die Situation gerade wieder etwas angespannt.
Doch als sie nach Hause kam, wartete da Elend und Grauen. Ihre Mutter war im U-Bahnhof Stellingen von einer unbekannten Person direkt vor dem einlaufenden Zug auf die Gleise gestoßen worden.
»Sofort tot!«, sagte Onkel Dieter mit dicker Stimme. Conny sank auf einen Stuhl. Robin lief zu ihr und legte die Schnauze verstört auf ihren Oberschenkel. Er zitterte am ganzen Körper, ein Zeichen dafür, dass die Männer eben noch miteinander rumgebrüllt hatten.
In diesem Augenblick klingelte es an der Tür, und der rote Kadett wurde geliefert. Conny musste den erstaunten Onkeln und Walter erklären, dass sie lange, lange Jahre gespart hatte, damit ihre Mutter nicht mehr mit der Bahn fahren musste …
»Ja, nu braucht sie das nich mehr!«, sagte Walter Teuber tonlos und vorwurfsvoll vor sich hin und fügte hinzu: »Wenn du uns das man lieber gegem hättes! Denn wär deine Mutter noch an Lebn!«
»Halt du man still, durch deine Bemühung is sie tot!«, grollte Onkel Uwe. »Unterschlächs' 'n Mann wie Berchmann das Geld – du bis doch mall bis du doch! Hätt' ich dich man nie hier angeschleppt. Mach dich wech, ich kann dich nich sehn …«
Er wies mit dem Zeigefinger zur Tür, und Walter zog wirklich seine alte Windjacke über, ließ noch einmal den Blick seiner großen blauen Augen, die Hanne so viel Unglück gebracht hatten, durch die Küche wandern, verließ das Haus und kam nicht wieder.
Allerdings stellte sich wenige Tage später, als Familie Hertz noch mit Beerdigungsvorbereitungen und Polizeivernehmungen zu tun hatte, heraus: Es war ebenso ein Fehler gewesen, Walter aus dem Haus zu jagen, wie, ihn anzuschleppen. Er

schaffte es zwar, einen (wie Uwe später erklärte) »ziemlich großen Boss« vom Kiez mittels einer gewöhnlichen Hacke totzuschlagen … Wurde jedoch kurze Zeit später verhaftet, vollgeblutet und zu traurig, um die Tat zu leugnen.

Das alles landete wieder in der Zeitung. Sogar die Tagesschau brachte ein kleines Bisschen über die Familie Hertz aus Niendorf. Und das genau nachdem Vicos Eltern von ihrer Nichte Susann darüber informiert worden waren, dass ihr Sohn sich doch wieder mit diesem Mädel aus der untersten Schicht getroffen hatte!

Am Tag von Hannes Beerdigung, im schwarzen, selbst genähten Kostüm, wurde Conny von Vico angerufen: »Schäfchen, es ist so schrecklich. Wir sind vorletzte Woche gesehen worden, als wir uns auf der Straße begrüßt haben. Das war doch harmlos genug – fast freundschaftlich, findest du nicht? Aber jemand hat das falsch aufgefasst …«

»Wie falsch?«, fragte Conny.

»Ja, so als ob wir was miteinander hätten!«

»Na, das haben wir doch?«

»Schön – aber das muss ja einstweilen nicht jeder wissen. Schon gar nicht meine Eltern, solange sie Vorbehalte gegen dich haben. Und die neuesten kriminellen Geschichten deiner Verwandtschaft sind natürlich in genau diesem Augenblick ganz ungünstig …«

»Ja. Entschuldige, dass meine Mutter sich ausgerechnet gerade jetzt hat ermorden lassen«, murmelte Conny bitter.

»Nein – ach … so doch nicht. Aber es trifft sich natürlich absolut ungünstig. Und vorhin sind sie hier bei mir reingebrettert und haben sich vor mir aufgebaut und mir einen Vortrag gehalten wie im Wechselgesang, alle beide. Also, ich hab strengstes Verbot, mich jemals wieder mit dir asozialem Gesindel abzugeben. Falls ich dem zuwiderhandle – jetzt kommt's! –, kann ich mir mein Studium komplett selbst finanzieren. Dann gibt es keinen Pfennig mehr von ihnen, kein Geld für Miete, kein Kostgeld, kein nichts …«

»Dann finanzier es dir doch selber. Femke hat einen Freund, diesen Edgar, der jobbt alles Mögliche neben dem Studium und kommt damit ganz gut klar …«

»Edgar! Der studiert Jura, mein Gott, das macht man so nebenbei!«, behauptete Vico entrüstet. »Ein Medizinstudium ist eine andere Sache. Das verstehst du nicht, Schäfchen. Ich kann nicht ernsthaft Mediziner sein und dann nebenbei kellnern oder so was. Unmöglich. Das wissen meine Eltern auch. Deshalb drehen die ja an diesem Hebel. Weil sie wissen, wo es wehtut. Ich will unbedingt Arzt werden, das ist wirklich meine Bestimmung. Also muss ich auf ihre Forderungen eingehen …«

»Und dich von mir trennen – ?!«, fragte Conny erschrocken.

»Im Prinzip ja. Offiziell, gewissermaßen. Wir müssen so tun, als ob. Wir müssen uns ganz heimlich treffen …«

»Das tun wir doch schon!«

»Noch heimlicher. Wir können nicht vorsichtig genug sein. Unsere Existenz hängt davon ab! Unser späteres Leben. Wir wollen es doch mal schön haben, Schäfchen, wir wollen immer zusammen sein, unsere Kinder sollen in einer glücklichen, sorglosen Atmosphäre aufwachsen, das willst du doch auch?«

»Ja. Natürlich.«

»Schön. Dann müssen wir uns jetzt ganz doll zusammenreißen. Meine Alten müssen wirklich sicher sein, dass es mit uns beiden aus ist.«

Conny spürte, wie ihr die Tränen in den Hals stiegen, die eigentlich für die Bestattung ihrer Mutter gedacht waren. »Und wie willst du das machen?«

»Ja … mal sehen. Ich dachte, ich könnte zum Beispiel ein bisschen so tun, als ob ich Sannchen den Hof mache … Susann, meiner Kusine, weißt du?«

»Ich weiß, wer Susann ist, ja.«
»Na ja, von der halten meine Alten viel. Die würden nichts lieber sehen, als dass wir heiraten. Gute Rasse und so, wie ägyptische Pharaonensippen. Die denken so. Es würde sie beruhigen.«
Conny perlte das Wasser bereits über die Wangen und kullerte auf ihre schwarze Kostümjacke. »Aber Susann muss dann doch denken, du bist wirklich in sie verliebt? Oder wolltest du sie einweihen, dass du nur so tust?«
»Natürlich nicht! Ach, du hast ja recht, vielleicht rede ich hier Unsinn. In der Gudrun-Sage heißt es: Zu diesem Spiel zwang sie die Klugheit. Da tut die Prinzessin auch vorübergehend so … O Gott, Schäfchen, süßes, ich weiß auch nicht, ob ich das kann. Ich liebe dich so sehr – ich weiß nicht, ob ich so tun kann, als wäre das vorbei. Ich weiß nicht, ob ich so tun kann, als ob mich eine andere Frau interessiert. Ich will doch gar keine andere als dich. Ich bin kein guter Lügner. Und im Grunde geht Sannchen mir meistens furchtbar auf die Nerven. Warum sind meine Eltern bloß so vernagelt, nicht zu begreifen, wie wunderbar und liebenswert du bist? Dann wäre alles so einfach. Ich denke so viel an dich, ich träume fast jede Nacht, dass …«
»Vico, ich muss jetzt los …«
»Entschuldige, ich will dich mit meinem Gerede nicht länger aufhalten. Wo musst du denn so dringend hin?«
»Zur Beerdigung«, antwortete Conny und legte den Hörer auf, bevor sie laut losweinte.
Als die Onkel sie aus ihrem Zimmer holten, hatte sie sich noch lange nicht beruhigt. Ihr Augen-Make-up bedeckte unregelmäßig ihre Wangen.
»Lassie so, tut nix, das passt!«, verlangte Dieter, und sie stopften ihre verheulte Nichte in den roten Kadett, den Uwe einstweilen fuhr.

Erst auf der Nachhausefahrt verriet Conny den Onkeln, was sie – außer dem Tod ihrer Mutter natürlich – noch so traurig gemacht hatte.
Da ergriff auch die Onkel der Grimm auf Familie van Loon. »Wenn die mein, sie sin zu gut für uns, denn sach ich, wir sin ers recht zu gut für die!«, schmetterte Uwe. »Ich willma sagn, ich verbiete dir den jung Kerl nich. Aber ich sachma, sei man vorsichtich mit den. Der tut dir nich gut. Wenner nich zu dir stehn mach, denn is er nich der Richtige für dich!«
So ähnlich hatte sich schon Eva Wohlgast geäußert. Sie ihrerseits stand zu der gerade zutiefst skandalösen Familie Hertz – und im schwarzen Rohseidemantel am Grab von Hanne, die sie kaum flüchtig gekannt hatte. Darüber hinaus besuchte sie jetzt öfter, mit stolz erhobenem Kinn (jeden Entgegenkommenden mit ihrem sichtbaren schwarzen Auge aggressiv durchbohrend), das verbaute Haus im Rebhuhnweg.
Da sie allerdings als alte Exzentrikerin galt, regte das zwar die Niendorfer auf und amüsierte sie, machte jedoch keine positive Stimmung für Familie Hertz. Das war Gesindel, daran änderte auch die Demonstration so einer reichen Schrippe, die sich mit einem von denen eingelassen hatte, nichts.
Damian und Nelli trauerten ebenfalls, Hand in Hand, an Hannes Grab, bevor sie sich wieder in ihre Wohnung im Obergeschoss von Miranda Gebhardts schneeweißen Haus zurückzogen, zu ihrer Familie. Die bestand inzwischen bereits aus Fanny, einem Stoffpinguin, und Greta, einem rosa Teddybär, neben Richard, ihrem durchtriebenen Ältesten, dem Plüschhasen.

Von da ab trafen sich also Conny und Vico noch viel, viel diskreter als vorher, oft außerhalb Hamburgs. Zudem nicht allzu oft, denn die Vorbereitungen kosteten Zeit und Einfallsreichtum.

Manchmal kam Conny der Verdacht, in derselben Zeit, die Vico ihren Heimlichkeiten widmete, hätte er ganz gut irgendeinen Job bewältigen und sich dadurch schließlich doch selbst finanzieren können. Aber sie wusste, dass es ihn nur ärgern würde, wenn sie so etwas sagte.
Einmal sah sie seinen hässlichen alten VW vorbeifahren, als er Susann abgeholt hatte – oder nach Hause fuhr. Obwohl sie in züchtigem Abstand voneinander saßen und keineswegs herumschmusten, sah es für Conny aus, als wären die zwei ein Liebespaar. Um diese Echtheit hinzubekommen, waren sie vielleicht wirklich eins. Es hatte keinen Zweck, sich etwas vorzumachen. Und es tröstete nur wenig, sich zu sagen, dieser geniale Kniff wäre dazu angetan, ihre späteren gemeinsamen Kinder in einer glücklichen, sorglosen Atmosphäre aufwachsen zu lassen.
Conny war einfach nur traurig und sie wurde bitter. Wenn Vico sie anrief, um eins ihrer superheimlichen Treffen zu vereinbaren, fragte sie beispielsweise, ob sie ihren falschen Bart umbinden sollte. Wenn er darauf nicht sehr diplomatisch und geschickt antwortete, warf sie den Hörer auf die Gabel. Dann fand das superheimliche Treffen eben nicht statt.

Ein paar Tage lang glaubten die Onkel, sie hätten nun einen roten Opel Kadett zur Verfügung. Als Conny aus ihrem tiefsten Schmerz auftauchte, stellte sie das richtig. Der Wagen war von ihr bezahlt worden und gehörte ihr. Solange sie nicht zustimmte, würde ihn niemand fahren. Und den schon bezahlten Führerschein machte sie nun selbst, so schnell und diszipliniert, dass sie eine Menge Geld herausbekam.
Von da ab fuhr sie den Wagen.
Die Onkel durften ihn hin und wieder ausleihen, wenn sie plausibel machen konnten, wofür. Und wenn sie ihn vollgetankt wieder vor der Tür abstellten.

Im 11. Kapitel
bekommen wir keine richtigen Enkel, fahren nicht zur See, machen keine Ausbildung zur MTA und vertragen uns auch nicht miteinander
1978

Mein Sohn und seine Frau sind geisteskrank. Komplett gaga. Sie haben nicht alle Tassen im Schrank. Sie ...«

»Ich hab schon verstanden«, unterbrach Eva ihre Freundin. »Verzeih, wenn ich das sage, aber Damian war doch noch nie normal?«

»Was?«

»Na, erlaube mal. Er war immer, seit jeher, etwas ganz Besonderes. Anders als alle anderen. Das hat seinen Charme ausgemacht und seine Probleme.«

Die Damen lagen auf der Terrasse vorm weißen Haus unter einem viereckigen, orangefarbenen Sonnenschirm und rieben sich Schultern und Oberschenkel mit Sonnenmilch ein, denn neuerdings ging man etwas vorsichtiger mit der Sonne um – die bräunte ja auch im Schatten.

Seitlich, zur Straße hin, schützte sie ein orange-gelb gestreifter Paravent vor neugierigen Blicken: Wenn man, wie Miranda Gebhardt, Anfang fünfzig oder, wie Eva Wohlgast, bereits Mitte sechzig war, wollte man sich ja nicht jedem im Badeanzug zeigen.

»Schon, aber ... Ich hatte doch immer gehofft, dass er mit zunehmendem Alter normaler wird. Dass seine zukünftige Frau vielleicht mal einen patenten Mann aus ihm macht. Stattdessen bestärkt das fette Bibergebiss ihn in seinem Traumdasein. Ich kriege das schließlich mit, im selben Haus ... Ich höre, wie sie von und mit ihren sogenannten Kindern reden, diesen Plüschtieren! Wie die Vierjährigen! Inzwischen sind es sechs – nein,

sieben. Jedes hat ein besonderes Bettchen, die Stoffkatze sogar ein Himmelbett. Der Teddy schläft in einer Hängematte mit Fransen. Die Viecher haben haufenweise Klamotten, für jede Jahreszeit und jede Saison, jedes einen kleinen Schrank oder eine Truhe voll. Deine Conny näht den Quatsch. Die spielt ja auch mit, wenn sie mal zu Besuch kommt. Weihnachten saßen die Teddys alle um einen geschmückten Baum im Obergeschoss, viel schöner als meine Tanne unten. Jedes männliche Stofftier trug einen dunkelblauen Samtanzug, maßgeschneidert für diese manchmal abenteuerlichen Figuren. Jedes weibliche Viech hatte ein Schottenkleid an und passende Schleifen um die Ohren gebunden. Es sieht schön aus, keine Frage, aber es gruselt mich. Und jeder kriegte ein Geschenk! Du kannst es dir nicht vorstellen. Natürlich haben sie alle sieben mitgenommen jetzt, auf ihre Reise nach Finnland. Ich kann nur hoffen, dass sie niemand beobachtet, der die Polizei alarmiert, damit die beiden endlich in Zwangsjacken abtransportiert werden …«
Eva lachte und nahm einen Schluck aus ihrem Glas, in dem die Eisstückchen leise aneinanderklingelten. »Was würdest du dir denn wünschen? Auf welche Art sollte Damian deiner Ansicht nach glücklich sein?«
Miranda legte den Kopf zurück und atmete tief ein. »Er sollte seine Talente nutzen. Er könnte ein berühmter Virtuose sein am Klavier, umjubelt, von Autogrammjägern verfolgt. Er könnte vielleicht sogar komponieren, einen neue Musikrichtung erschaffen. Er könnte wunderbare Bücher schreiben und den Nobelpreis bekommen. Vermutlich hat er auch was von meinem Talent geerbt, er könnte also, bei seinem herausragenden Aussehen, ein bekannter Schauspieler sein. Einer von den wenigen, die es von hier nach Hollywood schaffen. Aber dann stell dir bitte vor: an seiner Seite eine Frau wie meine Schwiegertochter! Mit *der* Figur und *dem* Gebiss und den kleinen schiefen Augen!«

»Was für eine Frau sollte er denn haben?«
»Eigentlich noch keine! Eva, der Junge ist vor einer Woche zweiundzwanzig geworden, wieso muss der schon verheiratet sein? Der könnte so viele schöne Geliebte haben, eine nach der anderen, Models, Schauspielerinnen, Erbinnen … Das würde immer in den Gesellschaftsseiten stehen. Sein Foto – er im Smoking, die Haare nur noch etwa schulterlang, ein Sektglas in der Hand, die andere Hand so ganz lässig in der Hosentasche. Auf der einen Seite lehnt sich eine bildschöne Frau an ihn, an der anderen Seite ich. Und drunter steht, der weltbekannte Damian Gebhardt, hier mit seiner Mutter Miranda und seiner letztjährigen Begleiterin Sowieso – die beiden gaben gerade bekannt, dass sie sich im Guten getrennt haben …«
Eva klopfte mit dem Daumen gegen den Filter ihrer Zigarette. »Ja, das wäre natürlich erstrebenswert. Aber dein Sohn ist, glaube ich, sehr glücklich, so, wie er lebt?«
»Es sieht so aus. Er behauptet es ständig. Wie kann man auf die Art glücklich sein? Was ist das für ein Leben? Ich habe ihm vor vier Jahren den weißen Flügel geschenkt, den sie jetzt oben haben. Ich hatte gehofft, er beginnt vielleicht zu komponieren. Was macht er jetzt damit? Spielt Händel für Bibergebiss und ihre Plüschtiere. Wenn es wenigstens richtige Enkel wären. Kinder, auf die man Einfluss nehmen könnte, die man nach und nach solchen Eltern entziehen würde. Wobei das auch Glückssache ist: Vielleicht sehen sie so aus wie er und sind so talentiert wie er. Aber vielleicht ähneln sie auch der Mutter … O mein Gott. Dann lieber Stofftiere … Lass uns von was anderem reden. Du warst in Paris?«
»Das ist schon wieder ein paar Monate her. Ich hab Conny mit zu Modenschauen genommen. Das Mädchen hat einfach Sinn dafür. Was sie näht, wird immer raffinierter, weil immer einfacher. Ganz ihr eigener Stil. Sie hat beispielsweise für deine

Schwiegertochter vier geblümte Seidentücher gekauft, einfache Kopftücher. Die hat sie alle schräg verarbeitet, also diagonal aneinandergenäht. Der Effekt ist, dass man nichts zu kräuseln braucht, der Stoff fällt von selbst in Wellen. Und sie hat das Ganze unten nicht gerade abgeschnitten, sondern die Zipfel einfach zipfeln lassen … sieht umwerfend aus!«
»Ich kenne den Fummel«, antwortete Miranda schmallippig. »Wirklich hübsch, das gebe ich zu. Verbirgt die Figur von Bibergebiss ganz überzeugend. Warum bezahlst du der Kleinen eigentlich keine Ausbildung zur Schneiderin?«
Eva griff mit beiden Händen in ihre Haarwelle und zog alles nach oben, über ihre Stirn. Wenn ihr gesamtes Gesicht zu sehen war, wirkte es viel zu schmal. »Weil Conny sich selbst in diese Situation gebracht hat. Sie muss sich auch selbst da wieder hinausretten …«

An einem warmen, diesigen Septembertag fuhr Conny mit ihrem kleinen roten Auto in die Heide jenseits der Elbe. Sie war dort mit ihrem heimlichen Geliebten verabredet.
Nach und nach, im Lauf der Zeit, hatte sie gelernt, sich mit allem zu arrangieren. Es hatte sogar Vorteile, sich nur alle zwei oder drei Wochen zu begegnen: So wurde ein Fest daraus, ein Wunschtermin, etwas wie Weihnachten oder ein Geburtstag.
Die Vorfreude war immer da, sie wuchs, sie wurde größer, sie begann zu klingen, je näher der Termin rückte. Waren sie endlich zusammen, dann empfanden beide das Glück als so groß, dass sie sich gleichermaßen bemühten, einen schönen Tag zu haben. Ganz verständnisvoll miteinander umzugehen. Bloß nicht zu streiten: Für so etwas durften sie ihre kostbare Zeit nicht verschwenden. Also brachten sie Tonnen von Geduld und Nachsicht mit.
Sie planten jedes Mal, über alles Mögliche zu sprechen, sich unbedingt dies und das zu zeigen oder zu erzählen. Conny

schleppte in ihrer Korbtasche Fotos, Bücher, ausgeschnittene Artikel und handgeschriebene Notizen mit. In den zwei oder drei Wochen ohne Vico sammelte sie alles, was sie mit ihm teilen wollte. Inzwischen war sie darauf gefasst, dass sie nur einen Bruchteil davon wirklich an ihn weitergeben würde. Er hatte ja ebenso seine Pläne, was er ihr alles erzählen und zeigen wollte.

Schließlich ergab sich immer noch das Ungeplante, was ihnen gerade durch den Kopf ging. Und Zeit für Zärtlichkeiten musste schließlich auch sein …

Manchmal telefonierte Conny mit Vico, doch auch das war nicht so einfach. Er hatte in der WG kein eigenes Telefon. Das gemeinsame stand im Flur, und Vico verdächtigte einige seiner Mitbewohner, von seinen Eltern bestochen zu sein und als Spitzel missbraucht zu werden. So nannte er Conny, wenn er mal anrief, »Frau Schwarz« – abgeleitet vom schwarzen Schäfchen. Und wenn sie ihn unbedingt sprechen musste und es wagte, die Nummer der WG zu wählen, dann meldete sie sich ebenfalls unter diesem Namen.

Hin und wieder rief Vico sie von draußen an, aus einer Telefonzelle.

Unter diesen Umständen war entspanntes Plaudern praktisch unmöglich. Deshalb beschränkten sich ihre Telefonate überwiegend auf Verabredungen, die sie trafen oder auch mal absagen mussten.

Conny trug ein rot gemustertes weißes Kleid mit kurzen Ärmeln, der zipfelnde Rock zeigte: aus ihrer »eigenen Kollektion«. Sie hatte es in der vergangenen Nacht fertig genäht, noch gebügelt – und dafür einige Stunden Schlaf geopfert. Das hatte sich gelohnt, sie wusste, wie hübsch sie darin aussah.

Vico wartete neben seinem Auto an einem bestimmten Feldweg, und sie freute sich darüber, wie weich und glücklich sein Gesicht wurde, als er sie sah. Eigentlich, dachte Conny, während sie ihren Wagen vorsichtig unter einem großen Haselbusch parkte, ist es doch furchtbar romantisch! – und bekam dann einen leichten Schreck, weil ihr plötzlich einfiel, wie Tante Eva sie damals, in Venedig, vor der Romantik gewarnt hatte …

Nachdem sie sich genügend geknuddelt hatten, setzten sie sich auf eine Wolldecke ins Heidekraut, und Conny packte aus, was sie als Picknick mitgebracht hatte: belegte Brote und Scheiben von Sandkuchen. Vico stellte eine große Flasche Brause dazu und eine Thermoskanne Kaffee.

Als nach dem Essen die Reste und Abfälle weggepackt waren, konzentrierten sie sich auf den »ernsthaften Teil«, wie Vico es immer nannte. Sie schauten in ihre Kalender, um einen neuen Termin zu finden, und sie besprachen alles, was ihnen am meisten auf der Seele brannte.

Erfahrung hatte sie gelehrt, wenn sie sich zuerst – oder gleich nach dem Essen – der Liebe widmeten, dann reichte die Zeit später niemals, um die wichtigen Punkte abzuhaken, sodass sie zum Schluss hin ganz nervös und hektisch wurden.

Also war es sinnvoll, sich in Disziplin zu üben.

Conny dachte schon, nun wäre alles besprochen, da nahm Vico ihre Hand, drehte etwas verlegen an ihren Fingern, sagte: »Pass auf, geliebtes Schäfchen, ich hab noch was …« und richtete die großen, leuchtenden braunen Augen so bittend auf ihr Gesicht, dass sie dachte: Egal, was er will, natürlich soll er es bekommen!

»Es ist nämlich so … ich hätte eine Ausbildungsstelle als medizinisch-technische Assistentin für dich. Bei einem Bekannten meines Vaters, genauer: meinem Paten, Doktor Henner Hasselroth. Der findet es verkehrt, dass meine Eltern über meine Partnerschaft bestimmen wollen. Er meint, Liebe weiß selbst am besten, wo sie hinwill. Hübsch gesagt, nicht? Schäfchen, das ist so ein netter Kerl – den wirst du mögen. Seine

Frau auch. Sie werden dich ganz herzlich aufnehmen, da bin ich sicher. Dass du nicht den Realschulabschluss hast, macht nichts, sagt der gute Henner, du warst ja kurz davor, das reicht, man muss da gar nicht so explizit drauf hinweisen, dass du ein paar Wochen vorher gegangen bist. Und es kostet nichts – gar nichts! Die wollen dich umsonst ausbilden, drei Jahre lang!«

Conny starrte Vico verwirrt an. Hatte sie ihm denn nicht deutlich genug gemacht, wie wenig sie an einer derartigen Ausbildung interessiert war? Sie besaß wenig technisches Geschick, wenn die Nähmaschine mal Schwierigkeiten machte, musste immer einer der Onkel das Ding besänftigen. Und auch sonst war ihr dieser ganze Bereich fremd und eher unsympathisch.

Dass die Ausbildung kostenlos sein sollte, mochte wirklich ein großes Entgegenkommen des netten Doktors sein – nur: Wovon sollte Conny in diesen drei Jahren leben? Wovon ihr Auto bezahlen, ihre Kosmetik, Stoffe, Nähmaterial und so weiter? Wenn sie, so wie jetzt, monatlich Geld bekam und das mit dem Gewinn ihrer Onkel zusammenwarf, dann kam es immer gerade so hin.

Sollte sie alles das jetzt äußern – und damit den zauberhaften Nachmittag verderben?

Conny lächelte Vico zärtlich an. »Das klingt wunderschön. Ich werde es mir überlegen …«, sagte sie vorsichtig.

Vico nickte. Conny merkte sehr genau, dass er ebenso alles Mögliche nicht aussprach, das ihm auf die Zunge wollte. Schließlich lächelte auch er sehr liebevoll und flüsterte: »Gut. Aber überleg nicht zu lange, Schäfchen. Wie gesagt, im Oktober würde das losgehen …«

Damit durften sie endlich das Offizielle hinter sich lassen und mit dem Schmusen anfangen.

Aber auf der Nachhausefahrt am frühen Abend beschäftigte Conny sich wieder damit und nun erlaubte sie sich, ärgerlich zu werden. Verlangte sie vielleicht von Vico, er sollte mit dem Studium aufhören und eine Schneiderlehre machen? Wie kam er dazu, ihr weiteres Schicksal zu planen, über den Punkt hinaus, dass sie heiraten wollten, wenn es denn mal möglich war? Conny sparte schon wieder. Sie konnte gar nicht anders. Und inzwischen plante sie, wohl wissend, wie unrealistisch das war, eine eigene Werkstatt oder vielleicht eine kleine Änderungsschneiderei. Das würde zehn, zwölf Jahre dauern, wenn es überhaupt klappte. Aber es war das, was sie lieber als alles andere wollte – außer Vicos Frau sein, natürlich.

Als sie vor ihrer Haustür im Rebhuhnweg anhielt, dämmerte es bereits. Conny nahm ihre Korbtasche, sprang aus dem Wagen – und erkannte, dass jemand auf der Stufe vor der Haustür saß, eine zusammengekauerte Gestalt. Derjenige bemerkte sie, sprang auf, wurde größer als sie selbst – und war Christian Schnoor, Nellis kleiner Bruder, inzwischen fast fünfzehn.

»Foxi! Was machst du denn hier?«

»Auf dich warten. Ich dachte, du kommst gar nicht mehr. Robin schnuffelt schon immer unter dem Türspalt durch, wir haben uns durch die Tür unterhalten. Wo warst du bloß so ewig lange?«

»Weg!«, sagte Conny bündig, schloss die Haustür auf und stemmte sich gegen Robins entzückte Sprünge. »Ja, du Armer – du hast ja recht! Wir gehen sofort …«

Sie warf ihre Tasche auf einen Stuhl, streifte dem Hund das Halsband über, knipste die Leine daran und fragte Christian: »Willst du mitkommen?«

»Ich kann mir schon denken, wo du gewesen bist …«, fing der Junge in leicht vorwurfsvollem Ton an, als sie mit Robin von Baum zu Baum schlenderten.

»Du kannst dir überhaupt nichts denken!«

»Ja, okay. Ich kann mir überhaupt nichts denken«, bestätigte Christian ergeben, dem wieder eingefallen war, dass er etwas von Conny wollte. »Also, ich brauch mal deinen Rat …«
»Na?«
»Ich hab … ich hab was getan, was ich nicht hätte tun sollen.« Er blickte sie von der Seite an und wartete, dass sie nachfragte, was denn. Als das nicht kam, fuhr er fort: »Nämlich meinen Lehrer verhauen …«
»Was hast du?«, fragte Conny, sich das Lachen verbeißend.
Christian musste selbst lachen. »Er ist so ein elender Idiot. Er achtet nicht auf die Würde anderer Menschen …«
»Du meinst, er behandelt seine Schüler nicht mit der gebührenden Hochachtung?«, fragte Conny lachend.
Der Junge blieb jetzt ernst. »Ja, wenn du so willst. Der Arendt ist ein stämmiger Kerl, so ein Urviech, nicht sehr sensibel. Ihm fällt nicht ein, dass es empfindlichere Menschen gibt, egal, wie alt die sind. Er hat ein Mädchen aus meiner Klasse bloßgestellt, sie lächerlich gemacht – vor allen! Er hätte sie auch beiseitenehmen können und ihr das alleine sagen. Oder, wenn er es unbedingt vor allen sagen muss, dann dabei sachlich bleiben. Weißt du, in Asien oder im Orient sagen sie dazu, jemand muss sein Gesicht behalten …«
»Hat sie denn ein hübsches Gesicht?«, fragte Conny, die vermutete, Foxi hätte persönliches Interesse an dem Opfer.
Zu ihrer Überraschung erwiderte er: »Ganz und gar nicht. Sie ist auch nicht sympathisch, eine eklige Kröte – keiner mag sie besonders, ich auch nicht. Umso schlimmer! Der Arendt ist mal eben auf ihrem weiteren Leben rumgetrampelt. Er hat's wahrscheinlich schon wieder vergessen, aber sie wird ewig dran rumkauen. Ja, und deshalb hab ihm gesagt, was ich davon halte. Und als er's nicht einsehen wollte, hab ich ihm was an die Ohren gegeben …«
»Du – einem stämmigen Urviech? Du bist ganz schön mutig.«

»Ach, mutig – ich war sauwütend. Aber mein Vater hat vor ein paar Monaten gesagt, wenn so was noch ein einziges Mal vorkommt, nimmt er mich vom Gymnasium und steckt mich als Lehrling in die Gärtnerei.«

»Du verhaust deine Lehrer gewohnheitsmäßig?«, staunte Conny.

Jetzt musste der Junge doch wieder lachen. »Nein. Ich dreh nur manchmal durch, wenn's um Gerechtigkeit geht. Das ist mir eben wichtig ...«

»Und du willst die Gärtnerei nicht übernehmen? Du könntest doch Biologie studieren und Betriebswirtschaft und ...«

»Hör auf. Das sollen Corinna und Cordula machen und ihre Männer, falls sich jemand findet, der eine Gärtnerei haben will und eine meiner Schwestern in Kauf nimmt. Nein, ich will Pädagogik studieren.«

»Foxi! Du willst selbst Lehrer werden?!«

»Schlimmer. Ich will Lehrern beibringen, wie das geht. Und wenn mein Vater mich jetzt wegen Pauker Arendt von der Schule nimmt ... Hilf mir, Conny! Eher fahr ich zur See, als dass ich mich ins Gewächshaus pflanzen lasse ...«

Conny blickte nachdenklich vor sich hin. »Das schaffe ich, glaube ich, nicht alleine. Wir brauchen Verstärkung. Ich rufe gleich mal Tante Eva an und Damian und Nelli. Die müssen alle mitkommen und auf deinen Vater einreden und es ihm erklären.«

»Phantastisch! Deine Tante Eva imponiert meinen Eltern und Damian auch, einfach, weil sie Geld haben. Danke, Conny!«

Sie gingen zurück zum Rebhuhnweg, mussten unter einer Laterne stehen bleiben, um zwei Autos vorbeizulassen, und sahen sich gegenseitig an.

»Du siehst sehr hübsch aus, Conny, in diesem Kleid ...«

»Danke. Ich dachte auch gerade, dass du gut aussiehst«, erwiderte sie schnell, ohne hinzuzufügen, wie merkwürdig es war,

dass er seinem Vater und Nelli ähnelte und trotzdem attraktiv wirkte.
»... aber du wirkst oft ein bisschen traurig«, beendete er seinen Satz.
»Du bist ein ganz komischer Teenager, weißt du das? In deinem Alter sieht man so was doch nicht! Mit vierzehn musst du dich für Fußballer und Rockstars und so begeistern, für irgendwen schwärmen ...«
»Ich schwärme ja für dich. Worüber bist du traurig, Conny?«
Sie schloss wieder die Haustür auf und knipste das Licht über der Tür an, denn inzwischen war es ganz dunkel geworden.
»Tja. Bei mir geht's komischerweise auch gerade mal um den gewünschten Beruf. Mein Freund will, dass ich MTA werde, und dazu hab ich überhaupt keine Lust. Ich würde immer noch am liebsten Schneiderin sein, weißt du ... Aber das ist zu spät. Ich bin zu alt, glaube ich. Außerdem hab ich kein Geld, ich kann nicht drei Jahre lang mit Geldverdienen aussetzen, verstehst du? So, jetzt rufe ich die Menschen an, die hoffentlich deinen Vater überzeugen. Drück den Daumen, dass sie da sind und etwas Zeit haben ...«

Am nächsten Abend rief Onkel Dieter Conny ans Telefon. Christian Schnoor sagte: »Ich wollte mich noch mal bedanken. Das war eine supergute Idee von dir. Meine Eltern sind jetzt richtig überzeugt. Wenn Arendt sich bei denen beklagt, kriegt er was zu hören. Mein Vater glaubt, ich schreibe später mal Bücher und werde Professor an der Uni. Das hat deine Tante Eva ihm eingeredet.«
»Das freut mich, Foxi!«
»So, und jetzt notier mal – hast du was zu schreiben da?«
»Ja, Moment. Was denn?«
»Die Telefonnummer von einem Josef Wondraschek. Wer ihn liebt, nennt ihn Wonni. Den kennen meine Eltern schon lan-

ge. Hat am Tibarg die kleine Schneiderei und er möchte dich gern in die Lehre nehmen – oder wie nennt man das? Ich war heute Nachmittag bei ihm und hab von dir erzählt. Komisch, dass Nelli nie daran gedacht hat, die kennt doch auch deine Problematik und die kennt doch Wonni auch. Na, seit die Damian hat, ist der halt ihre beste Freundin, alles andere interessiert sie nicht mehr so. Herr Wondraschek will sehen, was du bisher so genäht hast, bring ihm bitte was mit, okay? Und, das ist wichtig: Er will dir von Anfang an Geld geben. Du musst mal mit ihm verhandeln. Du bist ja beileibe keine Anfängerin mehr, du kannst eigentlich schon richtig für ihn arbeiten, deswegen findet er es gerechtfertigt, dich zu bezahlen. Ich denke mir, der wird dich als Mittelding zwischen Angestellter und Lehrmädchen haben wollen. Und nach drei Jahren hast du eine fertige Berufsausbildung. Das ist ein ganz lieber Kerl, der zieht dich nicht über den Tisch …«
Conny rief am nächsten Vormittag den Schneider an, besuchte ihn am Nachmittag und hatte abends eine neue Lehrstelle: ab 1. Oktober. Wonni war wirklich ein liebenswertes, zartes Männchen um die fünfzig, mit wenigen dünnen Haaren wie Fühlern auf dem Kopf und vielen Lachfältchen. Die Werkstatt sah ansprechend aus, auf einen für beide sinnvollen Lohn hatte man sich auch geeinigt. Conny kündigte sofort ihren laufenden Job, strahlte jeden an, der ihr begegnete, und pfiff beim Abwaschen vor sich hin.
Sie durfte nur nicht daran denken, dass Vico damit rechnete, sie würde am 1. Oktober beim netten Doktor Hasselroth ihre Ausbildung zur MTA anfangen …

Um die Anti-Baby-Pille verschrieben zu bekommen, musste Conny jedes Vierteljahr zu einer Frauenärztin in Schnelsen. Und da man schließlich noch nicht so genau wusste, wie sich dieses neue Medikament auswirkte, bestanden viele Gynäkologen darauf, dass jedes halbe Jahr eine »Pillenpause« von mindestens einem Monat eingelegt wurde. In dieser Zeit verlegten Vico und seine verbotene Liebste sich also auf andere Verhütungsmethoden, was ihn regelmäßig in schlechte Laune versetzte. Er sah ja ein, dass es sein musste – aber es ärgerte ihn. Leider kam dieser Umstand ausgerechnet bei ihrer nächsten Zusammenkunft in der Heide, Mitte September, zum Tragen. Inzwischen war es kühl geworden und es regnete: kein Wetter, um auf dem Boden zu sitzen und zu picknicken. Conny und Vico hatten bereits im vergangenen Winter einen netten Gasthof in Buchholz gefunden bei einer noch netteren Gastwirtin. Annemarie Rohwedder, drall und fast so grübchengeschmückt wie Conny, reagierte zuerst etwas pikiert, als die beiden jungen Leute an einem kühlen Januarnachmittag ein Zimmer »bis ungefähr achtzehn Uhr« begehrten – war sie ein Stundenhotel oder was?

Aber dann erzählte Conny, worum es ging, wie sie verfolgt wurden, wie ihre Liebe eine verbotene war – und Frau Rohwedder schmolz dahin. Sie hatte deutlich sehr viel mehr für Romantik übrig als Eva Wohlgast.

Die beiden waren ja ein schönes, sehr sympathisches Paar, sie wirkten gepflegt und kultiviert, ja, auch Conny inzwischen (da konnten Vicos Eltern sich auf den Kopf stellen).

Die Gastwirtin erklärte also, sie würde den beiden bei Bedarf immer gern für den Nachmittag ein Zimmer zur Verfügung stellen und es eben berechnen, als sei es eine Nacht. Sie dürften nur niemandem davon erzählen, um dem Ruf des Gasthofs nicht zu schaden!

Das versicherten Conny und Vico natürlich. Conny fiel der Frau um den Hals, Vico lächelte dankbar – obwohl er später Conny gegenüber bemerkte, vier Stunden als volle Nacht zu berechnen sei eigentlich Wucher, es wäre ja nicht mal ein Frühstück dabei.

»Aber die Bettwäsche muss sie doch trotzdem wechseln!«, begütigte Conny. Sie war dankbar für diese Möglichkeit, der Auto-Akrobatik zu entgehen. Im Grunde war noch nicht einmal bei heißestem Sommerwetter die Liebe in freier Natur ihre Sache. Statt die Sinnlichkeit zu genießen, lauschte sie ständig in die Gegend, ob nicht ein Trupp Wanderer oder ein Schäfer mit Herde auftauchen könnte, um sich an ihrem Anblick zu ergötzen.

Wie üblich kam Vico gleich zu Anfang auf die Termine und geschäftlichen Belange zu sprechen: »Also, Doktor Hasselroth freut sich auf dich!«, meinte er und blickte Conny fest in die Augen.

Die schlug die Wimpern nieder und äußerte sich erst mal nicht zum Thema. Sie wollte ausnahmsweise, in diesem besonderen Fall, mit ihrem Geständnis auf einen kuscheligeren Moment warten.

Leider wurde es an diesem Nachmittag jedoch nicht so richtig gemütlich. Ihr gewöhnliches Zimmer war belegt. Den Ersatz rückte Annemarie Rohwedder irgendwie ungern heraus und wollte acht Mark mehr dafür. Wieso? Weil im Bad nicht nur eine Dusche war, sondern eine richtige Wanne.

Vico zählte das Geld aus seinem Portemonaie ab, ohne zu lächeln, und Frau Rohwedder nahm es ihrerseits mit weniger verbindlichem Ausdruck in Empfang. Nötig hatte sie dergleichen nicht, sie tat es einzig aus Nettigkeit.

Das alternative Verhütungsmittel, wie immer, ärgerte Vico, er machte es eine Weile zum Thema, und das verdarb doch, alles in allem, die romantische Stimmung.

Conny nutzte jedenfalls, wenn sie schon mal da war, die Badewanne. Ihre eigene, zu Hause, stand zu dicht am Fenster, da zog es immer am Kopf.

Als sie in ein großes Handtuch gewickelt zum Bett zurückkam, schlief Vico, eine beleidigte Falte zwischen den Augenbrauen.

Conny legte sich zu ihm und streichelte die Falte glatt.
Er wachte langsam auf und lächelte endlich wieder, was sie zum Anlass nahm, das Thema nun anzuschneiden: »Vico, also meine Ausbildung ab den 1. Oktober betreffend, da muss ich dir was Merkwürdiges erzählen …«
Dass er derart böse werden würde, hatte sie allerdings doch nicht erwartet. Er spuckte geradezu Feuer!
»Bist du denn ganz und gar verrückt geworden? Damit kommst du jetzt mal eben so nebenbei raus, anstatt mich, sobald du das wusstest, sofort anzurufen? Ich hätte das Doktor Hasselroth doch auf der Stelle mitteilen müssen! Der rechnet die ganze Zeit mit dir, und du hältst es nicht für nötig, wenn du dich schon für so was entscheiden musst, andere Menschen in deine Pläne einzuweihen?! Das ist so was von unerzogen und rücksichtslos! Das hätte ich nie im Leben von dir gedacht! Mensch, ich war so glücklich, dass ich dir diese Möglichkeit bieten konnte, ein sinnvoller, angesehener Beruf, alle Mädchen, die ich kenne, reißen sich drum – aber du musst ja Schneiderin lernen! Warum nicht gleich Köchin oder Putzfrau?! Na, das wird peinlich für mich, Hasselroths abzusagen. Die haben ganz fest mit dir gerechnet. Die wollten mir einen Gefallen tun! Ich war ihnen so dankbar! Aber du begreifst ja überhaupt nicht, worum es dabei geht …«
Bis Conny endlich weinte.

Das 12. Kapitel
beinhaltet eine Erkenntnis und eine Beichte und schafft schon wieder Ringe an; diesmal goldene
1978/79

Vico war wirklich, wirklich böse. So böse, dass er sich nicht mehr bei Conny meldete.

Sie wusste genau, er wartete darauf, dass sie ihrerseits Kontakt aufnahm. Wenn schon nicht, um die Sache mit Herrn Wondraschek rückgängig zu machen und doch noch bei Dr. Hasselroth anzufangen, dann jedenfalls, um sich in jeder Form tausendmal zu entschuldigen, gewissermaßen wortreich zu Kreuze zu kriechen.

Aber dazu sah Conny einfach keine Veranlassung. Und übrigens: Ein bisschen böse war sie schließlich auch.

Sie fühlte sich über alle Maßen wohl in der Werkstatt von Herrn Wondraschek. Sie lernte eine Menge dazu. Was zu tun war, brachte riesigen Spaß. Überstunden durften gemacht werden und wurden extra honoriert. Und Wonni selbst, ihr Chef und Lehrmeister, war ein durch und durch lieber, knuffiger, humorvoller Mann.

Sie war lange nicht so zufrieden gewesen. Und dafür sollte sie sich entschuldigen?

Der Oktober ging so vorbei und der November. Morgens musste Conny die Scheiben ihres roten Autos freikratzen. Sie schaffte einen Adventskranz an, begann, sich Gedanken über Geschenke zu machen, und versuchte täglich, nicht an Vico zu denken.

Bei alldem nahm sie ab. Sie bekam ganz dürre Ärmchen plötzlich und ein schmales Gesicht. Ihr Magen rebellierte ebenfalls,

dauernd war ihr etwas übel. Das nahm ihr die Lust am Essen, kein Wunder, dass sie dünner wurde.
Als sie vom Advents-Teetisch bei Eva aufspringen musste, um schnell im Klo zu verschwinden und die Weihnachtsplätzchen von sich zu spucken, da fragte die Tante bei ihrer Wiederkehr nachdenklich mit ihrer knarzigen Stimme: »Connymädchen, solltest du ein Baby erwarten?«
»Nein!«, sagte Conny entsetzt, viel zu laut. »Woher – bestimmt nicht. Außerdem nehme ich ja ab und nicht zu.«
»Oh, so fängt eine Schwangerschaft häufig an, soviel ich weiß. Noch kann das Kind ja nicht viel wiegen …«, erwiderte Eva, unter ihrer Haarwelle lächelnd. »Wann hast du den jungen Herrn van Loon zuletzt an dich rangelassen?«
Conny trank schnell einen Schluck Tee und versuchte, die Plätzchen nicht zu beachten, deren Geruch sie plötzlich nicht mochte. »Mitte September, glaube ich.«
»Wie niedlich, das wird ein kleiner Zwilling«, bemerkte Eva, die sich neuerdings mit Astrologie beschäftigte. Conny gab den Widerstand gegen den Gedanken auf. Denn gekommen war er ihr in den letzten Wochen auch schon hin und wieder.
Es sah so aus, als ob irgendwas mit dem alternativen Verhütungsmittel nicht gestimmt hatte. Wahrscheinlich war Vico zu ärgerlich darüber gewesen, um es sinnvoll anzuwenden.
Und nun?
Eins immerhin machte Conny Mut. Nach der Weissagung der inzwischen verstorbenen Tante Ala konnte es sich nicht mehr um die dicken Zwillinge handeln (vorausgesetzt, Eva meinte wirklich nur das Sternzeichen), von denen einer früh starb und der zweite auch nicht richtig froh machte.
Sie würde, wenn das Baby kam, bereits vierundzwanzig sein. Demnach erwartete sie hier den lieben, schönen Knaben, der ihr Herzensfreude bereiten sollte.

»Aber es ist doch zu traurig«, sagte sie mit tränenschwerer Stimme zu Eva, »dass ich ausgerechnet *jetzt* ein Kind erwarte, wo ich endlich die Ausbildung bekommen hätte, die ich mir immer gewünscht hab!«

»Sprich doch erst mal mit deinem Chef«, riet die Tante.

Und siehe: Herr Wondraschek fand es richtig erfreulich, dass Conny Mutter wurde. Er selbst war Witwer, der Sohn aus dem Haus. Aber Kinder mochte er gern. Er meinte, sie könne gern bis zur Geburt einfach so weitermachen wie bisher – und hinterher das Baby einfach mitbringen. Die Ausbildung (oder vielmehr die Zusammenarbeit) abbrechen? So ein Unsinn! Seit jeher hätten Frauen gleichzeitig genäht und Kinder bekommen.

»Es ist sehr zweckmäßig, einen Säugling selbst zu stillen. Das müssen Sie unbedingt machen!«, verlangte er und schaute Conny beschwörend durch seine Brille an. »Schon deshalb sollten wir das Kleine hier bei uns haben.«

Conny knuddelte das schmächtige Männchen unter Tränen. Ihr neuer Zustand bewirkte, dass sie schnell in große Rührung geriet.

Blieben die Onkel.

Conny wählte den Heiligen Abend für ihr Geständnis, in der Hoffnung, milde Stimmung, Tannenduft und gutes Essen könnten die Sache erleichtern. Außerdem hatte sie am Weihnachtsabend eine solide Chance, mal beide gleichzeitig zu Hause zu erwischen.

Man saß gesättigt beisammen, sie räumte noch schnell die Teller ab (zum Nachtisch hatte sie gefüllte Bratäpfel mit Vanillesauce zubereitet, ein Rezept aus einer Illustrierten) und setzte sich dann zu den Onkeln, die zufrieden nebeneinander auf dem Sofa saßen, in den Baum blinzelnd.

Conny hatte sich ein kleines Konzept erarbeitet, um Onkel Uwe und Onkel Dieter nach und nach, ganz behutsam, mit

den neuen Tatsachen vertraut zu machen. Sie holte Robin dicht neben sich, denn es war hilfreich, seine Ohren zu kraulen beim Sprechen.
»Weihnachten denkt man oft an die Vergangenheit, ihr nicht auch?«, fing sie an.
Onkel Dieter grunzte unbestimmt. Es hörte sich an, als ob er Weihnachten am liebsten an gar nichts dachte.
Onkel Uwe guckte mal kurz zur Uhr – er wollte nicht zu spät zu Eva kommen und ihr ein Päckchen geben, das die Dame in der Parfümerie erstaunlich geschickt und erstaunlich pompös mit einer Riesenschleife geschmückt hatte.
Conny ließ nicht locker: »Ich denke natürlich immer an Mama. Ihr bestimmt auch?«
Nicken der Onkel. Wer wollte das bestreiten?
»Ich möchte euch überhaupt mal fragen«, fuhr Conny zielstrebig fort, »wie das damals war, als Mama mich erwartet hat. Sie muss euch das doch irgendwann gesagt haben. Da war sie ja noch sehr, sehr jung. Viel jünger als ich jetzt. Und damals war es ja auch viel schlimmer als heute, ein uneheliches Kind zu bekommen. Wie hat Mama euch das eigentlich gebeichtet?«
Sie blickte in vier hellwache blaue Augen. Die Onkel hatten sich aufgesetzt und wirkten nicht mehr schläfrig.
»Ach nee!«, bemerkte Onkel Dieter.
Und Onkel Uwe: »Wann issas denn so weit, Bibi?«
Conny schnappte nach Luft. »Das habt ihr aber schnell verstanden … Also, im Juni wahrscheinlich. Ihr seid doch nicht böse?«
»Wassollas nützen?«, fragte Onkel Dieter. »Dass' von diesen hochnäsign Kerl, den von Silvester damals, ne, wo du dich einlich inne Gärtnerei mit, hier, wie heisster, unsern Nachbar, verlobn wolls?«
»Ja. Es ist von Vico. Vico van Loon.«
»Und willer nich heiratn?«

»Nein. Wir haben uns im Herbst gestritten. Seitdem hab ich nichts mehr von ihm gehört«, sagte Conny nüchtern. Sie hatte befürchtet, diesen Satz nicht ohne Tränenausbruch herauszubekommen, aber es ging ganz gut. »Vico weiß nicht … weiß gar nichts davon.«
Die Onkel blickten mitleidig.
»Und ich würde ihn auch überhaupt nicht heiraten wollen!«, fügte sie mit einem trotzigen Kopfruck hinzu.
Die Onkel nickten.
»Ihr findet also auch, ich sollte es bekommen?«, sicherte Conny sich ab.
»Klor!« und: »Ja, wassons? Soss' das abmurksn? Nee, Bibi, das krich man in alle Ruhe. Hol'n wir den Korb von Dachbodn, ne«, waren die beruhigenden Antworten.
Und Onkel Dieter meinte fast verträumt: »Is doch nett. Wieder son lütter Schieter bei uns. Wie sich das wiederholt, ne? Erst Hanne und nu du. Wird bestimmt wieder sonne lütte Deern …«
Ja, es wiederholt sich, dachte Conny bitter. Und es verstärkt so schön unseren asozialen Status. Die Frauen der Familie Hertz bekommen natürlich nur uneheliche Bälger, wie sich das gehört für Gesindel. Und mein Kleines wird unweigerlich nach feuchtem Keller riechen.
Aber was die Vermutung, es werde ein weiteres Hertz-Mädchen geben, anging, musste sie die Onkel enttäuschen: »Nein, das wird ein kleiner Junge.«
Das wusste sie schließlich aus Tante Alas Prophezeiung.

Tobias Dabelstein besaß außer einer gut gehenden Fahrschule einen drahtigen, mittelgroßen Körper, braune Locken, verschmitzte blaue Augen, energische, geschickte, ziemlich kleine Hände und besonders nette, liebevolle Eltern, mit denen er sich bestens verstand.

Conny hatte bei Tobias ihren Führerschein gemacht, nachdem ihre Mutter, für die der ja eigentlich gedacht gewesen war, so plötzlich starb.
In dieser Zeit, direkt nach Hannes Tod, schminkte sie sich kaum, band ihr schwarzes Haar einfach nach hinten mit einem Gummiband weg – und natürlich flirtete sie nicht mit ihrem Fahrlehrer. Erstens wegen ihrer akuten Trauer. Zweitens weil sie damals mit Vico »zusammen« war, wenn auch geduckt und versteckt vor dessen Eltern.
Tobias respektierte das alles, soweit er es wusste oder ahnte, war nett und fröhlich und verhalf Conny in kürzester Zeit zu ihrer Fahrerlaubnis.
Zum Abschied hatte er sie freundschaftlich umarmt und gesagt: »Also, alles Gute mit deinem Auto, Conny, fahr immer vorsichtig, hörst du? Und wenn du mal Rat oder Hilfe brauchst oder jemand, der dich auf der Stelle heiratet, dann ruf mich an, ja?«
Im April 1979 suchte Conny in ihrer Kommode herum und fand in einer Schublade tatsächlich eine kleine gelbe Streichholzschachtel mit dem Aufdruck: Fahrschule Dabelstein, Julius-Vosseler-Straße, Hamburg. Und mit der Telefonnummer, natürlich.
Sie wählte die Nummer und bekam eine nette, helle Mädchen- oder Frauenstimme ins Ohr: »Fahrschule Dabelstein, guten Tag?«
Letztendlich war's zu erwarten gewesen bei einem gut aussehenden, sympathischen Kerl wie Tobias, der ja ganz offensichtlich unbedingt hatte heiraten wollen.
Conny überlegte kurz, ob sie einfach auflegen sollte, und entschied sich dagegen: »Mein Name ist Hertz. Könnte ich Herrn Dabelstein sprechen, bitte?«
Er war ziemlich schnell am Apparat und wusste, allein durch den ihm weitergegebenen Familiennamen, sofort, wer dran

sein musste: »Conny? Das freut mich aber, dass du dich mal meldest! Wie geht es dir?«
»Ach – gesprenkelt. Grund zur Freude und Grund zur Sorge.«
»Kann ich dir helfen? Klar, sonst würdest du ja nicht anrufen. Wann und wo, Conny?«
Das klang irgendwie nicht so, als wäre er inzwischen restlos glücklich verheiratet. Vielleicht handelte es sich bei der Frauenstimme nur um eine Angestellte.
Sie trafen sich in einem Café am Harvestehuder Weg. Conny kam in einem blau-weiß-grün gestreiften Kleid mit Spaghettiträgern und passendem Jäckchen. Ihre Idee, Stoffe diagonal zu verarbeiten, eignete sich besonders gut für füllige Personen. Oder für Schwangere.
Tobias trug seine dunklen Locken etwas kürzer als früher und war von der Frühlingssonne leicht gebräunt. Er stand ganz altmodisch auf, als sie eintrat. Vielleicht riss ihn auch der Schock vom Stuhl. »Hallo, Conny! Den Grund zur Freude kann man ja deutlich sehen. Wann ist es denn so weit? In einer halben Stunde?«
Conny musste lachen. »Das täuscht. Ich bin erst im siebten Monat. Allerdings wäre mein Baby jetzt schon lebensfähig, denke ich, falls es die Idee hätte, in einer halben Stunde zu erscheinen.«
Er rückte ihr sehr behutsam den Stuhl zurecht. »Hast du – geheiratet? Du hast dich noch unter Hertz gemeldet … nur, damit ich wusste, um wen es sich handelt – oder weil du immer noch so heißt?«
»Ich hab nicht geheiratet. Ich hab auch keinen Partner«, sagte Conny so nebenbei wie möglich und suchte in der Eis-Karte nach einem schönen Becher.
Tobias betrachtete sie von der Seite und bemerkte mit etwas bekümmerter Stimme: »Dein Zustand steht dir gut. Warst du früher schon so hübsch, oder ist das in den letzten Monaten

schlimmer geworden? Du bist eine richtige Prinzessin, warst du immer. O Gott, diese Augen. Und die Grübchen, ich erinnere mich... Wie soll man denn dagegen ankommen?«

Er schaffte es jedenfalls nicht.

Mit der Redegewalt eines enorm verliebten Mannes überzeugte er Conny davon, dass ihr Baby einen Vater brauchte und Sicherheit sowie ein schönes Zuhause – er könnte seinen Bausparvertrag in Anspruch nehmen, und sie würden sich ein Häuschen im Grünen leisten.

Das Häuschen im Grünen konnte Conny sich gut vorstellen. Ganz ohne Feuchter-Keller-Geruch. Sie dürfte trotzdem ihre Ausbildung bei Wondraschek fortführen, Tobias hatte nichts dagegen.

Sie dachte, unvermindert zornig, an Vico. Das hatte er jetzt davon! Sein Sohn würde Dabelstein heißen, und sie würde sehr geliebt und verwöhnt werden von einem Mann, der sie richtig zu schätzen wusste und nicht nach seinen Ideen zu verbiegen wünschte.

Wie Tobias sie mit seinen energischen, geschickten, ziemlich kleinen Händen anfasste, gefiel ihr außerdem. Es war gar nicht schwer, sich ein wenig in ihn zu verlieben, in seine kurze Stupsnase und die verschmitzten blauen Augen unter den braunen Locken.

Am Wochenende darauf stellte der Fahrlehrer Conny seinen verdutzten Eltern vor und redete ihnen ein, er sei dieser jungen Frau, die vor einigen Jahren bei ihm den Führerschein gemacht hätte, vor sieben Monaten beim Tanzen wieder begegnet. Und da wäre es eben passiert. Weil er schon immer in sie verliebt gewesen sei. Weil sie nun mal so süß war. Aber irgendwie hätte er geglaubt, sie sei mit jemand anderem zusammen. Wie sich inzwischen herausgestellt hatte, ein Irrtum, ein Missverständnis.

Und sie hätte sich jetzt erst bei ihm gemeldet … (Über die Gründe für dieses merkwürdige Verhalten ging er schnell hinweg.)
Nun wüsste er also, dass es höchste Zeit sei, zu heiraten.
Dabelsteins, die ihren Junior vergötterten, bemühten sich tapfer, das Befremden über diese urplötzlich aufgetauchte, hochschwangere junge Frau, die demnächst ihre Schwiegertochter sein würde, zu verdrängen. Nett war sie ja. Auf jeden Fall schrecklich hübsch. Und wenn Tobi sie so liebte?
Aber es kam doch alles sehr schnell. Und dann gleich ein Enkel – du lieber Himmel.
Mutter Dabelstein schenkte Conny ein altes Elfenbeinmedaillon an silberner Kette mit einem Babybild von Tobias darin. Und sie erzählte eine Menge von ihrem wunderbaren Sohn, einschließlich seiner Vorlieben und Abneigungen: »Keine Zwiebeln, Conny! Die mag er nicht und die verträgt er auch nicht …«
Tobias fuhr stolz und glücklich mit Conny zum Juwelier, Ringe kaufen. Sie entschieden sich für hübsche, schmale goldene Reifen, auf den Innenseiten graviert mit: Tobias – beziehungsweise Conny – und dem Datum, 25.5.1979.

»Am 25. Mai ist nämlich Neumond!«, erklärte die Braut ihren Freunden Nelli, Christian und Damian, auf einer orangefarbenen Hollywood-Schaukel sitzend. »Tante Eva meint, das wäre ein gutes Omen.«
»Und dein Kind kommt bestimmt nicht vorher?«, erkundigte sich Nelli.
»Der Arzt hat meinen Termin auf Mitte, vielleicht sogar erst Ende Juni berechnet«, antwortete Conny.
Christian seufzte. »Dann bin ich wahrscheinlich gerade auf Klassenfahrt.«
»Na und?«, fragte seine Schwester. »Was sollst du auch dabei?«

Conny lächelte. »Foxi will Patenonkel werden, und das soll er auch. Aber bis zur Taufe ist ja nach der Geburt noch mindestens ein Vierteljahr hin. Bis dahin bist du von der Klassenfahrt zurück, Foxi. Sag mal, übrigens – was ist damals eigentlich noch nachgekommen von diesem Lehrer, den du verhauen hattest?«
Während Nelli sich noch ein Stück Kuchen nahm, musterte Damian seinen jungen Schwager mit mildem Interesse. Es kam selten genug vor, dass er einen anderen Menschen ansprach als seine Frau: »Richtig, da hatten wir ja mit deinen Eltern geredet und uns für dich eingesetzt. Stimmt, was ist denn daraus geworden?«
»Ach, überhaupt nichts. Der Arendt hat keinen Piep mehr gesagt. Das Ganze war ja im Lehrerzimmer passiert, als außer uns gerade niemand dort war. Vielleicht war's ihm peinlich, dass ihn ein so junger Schüler angegriffen hat. Vielleicht mochte er auch nicht erklären, wie's dazu gekommen war – also wie er sich diesem Mädchen gegenüber verhalten hatte. Keine Ahnung. Er hat niemals wieder davon gesprochen und mich auch nicht viel schlechter behandelt als vorher«, berichtete der Junge.
»Demnach hätten wir nicht mit deinen Eltern zu sprechen brauchen«, konstatierte Damian bedauernd. Jeder Schritt aus dem Haus, der nicht unbedingt nötig war, tat ihm leid.
Christian schüttelte den Kopf: »Doch. Das war schon gut, weil sie seitdem meiner Berufswahl viel positiver gegenüberstehen.«
Jetzt kam Miranda Gebhardt mit breitem Strahlen über den Rasen gestöckelt, ein Tablett mit einer Kaffeekanne und einigen Tassen vor sich hertragend. Sie ließ sich auf einem Gartenstuhl nieder und lächelte jeden einzeln an. »Ich mag dieses Teezeug nicht, ich brauche Kaffee. Huch, Conny, Sie sehen ja aus, als ob Sie bald platzen würden! Ungefähr so umfangreich

wie unsere Nelli, obwohl die, soviel ich weiß, nicht schwanger ist. Oder kriegen wir ein neues Plüschtier, Damian?« Sie lachte laut und hell. »Eure Kleinen sitzen augenblicklich auf dem Dachboden vor dem Riesenfernseher und gucken sich einen Puppenfilm an, falls ihr es wissen möchtet. Ach, was rede ich, ihr habt sie ja dahin gesetzt.« Und wieder zu Conny: »Sie wollen noch vor der Geburt heiraten, hab ich gehört? Passen Sie denn dann überhaupt noch in irgendeine Art Brautkleid? Und Eva billigt also Ihre Heiratspläne?«

Conny versuchte, höflich in die spiegelnden Insektenaugen von Mirandas Sonnenbrille zu blicken. »Sie schätzt Tobias sehr. Sie meint, er ist ihr viel sympathischer als mein früherer Beinah-Verlobter Hans. Sie hat auch den Trauungstermin rausgesucht. In ihrem Haus soll nachmittags und abends die Feier sein. Und sie wird Trauzeugin, die zweite. Die andere ist natürlich Nelli.« Sie lächelte ihre Freundin an.

»Ich werde wohl auch dabei sein«, bemerkte Damian.

»Du traust dich unter Menschen, mein Goldschatz? Mach keine Sachen!«, rief seine Mutter. »Wirst du dich dafür umziehen oder einfach einen deiner Pyjamas tragen? Was meint denn deine Frau dazu? Oder dein Schwager? Oder die Plüschtiere? Oder die wuchtige junge Braut?«

Weil niemand antwortete, blickte sie noch eine Weile mit der spiegelnden Brille in die Wolken. Dann nahm sie plötzlich ihr Kaffeetablett, ohne etwas davon ausgeladen zu haben, wieder auf, stemmte sich aus dem Stuhl hoch und verschwand, vorsichtig die sehr hohen Absätze in den Rasen setzend, im Haus.

Nachdem sie verschwunden war, fragte Christian seine Schwester mit gedämpfter Stimme: »Es ist wohl nicht so ganz leicht, hier zu wohnen, was?«

»Ach, es geht«, erwiderte Nelli beruhigend. »Das Haus ist ja sehr groß, weißt du.«

Conny lehnte sich zurück und fühlte, wie ihr Sohn strampelte. Demnächst würde sie auch in einem Haus wohnen, nicht so schön wie dieses hier, aber dennoch. Tobias würde bestimmt sehr gut zu ihr sein. Wie hatte sie hoffen können, einen Mann zu finden, der sie so akzeptierte, mit dem Kind eines anderen im Bauch? Einen Mann, der noch dazu so nett, intelligent, liebevoll war, der so gut aussah?
Die alten Dabelsteins gaben sich richtig Mühe, sie als Tochter aufzunehmen, und freuten sich auf ihren angeblichen Enkel. Sicher würden sie den Kleinen sehr verwöhnen. Er sollte David heißen, David Dabelstein. Das klang doch hübsch?
Natürlich hatte sie ihr Brautkleid längst fertig – es war ja nur für's Standesamt, nicht für die Kirche: ein cremefarbenes Geriesel, das aus einem Sumo-Ringer eine anmutige Gestalt gemacht hätte.
Bei der Geburt würde sie erster Klasse liegen, das hatte Tobias versprochen, daran lag ihm viel. Wenn sie wollte, würde er dabei sein. Und wenn sie nicht wollte, dann nicht. Wie schön, dass sie den Rest ihres Lebens in der Geborgenheit seiner Arme verbringen durfte.
Wie schön, dass ihre beiden Onkel Tobias gernhatten. (Onkel Dieter hatte es sogar bisher geschafft, den Eltern Dabelstein gegenüber nicht zu erwähnen, wessen Kind sie wirklich trug.)
Wie schön, dass Tobias die Onkel zu mögen schien. Er stieß sich nicht einmal an Uwes krimineller Vergangenheit, die Conny gebeichtet hatte, oder am Gefängnisaufenthalt ihres mörderischen Stiefvaters.
Tobias hatte nur gesungen: »Hang on, Sloopy!« und gemeint, das Lied mochte er sowieso immer so gern. Er hatte neuerdings eine Musikkassette mit diesem Lied im Auto und sang es Conny öfter beim Fahren vor: »Sloopy lives in a very bad part of town, and everybody, yeah, tries to put my Sloopy down.

Sloopy, I don't care what your daddy do, cause you know, Sloopy, girl, I'm in love with you …«
Er freute sich wahnsinnig auf die Hochzeit. Er freute sich sogar auf das Baby. Manchmal nahm er Conny auf den Schoß und guckte sie nur an und bekam ganz blanke Augen vor Glück.
War das nicht alles wunderschön? Warum war sie bloß nicht zufriedener?
Weil sie ständig an Vico denken musste. An die Art, wie er ihr Kinn zwischen Daumen und Zeigefinger hielt, bevor er sie küsste. Und an die kleinen Lichter, die in seinen großen braunen Augen wohnten …

Im 13. Kapitel
wird tatsächlich eine Mai-Hochzeit gefeiert und ein Juni-Baby geboren. Andererseits sind einige Todesfälle zu beklagen
1979–1981

Tobias Dabelstein also übernahm nicht nur die Verantwortung für Connys Kind, er behauptete auch gleich, der biologische Vater zu sein. Insofern bestand keine Notwendigkeit, Vico darüber zu informieren, wie es sich wirklich verhielt. Er brauchte es niemals zu erfahren. Wozu auch?

Zufällig waren sich Conny und Vico seit ihrem letzten, unerfreulichen, folgenschweren Treffen in der Heide nicht mehr begegnet, obwohl sie ja kaum zwanzig Gehminuten voneinander entfernt wohnten.

Am Mittwoch, dem 16. Mai jedoch, einem wunderbar sonnigen, strahlenden Tag, spazierte Conny gerade über die Max-Zelck-Straße, als Vico ihr entgegenkam, ein größeres Paket in den Händen. Sie hatte einige Tage frei, weil Herr Wondraschek einen Verwandten besuchte, und wollte Robin im Niendorfer Gehege spazieren führen.

Beide blieben mit einem Ruck stehen – und auch Robin musste mit einem Ruck stehen bleiben, weil seine Leine festgehalten wurde. Vico starrte mit erschrocken geweiteten Augen auf Connys kugelrunde Gestalt. Sie sah inzwischen wirklich aus, als ob sie einen Wasserball verschluckt hätte.

Nach anderthalb Sekunden hatte Conny sich so weit gefasst, dass sie sich umdrehte und davonrannte, soweit sie noch rennen konnte. Eigentlich handelte es sich um eine Art hastiges Gewatschel. Robin musste mit, ob er wollte oder nicht. Eigentlich wollte er nicht. Er war nicht mehr der Jüngste, und diese plötzliche Eile leuchtete ihm ganz und gar nicht ein.

Vico lief hinterher, ebenfalls behindert durch sein Paket. Deshalb rief er: »Conny! Bitte, warte doch mal – bitte!«
Als sie endlich stehen blieb, vor einer kleinen Wiese, die schüchtern andeutete, dass Niendorf vor nicht allzu langer Zeit wirklich noch ein Dorf gewesen war – da keuchten alle drei ein wenig.
Robin setzte sich und hechelte vorwurfsvoll.
Vico bemühte sich, Conny am Arm festzuhalten, damit sie nicht wieder flüchtete. Das war, durch sein großes Paket, nicht einfach, zumal Conny versuchte, seinen Arm abzuschütteln. Er stellte schnell seine Last auf eine kleine Parkbank und konnte Conny nun mit beiden Händen an den Armen packen. Trat, indem er sie fest im Griff behielt, einen halben Schritt zurück und betrachtete ihren Riesenbauch.
»O Gott, Schäfchen – war ich das?«
Connys Antwort kam schnell und überzeugend: Sie riss ihren rechten Arm los, holte ziemlich weit aus und schlug Vico mit der flachen Hand auf die linke Wange, so kräftig, dass sein Kopf herumflog.
Vicos Gesicht wurde eckiger, weil er die Backenzähne fest zusammenkrampfte, ob er sich nun den Schmerz der Ohrfeige oder den der Erkenntnis verbiss.
»Also ja. Entschuldige bitte, das war eine blöde Frage. Verzeih mir, verzeih mir …« Er nahm wieder ihre Oberarme in den Griff und schüttelte sie ein wenig, als wollte er sich selbst oder die Gesamtsituation schütteln. »Das ist ja grauenhaft! Was soll ich denn – was soll ich bloß tun?«
Conny holte Luft, um ihm zu sagen, er brauche im Prinzip nichts zu tun, da sei bereits jemand, der sich genug um sie kümmerte, als Vico weitersprach: »Du weißt ja nicht – oder hast du davon gehört? Das ist ja entsetzlich! Also, ich heirate übermorgen. Freitag. Alles ist arrangiert. Dies hier«, er machte eine Kopfbewegung zu dem Paket auf der Bank, »ist die Hoch-

zeitstorte. Eine der Torten, genauer. Wurde zu früh geliefert, beziehungsweise meine Mutter hat sie zu früh bestellt. Riesenfamilienfest, verstehst du. Ich heirate Susann. Und weißt du, weshalb? Weil sie im vierten Monat ist …«

Conny zuckte auf, und Vico, der das geahnt hatte, hielt sie eisern fest. »Conny, das war *ein* Mal, ein einziges Mal im Februar, ich schwöre. Ich war besoffen, ich hatte entsetzlichen Liebeskummer deinetwegen, und Sannchen war so nett, mir endlos geduldig zuzuhören und nicht mal auf dich zu schimpfen, sonst wäre ich gegangen. Und frag mich nicht, wie das passiert ist – ich hab mir nie sehr viel aus ihr gemacht. Sie ist, unter uns, irgendwie unsexy. Sie hat auch nicht viel Sinn dafür. Inzwischen weiß ich das sogar genau. Aber an dem Abend hat sie … ich möchte mal sagen, sie hat mich regelrecht verführt. Ich wollte gar nicht und dann musste ich plötzlich. Schon aus Höflichkeit. Wäre nicht anders gegangen. Und ich dachte doch, ich hätte aufgepasst! Und drei Wochen später ruft sie an – wir hatten dazwischen nicht miteinander gesprochen, ich dachte gar nicht mehr daran, verstehst du –, ruft mich an und sagt, Vico, du wirst Papa! Und hatte es schon ihren Eltern erzählt und die meinen Eltern. Ich war der Fünfte, der informiert wurde. Dann ging's nur noch darum, schnell die Hochzeit, bevor man was sieht. Und die Organisation für das Fest. Den ganzen Tag Trara, morgens Standesamt, vormittags Kirche, nachmittags Kaffee für hundert Leute oder mehr, abends Schwof. Zum Kotzen. Was soll ich denn machen, Schäfchen?« Er schüttelte sie stärker. Sie sah, dass sein Gesicht viel magerer aussah als früher und dass er dunkle Augenringe hatte. Er wirkte durchaus nicht wie ein glücklicher Bräutigam. »Was soll ich machen? Ich denke so oft an dich … Eigentlich dauernd. Ich liebe dich. Ich liebe dich, hörst du?! Nur dich …«

Jetzt zog er sie eng an sich – so eng zumindest, wie ihr Bauch es zuließ –, nahm ihr Gesicht in seine Hände und blickte sie

an. Tatsächlich, er hatte Tränen in den großen braunen Augen. »Ach, mein süßes Schäfchen, warum hast du mir denn bloß nicht gesagt, was los war? Das musst du doch schon vergangenes Jahr gewusst haben! Wenn du zu mir gekommen wärst … Dann hätten wir eine Lösung gefunden. Notfalls wären wir eben miteinander durchgebrannt. Dann hätte Susann mich nicht erwischen können. Dann wäre sie jetzt nicht … Conny, Conny, warum hast du mir nichts gesagt?« Er küsste ihr Kinn, ihren Mund, ihre Nasenspitze und ihren Hals, und als sie erschrocken flüsterte: »Vico – jeder kann uns sehen!«, antwortete er grimmig: »Das ist mir jetzt gerade mal so was von egal!«
Für einen kurzen Moment war Conny einfach nur glücklich. Glücklicher als seit vielen Monaten. Sie schloss die Augen und erlaubte sich, es zu genießen. Vielleicht war es das letzte Mal im Leben, dass sie sich so nahe sein konnten.
Ja, warum hatte sie Vico nicht viel früher gesagt, was passiert war? Aus Stolz. Aus Trotz. Um ihn dadurch zu strafen, dass sie ihn schuldig werden ließ. Wie dumm von ihr.
Sie hob den Kopf. So ging das ja nicht. Für all dies war es zu spät. Zwei Ehen waren geplant, eine Reihe anderer Menschen in alles verwickelt, zwei Kinder würden geboren werden. Man hätte viel früher ganz woanders abbiegen müssen.
»Vico, die Sonne scheint auf deine Torte. Die kann da nicht stehen bleiben. Und wir hier auch nicht. Du musst weiter und ich auch.« Conny trat ein Schritt zurück und zog an der Leine: Robin hatte sich inzwischen hingelegt und rappelte sich ungern auf.
Vico sah aus, als sei er aus tiefem Schlaf geweckt worden. »Ja. Du hast natürlich recht. Ich hab noch viel zu – ach, Conny! Wenn ich daran denke, dass dies *unsere* Hochzeit sein könnte!«
»Daran darfst du eben nicht denken. Du musst versuchen, Susann so glücklich wie möglich zu machen. Und du musst ein guter Vater sein, hörst du?«

»Ja, guter Vater – warte doch mal! Du musst mir unbedingt versprechen, dass du mich informierst, wenn unser Kind da ist, abgemacht? Versprich es mir, Conny. Wenn es geht, wäre es gut, dass weder meine Eltern noch Susann noch sonst jemand erfährt, dass es von mir ist. Jedenfalls einstweilen. Ich würde solchen wahnsinnigen Ärger kriegen, das kannst du dir nicht vorstellen …«

»Doch, kann ich. Keine Sorge, Vico, verlass dich auf mich.«

»Ja, ich weiß. Du bist großartig. Das wusste ich immer. Aber, Conny, ich werde auf jeden Fall bezahlen. Guck nicht so – ich muss dich unterstützen, das ist doch mein Kind! Ich finde einen Weg …«

Conny suchte immer noch nach Formulierungen, ihm von ihrer eigenen Heirat zu erzählen, als er mit seinem Tortenpaket längst verschwunden war.

Den Rest des Tages bemühte sie sich, herauszufinden, was sie wirklich fühlte. Am Abend war ihr das so weit gelungen, dass sie den strahlenden, vergnügten Tobias mit den Worten empfing: »Mir ist heute klar geworden, dass wir nicht heiraten können!«

Eine Stunde später fuhr er wieder nach Hause, und jetzt wirkte er nicht mehr vergnügt oder strahlend. Er sah sechs bis acht Jahre älter aus als bei seiner Ankunft. Er schaltete den Motor ein, worauf die Musik losbrüllte: »Hang on, Sloopy, Sloopy, hang on!« und er die Kassette aus dem Radio riss und auf den Rücksitz warf. Das Elfenbeinmedaillon seiner Mutter, das Conny ihm zurückgegeben hatte, pfefferte er hinterher.

Inzwischen setzte Conny sich ans Telefon, um alle zu informieren, die mit ihrer Heirat zu tun gehabt hätten.

Christian Schnoor sagte: »Ich erklär das meinen Eltern, Conny, kein Problem. Patenonkel kann ich doch trotzdem werden? Klasse. Ich find sowieso, du solltest mit dem Heiraten warten, bis ich endlich alt genug bin …«

Nelli sagte: »Geht in Ordnung. Dann können wir an dem Tag zu Hause bleiben. Das wird Dami freuen. Wenn du Lust hast und wenn dir das Datum auf die Nerven geht, dann komm einfach zu uns, mein Schatz. Kriegst ’n Tee …«
Eva sagte: »Och Connymädchen, du mit deinen vergeigten Hochzeiten! Wie viele Männer willst du denn noch unglücklich machen durch deine Leidenschaft für diesen Van-Loon-Lümmel? Ich mochte den Tobias, das war ein angenehmer Mann. Na, besser, du hast es ihm jetzt gesagt als in einem halben Jahr, wenn er sich auch noch in dein Baby verknallt hätte. Wie kann so ein reizendes kleines Ding wie du so grausam sein? Was soll der arme Hund denn nun seinen Eltern erklären? Na, damit hast du ja nichts mehr zu tun. Das ist sein Problem …«
Onkel Uwe zuckte mit den Schultern und meinte: »Du mussas wissn, Bibi.«
Onkel Dieter jedoch war böse! Er hatte sich mit Tobias besonders gut verstanden, er mochte dessen Eltern sehr gern und er empfand den Verschleiß an Heiratskandidaten seiner Nichte, ähnlich wie Eva, als übertrieben: »Kanns mir ma sagen, wassas soll? Hätt’s dir das nich ma eha überlegn könn? ’n drittes Mal mach ich das nu aber nich mit, das sach ich dir!«
Conny versicherte ihm traurig, es werde kein drittes Mal geben. »Keine Sorge, ich bleib unverheiratet und zieh mein Kind alleine auf …«
»Wenichstens ’n büschen Knete kanner Vadder ja ma rübertun!«, brummelte der beleidigte Onkel. »Die ham ja wohl genuch davon …«

Zwei Tage später, am Freitag, dem 18. Mai, stopfte Conny sich vormittags rosa Wachs in ihre Ohren, putzte außerdem die Küche gründlich von oben bis unten, was sowieso fällig war, ließ dabei den neuen Geschirrspüler (ein sehr lautes Gerät) laufen und drehte das Radio bis zum Anschlag hoch.

Der entsetzte Onkel Dieter kam auf einem Bein in die Küche gehüpft, drehte das Radio ganz aus und fragte brüllend, ob der dritte Weltkrieg ausgebrochen sei.
Conny drehte das Radio wieder an und teilte brüllend mit, sie hätte keine Lust, die Kirchenglocken zu hören.
So überstand sie einigermaßen Vicos und Susanns Hochzeitstag.

Am 2. Juni war Herr Wondraschek zurück in Hamburg und Conny saß wieder in der Schneiderwerkstatt am Tibarg, obwohl Wochenende war. Nein, sie tat nichts, was sie körperlich angestrengt hätte. Aber ehe sie zu Hause zu viel grübelte, unterhielt sie sich lieber mit Wonni und übernahm leichte Handarbeiten. Seit der vergangenen Nacht empfand sie etwas wie leichte Bauchkrämpfe. Die Geburt konnte das auf keinen Fall werden, die hatte der Arzt für frühestens Mitte des Monats ausgerechnet. Vorsichtshalber hatte ihr Chef ihr einen Kamillentee gekocht, an dem Conny hin und wieder nippte.
Außerdem bemühte Herr Wondraschek sich, sie ein wenig abzulenken, indem er – während sie einen Sommermantel säumte – anschaulich schilderte, wie damals, eine Weile nach dem Krieg, ein Niendorfer eine Bombe fand: »Hier ganz in der Nähe, zwischen Tibarg und Niendorfer Kirchenweg, nicht wahr, und pult da dran rum, weil er das Metall raushaben will und verkaufen. Und dann – rumms! Überall Splitter und der Mann tot und ein anderer blind geworden – jaja!«
Dann folgte noch mal ausführlich seine Flucht über das Frische Haff bei dreißig Grad unter Null: »Und plötzlich, Kindchen, hör'n wir die russischen Flieger, und das Pferd schreit und bäumt sich auf und ist getroffen, wir müssen runter vom Wagen und über das Eis weiter, und meine Mutter ruft immer ›Mach schnell, Junge, beeil dich, mach ganz schnell …‹«

An dieser Stelle wurde Conny plötzlich sehr sonderbar zumute. Es wirkte, als fühlte das Kind in ihrem Leib sich durch Wonnis Erzählung aufgefordert, sich zu beeilen.
Fast gleichzeitig schoss eine Wasserwelle unter ihrem Rock hervor und spülte zischend über den Linoleumboden, während sie in schrilles Geschrei ausbrach: Der Schmerz war allzu heftig, um ihn still zu ertragen. Tränen liefen, gefärbt durch Wimperntusche, über ihr Gesicht.
Herr Wondraschek, jäh aus seinen Erinnerungen gerissen, fuhr vom Stuhl hoch, rettete umsichtig den Mantel aus Connys Händen und hängte ihn hastig auf einen Bügel, während sie so ununterbrochen jammerte, dass ihr kaum Zeit zum Luftholen blieb. Dann wählte er mit zitternden Fingern die Nummer des Rettungsdienstes, schrie seinerseits, bei ihm fände gerade eine Sturzgeburt statt, und ließ sich erklären, was zu tun war, bis Hilfe eintraf. Außerdem belehrte man ihn, das sei keine Sturzgeburt. Sondern allenfalls eine überstürzte Geburt.
Wondraschek rannte auf seinen mageren Beinchen los, um dicke Handtücher und eine Schüssel mit warmem Wasser sowie einen Seiflappen und ein Stück Seife zu holen. Das dauerte höchstens drei Minuten.
Doch als er mit den Utensilien zurückkam, war der Kopf des kleinen Junge bereits da, während Conny am anderen Ende immer noch brüllte. Gleichzeitig klingelte es an der Tür – das konnten doch noch nicht die Sanitäter sein? Wonni lief, um zu öffnen, und stand seiner Nachbarin, Frau Breitfuß, gegenüber, die durch das Geschrei aus ihrer Nachmittagsruhe gerissen worden war und antrat, um zu helfen oder eine Gewalttat zu verhindern, je nachdem.
Frau Breitfuß wusste erfreulicherweise über die Materie sehr genau Bescheid, denn sie hatte selbst fünf Kinder geboren und damals, genau während des großen Bombenangriffs auf Nien-

dorf, ihrer Schwägerin geholfen. Da ging das auch bannig schnell.
Sie passte auf, dass die Nabelschnur blieb, wo sie hingehörte, statt das Baby zu erwürgen, sie schob ganz sachte eine Schulter nach oben, damit die andere nachkommen konnte, und da glitt ihr das Kind schon in die Arme, es war nicht aufzuhalten.
Sie griff sich eins der dicken Handtücher und wickelte das Baby hinein, während sie vor sich hin murmelte: »Sie haben so viele Scheren hier, Herr Wondraschek, kochen Sie doch mal eine in einem Topf in klarem Wasser!«
Noch bevor das geschehen konnte, klingelte es ein weiteres Mal. Diesmal waren es wirklich die jungen Männern vom Rettungswagen, und die kümmerten sich um alles Weitere.
Inzwischen hatte Conny aufgehört zu schreien. Sie hielt ihr etwas verschmiertes und blutiges Kind im Arm und lächelte genauso glücklich, wie es sich gehörte, das ganze Gesicht schwarzfleckig von der Wimperntusche.

Weil er ja nun kein kleiner Dabelstein wurde, nannte Conny ihren Sohn nicht mehr David, sondern Eric.
Die Geburt hatte ziemlich genau zwischen 14 Uhr und 14 Uhr zwanzig stattgefunden, was nach Ansicht von Eva Wohlgast bedeutete, Connys Sohn hätte einen Waage-Aszendent (wie übrigens auch Conny selbst), und das sei etwas besonders Gutes.
Daran konnte niemand zweifeln. Eric Hertz wirkte so hübsch und lieb und angenehm, dass ihn bestimmt verschiedene Feen mit guten Gaben überschüttet haben mussten. Nicht nur seine beiden Großonkel waren völlig vernarrt in ihn.

Ende Juni erschien Erics Vater. Conny hatte ihn, wie versprochen, bald nach der Geburt angerufen. An diesem Nachmittag waren die Onkel unterwegs, während sich Susann mit ihren

Eltern in Kiel befand, wo ein Freund ihres Vaters seinen sechzigsten Geburtstag feierte.
Deshalb traute Vico sich in den Rebhuhnweg. Er besuchte zum ersten Mal das sonderbar unharmonisch gebaute Haus mit der hohen Hecke davor und dem Gemüsegarten dahinter. Er nahm zum ersten Mal – falls er ihm überhaupt auffiel – den etwas muffigen Kellergeruch wahr. Er stand gerührt, verlegen vor dem schlafenden Baby im Wäschekorb, betrachtete die kleinen Händchen und den schwarzen Haarwutz.
Er gab Conny Bargeld, eine größere Summe: »Das ist erst mal für ein halbes Jahr, wenn du damit einverstanden bist? Ich hab's mir von meinem Onkel Lothar geliehen, der gibt mir noch mehr, in Bezug auf mein späteres Erbe. Ohne Zinsen übrigens! Das war schon immer mein Lieblingsonkel. Er weiß Bescheid und er wird dichthalten, da bin ich sicher. Und ich bin beruhigt und hab ein etwas weniger schlechtes Gewissen …«
Was ihm gut stand. Seine Augen leuchteten zufrieden. Er sah besser aus als kurz vor seiner Hochzeit.
Dann wachte Eric auf und krähte ein bisschen, und Conny setzte sich mit ihm in den knirschenden Korbsessel, den Onkel Dieter für sie leuchtend rot lackiert hatte. Das war der »Stillstuhl«.
Vico stand ergriffen davor. Er beobachtete und zählte auf: Der Kleine hatte Connys Augen und Connys Grübchen und vielleicht mal Vicos Nase – wer weiß? Noch war sie ein Knöpfchen. Nach der Mahlzeit schlief sein Sohn gleich weiter. Nein, Vico musste noch nicht sofort wieder gehen, etwas Zeit blieb ihnen. Sie setzten sich in die Wohnstube, denn da gab es ein Sofa. Die Tür ließen sie offen, um zu hören, wenn eventuell das Baby schrie.
»Wir können doch auf jeden Fall Freunde bleiben, richtige Freunde, nicht nur, weil wir nun mal ein Kind miteinander haben?«, fragte Vico.

Conny fand das auch. Freunde. Aber ganz platonische natürlich.
Deshalb konnte Vico sich trotzdem neben sie auf das Sofa setzen: Die Sessel waren allesamt Zumutungen, sehr unbequem. Er durfte ihr Haar streicheln, so was war unter guten Freunden gang und gäbe. Und sie konnte ihren Kopf an seine Schulter kuscheln. Völlig neutral.
Vico erzählte eine Weile, dass es mit Susann nicht gerade einfach wäre. Je näher man sie kennenlerne. (Das hätte Conny ihm vorher sagen können.) Er wollte nicht über seine Frau herziehen, so was gehörte sich nicht. Aber es blieb eine Tatsache, dass Sannchen sich darauf spezialisiert hatte, seine Nerven zu strapazieren, durch ununterbrochene Vorwürfe und Forderungen, Forderungen und Vorwürfe. Conny konnte es sich vorstellen, Susann hatte jahrelang neben ihr gesessen.
Weil es bequemer war, zog sie die Beine auf das Sofa. Dadurch lag sie praktisch ganz an Vicos Brust, und es war logisch, dass er den zweiten Arm um sie legte – er konnte ihn ja schlecht in die Luft recken, nur um sie nicht anzufassen.
Sie schaute auf und zufällig in sein Gesicht. Sie hatte ganz vergessen, wie gut er aussah und wie magisch seine großen Augen schimmerten. Er schien etwas Ähnliches zu denken bei ihrem Anblick und gab ihr schnell einen harmlosen kleinen Kuss. Den gab sie zurück, auch um zu zeigen, dass sie ihm nicht mehr böse war. Dann erzählte sie eine Weile von Wondraschek und wie glücklich die Ausbildung sie machte, und er stimmte ganz friedfertig zu. Dafür bekam er einen weiteren kleinen Kuss.
Als sie merkten, dass sie an irgendeiner Stelle die Harmlosigkeit verlassen hatten – da war es eigentlich bereits zu spät …
Deshalb ließ sich Conny einige Monate später bei ihrer Frauenärztin auch wieder die Pille verschreiben. Und sie fuhr gern mal mit ihrem kleinen Sohn in die Nordheide. Die Luft da

draußen konnte ihm nur guttun. Auch die Freundschaft mit Femke van Loon wurde wieder aufgefrischt. Die stellte hin und wieder für ihren Bruder und seine Nebenfrau ihre Wohnung (inzwischen ein Apartment in Eppendorf) zur Verfügung.

Hätte Conny ein schlechtes Gewissen haben sollen? Vico war gewissermaßen ihr Mann, egal, mit wem er gerade verheiratet war. Susann hatte ihn sich durch einen Trick verschafft, durch diese Schwangerschaft, die noch dazu, wie sich herausstellte, gar nicht existierte, sondern eine dreiste Lüge gewesen war! Sie wurde nicht dicker, sie redete etwas von sich geirrt haben – egal, sie hatte ihr Ziel ja erreicht. Das war alles ziemlich niederträchtig, oder?

Vico dachte häufig darüber nach, sich scheiden zu lassen, sobald sein Studium beendet war. Dann hörte seine Abhängigkeit von der Familie auf. Dann war er sein eigener Herr. Dann hatte Susann ihn hoffentlich ebenso satt wie er sie …

Conny fasste sich in Geduld. Im Warten hatte sie Übung. Noch vor drei oder vier Monaten hätte sie nie gehofft, Vico drei- bis viermal im Monat zu sehen und in seinen Armen zu liegen. Sie waren ein Paar, sie waren die Eltern des kleinen Eric. Aber die Heimlichkeit ihrer Beziehung verband sie auf besondere Art: Sie waren auch Komplizen.

»Ist das jetzt Sünde?«, fragte Conny eines Nachmittags in der gelben Villa, nachdem sie Tante Eva in die wiederauferstandene Beziehung zu Vico eingeweiht hatte.

»Wenn du es so empfindest. Sonst nicht«, war die Antwort. »Sünde ist eine Sache des persönlichen Bewusstseins. Und eine Sache von wann und wo. Jahrhundert und kulturellem Umfeld. Ich hab diesen Vico nur ein-, zweimal gesehen. Gazellenaugen und eine edle Nase, stimmt's? Jedenfalls kein Nazigesicht wie die meisten van Loons. Warum hat er dich eigentlich nicht geheiratet?«

»Er hatte es mir mal versprochen. Hat mir sein Wort gegeben, dass er heiratet und dass ich heirate und dass er Herr van Loon ist und ich Frau van Loon werde …«
»Da hat er ja immerhin die Hälfte seines Versprechens eingehalten. Bist du glücklich, dass du ihn wiederhast?«
»Ja!«
»Ist er glücklich mit dir?«
»Ja. Bestimmt. Wir streiten öfter mal, aber … doch. Er ist auch glücklich mit mir.«
»Dann wäre es Sünde, wenn ihr es bleiben lassen würdet. So wahnsinnig viel Glück bekommt man normalerweise nicht angeboten in einem Leben. Aus Gründen der Moral darauf zu verzichten wäre geradezu lebensfeindlich.«
»Aber wir haben beide ein schlechtes Gewissen«, gab Conny verlegen zu.
»Damit müsst ihr leben. Vielleicht ist das eure Art, dafür zu bezahlen …« Eva blickte nachdenklich unter der fallenden Haarwelle vor sich hin, bevor sie sich erhob und die Musik auflegte, die sie gespielt hatte, nachdem Conny zum ersten Mal – durch das Flurfenster – in ihrem Haus aufgetaucht war. Schmeichelnde, teure Musik, träge und luxuriös.
»Die spielst du oft. Ist das eigentlich deine Lieblingsplatte?«
»Sophisticated Lady? Früher mochte ich sie nicht so sehr. Seit ungefähr sechzehn Jahren …« Eva lächelte mit ihrem schmalen, dunkel geschminkten Mund, »Ja, seitdem ist das mein Lieblingslied …«

Im Herbst 1981 ging Connys »Lehrzeit« bei Herrn Wondraschek zu Ende. Der kleine Eric war jetzt zwei Jahre alt und ein besonders hübsches, liebes Kind. Conny musste versprechen, den alten Schneider oft mit dem Kleinen zu besuchen.
An männlichen Bezugspersonen litt Eric keinen Mangel, und in Opa Wonni besaß er sogar eine Großvaterfigur. Darüber

hinaus kümmerten sich die Onkel um ihn – Dieter eine Spur begeisterter und hingebungsvoller als Uwe – sowie Patenonkel Foxi (wenn auch vielleicht keine Vater-, so doch eine brauchbare Großer-Bruder-Figur). Vico brachte immerhin Geschenke, zum Geburtstag, zu Weihnachten und zwischendurch. Er meinte, er würde mit dem Kind mehr anfangen können, wenn es groß genug wäre, um vernünftig mit ihm zu reden und zu spielen.

Übrigens war Vico dafür, dass der Junge ihn einfach mit Vornamen ansprach. Einmal war das gerade große Mode und zum anderen: Man konnte nie wissen, wer womöglich zuhörte, wenn Eric im falschen Moment »Papi!« rief.

Trotzdem schien glaubhaft, dass Vico gern ganz offiziell und ein für alle Mal bei seiner »richtigen« Familie sein wollte. Das Zusammenleben mit Susann behagte ihm nicht; sie blieb anstrengend und schwierig.

»Wenn ich im Herbst mit dem Studium fertig bin und dann mein praktisches Jahr anfange – am besten bei Onkel Werner –, ist das ein guter Zeitpunkt, noch mal mit meinen Eltern zu sprechen«, erklärte er Conny Mitte August. »Dann könnte ich ihnen von Eric erzählen und wie prima du bisher allein zurechtgekommen bist … Dem können sie ihre Achtung nicht versagen! Über die kriminellen Sachen von damals ist inzwischen auch Gras gewachsen. Dein Stiefvater sitzt zwar im Gefängnis, andererseits hat er dich nie adoptiert, er war immer nur der Mann deiner Mutter. Ich hab Susann gegenüber schon angedeutet, dass ich mir noch was anderes vorstellen kann, als mit ihr verheiratet zu bleiben …«

Was er vielleicht lieber nicht hätte tun sollen.

Denn kaum zwei Wochen später äußerte seine Frau erneut den Verdacht, sie sei guter Hoffnung. Da konnte Vico nur verächtlich schnauben. Und doch: Susann ging zu ihrem Frauenarzt und kam mit Massen von Formularen wieder, eine

Schwangerschaft betreffend. Diätpläne und Gymnastik-Ratgeber, Hebammen-Adressen und Informationen über Babynahrung.
»Vielleicht ist es diesmal *nicht* gelogen …?«, sagte Vico bedrückt zu Conny, während ihr Sohn kichernd und glucksend auf seinem Rücken und seinen Schultern herumkletterte und er sich bemühte, den Kleinen so zu halten und aufzufangen, dass er sich nicht wehtat.

Bis September war es warm, eine leicht verschleierte Sonne schien den ganzen Tag. Der 8.9. war ein Dienstag.
Conny hörte das Telefon schon auf dem Gartenweg und rannte ins Haus, Eric im Arm.
Die knarzige, dunkle Stimme von Eva Wohlgast hauchte, seltsam kühl und leise: »Er ist nach Hause gekommen. Das wollte ich euch nur sagen.«
Conny begriff nicht, was gemeint war: »Nach Hause, Tante Eva? Ich verstehe nicht …?«
»Uwe. Er ist nach Hause gekommen«, war die Antwort, wieder abwesend und leise.
Conny blickte sich um. »Nein – ich … Nein, Onkel Uwe ist nicht hier, soviel ich sehen kann. Soll ich dich anrufen, wenn er nach Hause kommt?«
»Er ist ja bei mir. Das meinte ich …«, sagte die Tante rätselhafterweise und fügte, wie so oft, hinzu: »Ich muss jetzt baden«, bevor sie den Hörer auflegte.
Conny rief verschiedene Male zurück, ohne dass abgehoben wurde. Sie kochte den Abendbrei für Eric und bat Dieter, das Kind ins Bett zu bringen. Übrigens wusste der Onkel auch nicht, wo sein Bruder steckte.
Später am Abend lief Conny, nachdem bei Wohlgast immer noch keiner ans Telefon ging, zur gelben Villa. Doch auf ihr Klingeln reagierte niemand, und sie wanderte, ziemlich beun-

ruhigt, zurück zum Rebhuhnweg. Sie machte sich Sorgen, ohne zu wissen, weshalb.
In der Nacht auf Mittwoch kippte das Wetter. Ganz plötzlich war Herbst, kühl, bedeckt, etwas Nieselregen. Am Morgen stand die Polizei wieder einmal vor der Haustür von Familie Hertz. Zwei Beamte mit ernsten Gesichtern, der Peterwagen parkte vor der Tür, sehr zur Genugtuung von Nachbar Soest gegenüber.
Conny öffnete im weißen, selbst genähten Morgenrock, ganz erstaunt. Sie wurde gebeten, sich anzuziehen, um eine Leiche zu identifizieren. Eigentlich zwei Leichen …

Am nächsten Tag stand er in der Zeitung, der neue Skandal um Familie Hertz. Zwei Tote in der gelben Villa! Uwe H. (60) hatte am Nachmittag vor der Gaststätte Zur Doppeleiche versucht, zwei Männer zu beruhigen und zu trennen, die anfangen wollten, sich zu prügeln. Es sah so aus, als wäre ihm das gelungen, und er verließ den Ort. Doch als er etwa fünfzehn Minuten später bei seiner Bekannten, Frau Eva W. (71), ankam, stellte sich wohl heraus, dass ihm ein Messer im Rücken steckte. Der Messergriff war so schwarz wie seine abgeschabte alte Lederjacke, deshalb konnte man das nicht sehr gut erkennen. Der Mann brach offenbar im Wohnzimmer von Frau W. zusammen und war tot. Sie musste das Messer entfernt, ihn auf den Rücken gelegt, seine Hände gefaltet und seine Augen geschlossen haben. Frau W. wurde am frühen Morgen von ihrer Putzfrau in ihrer Badewanne gefunden.
Es sah aus, als ob Eva in Rotwein badete, und für einen Moment glaubte die Reinigungskraft tatsächlich, es wäre so. Später versicherte sie Conny glaubhaft, Eva Wohlgast hätte gelächelt. Im Wohnzimmer lief der Plattenspieler, auf ewig eingestellt, und spielte immer wieder so ein altes Lied, erzählte sie.

Mit dem plötzlichen Ende des sanften, warmen Sommers wurde alles anders.
Susann van Loon erwartete wirklich ein Baby. Eine Risikoschwangerschaft, in der sie viel ärztliche Betreuung und seelischen Beistand benötigte. Vico telefonierte nur noch hin und wieder, flüsternd, mit Conny. Von einer Scheidung konnte keine Rede mehr sein. Und mit Conny und Eric konnte er seinen Eltern nun, nach dem aktuellen Skandal (asozialer Niendorfer stirbt, ganz typisch, mit Messer im Rücken), sowieso nicht kommen. Die wären einfach nur entsetzt …
Conny organisierte die Beerdigung von Onkel Uwe und Tante Eva. Die Trauergemeinde in der hübschen achteckigen Niendorfer Barockkirche war sehr klein. Der verbliebene Onkel Dieter, Nelli und ihr Bruder Christian lauschten mehr oder weniger konzentriert der langweiligen Predigt.
Miranda Gebhardt weilte auf Korfu und ahnte nichts von den dramatischen Ereignissen. Tante Ala war schon lange tot. Und die Menschen von Evas »Jour fixe« hatten nichts von dem Todesfall gehört oder verspürten kein Bedürfnis, mitzutrauern.
Uwe hatte sicherlich Freunde gehabt. Denen fehlte wohl der Sinn für Beerdigungen.
Damian war ebenfalls zu sensibel dafür. Er wollte jedoch vielleicht hinterher zum gemeinsamen Kaffeetrinken ins Café Meyer kommen.
Conny saß im hellblauen Gestühl, Eric auf dem Schoß, und betrachtete, um nicht zu weinen, den großen schwebenden Taufengel, der bäuchlings von der Kirchendecke hing und ein bisschen mit den Füßen zu rudern schien, um das Gleichgewicht zu halten. Unter ihm standen die beiden Särge, einer mit weißen und einer mit roten Blumen bedeckt.
Dann weinte sie doch, ihre Tränen tropften auf Erics schwarzes Haar.
Was hatte sie alles verloren!

Nelli streichelte sachte den Arm ihrer Freundin und flüsterte: »Aber du hast deinen kleinen Jungen, das ist so ein Schatz! Du glaubst gar nicht, was manche Menschen für so etwas geben würden …«
Conny schaute auf in die liebevollen schräg stehenden Augen. Sie fragte sich zum ersten Mal, ob Nelli vielleicht manchmal doch lieber ein lebendiges Kind hätte anstelle der Stofftiere.

Zwei Tage später erhielt sie einen Anruf von Herrn Meifarth, dem netten Anwalt Tante Evas. Er bat sie, in sein Büro zu kommen, ein Notar wäre auch anwesend, seine Klientin hätte Conny etwas hinterlassen.
Ein bisschen hatte sie darauf gehofft. Es wäre eine Erleichterung – immerhin hatte sie die Beerdigung aus eigener Tasche, das heißt nahezu mit ihren gesamten Ersparnissen, bezahlt.
Sie nahm den Vormittag bei Wonni frei und beglückte ihn damit, dass sie Eric zum Ersatz bei ihm ließ.
Ihr wurde das Testament vorgelesen, und sie fragte verwirrt: »Wieso, Herr Meifarth –? Sie kann doch nicht – ich kann doch nicht –?«
»Doch, Frau Hertz, das hat seine Richtigkeit. Sie sind die Alleinerbin. Übrigens kommt noch das Haus mit dem 90 Quadratmeter großen Grundstück dazu. Unterkellert, zwei Stockwerke.«
Conny schüttelte den Kopf: »Könnten Sie das bitte noch einmal sagen?«
»Bitte, gerne. Es handelt sich um die Summe von vierhundertdreiundneunzigtausend Mark. An Bargeld. Der Schmuck müsste geschätzt werden. Das Haus auch. Und hier ist ein Brief, den ich Ihnen geben soll. Den hat Frau Wohlgast in der Nacht vor ihrem Ableben verfasst, er lag in ihrem Haus, adressiert an mich mit einem Begleitschreiben.«

Liebes Connymädchen,
komischerweise hab ich Dir nie viel von mir erzählt, weiß das Wiesel, warum. Waren wohl keine sehr erfreulichen Geschichten.
Stell Dir vor, ich war dreimal verheiratet: zweimal geschieden, einmal Witwe, und ziemlich einsam und verbittert, als Dein krimineller Onkel und Du mir damals ins Haus geschneit seid.
Und ich versichere Dir, keiner meiner Verflossenen hat mich je halb so bei Laune gehalten wie Uwe. Das war wirklich Liebe, Conny, ganz große Liebe, egal, was alle Leute darüber gedacht haben. Er wollte nie einen Pfennig von mir, deshalb hab ich immer geplant, Dir mein ganzes Geld zu hinterlassen, wenn ich mal nicht mehr bin. Ich dachte, Du würdest Uwe bestimmt unterstützen, wenn er etwas braucht.
Jetzt benötigt er nichts mehr.
Er kam ganz unerwartet zu mir, weil er Schmerzen hatte. Er sagte: Guck mal, da ist was an meinem Rücken. Und dann ist er in meine Arme gestürzt und war auch schon auf der anderen Seite. Ich bin so froh, dass er zu mir gekommen ist, dass er bei mir war. Ich hätte es nicht ausgehalten, nur davon zu hören.
Du hast mich vor einigen Jahren gefragt, ob Dein Ehebruch mit dem jungen van Loon wohl eine Sünde sei. Ich glaube, beinah nichts, was mit Liebe zu tun hat, ist wirklich sündhaft. Im Moment beschäftigt mich die Frage: Ist Selbstmord Sünde? Kann es sein, dass ich nach dem Sterben woanders lande als dein Onkel? Ich hab vorhin eine ganze Weile darüber nachgedacht und ich will es riskieren. Kann mir nicht vorstellen, dass ausgerechnet Gott, der ja die Liebe erfunden hat, uns derart strafen würde.
Weißt Du, ich bin Gott nicht böse, weil er diesen Mord an meinem Liebsten nicht verhindert hat. Vom lieben Gott wird dauernd erwartet, dass er irgendwo hindernd eingreift, weil es

irgendwem in den Kram passt, und falls er das nicht tut, bekommt er zu hören, es gibt ihn nicht.
Ich glaube, er greift nicht ein, weil das alles nicht seine Sache ist, sondern unsere Sache. Er hält sich da raus und hat uns einfach immer lieb. Jeden von uns. Er hat also auch diesen Kerl lieb, der Uwe das Messer in den Rücken gejagt hat.
Und insofern vertraue ich darauf, dass er mich weiterhin lieb hat, sogar, wenn ich jetzt Schluss mache.
Sei doch vorsichtshalber so nett und bete für uns, dass wir begnadigt werden.
Ich habe drei Gründe, mein letztes Bad zu nehmen.
Zum Einen renne ich diesem tätowierten Mann hinterher, Du wirst vielleicht verstehen, warum. Möglicherweise ist so was ja doch keine sinnlose Dramatik. Kein Wort über Romantik, bitte!
Zum Zweiten bin ich seit einer Weile krank. Es ließ sich ertragen; es wäre schlimmer geworden, vielleicht eines Tages unerträglich. Weshalb soll ich so lange warten?
Zum Dritten möchte ich, dass Du mein Geld erhältst. Du hättest es ebenso wenig als Geschenk angenommen wie Dein Onkel. Familie Hertz ist da etwas eigen. Ihr klaut so was, aber Ihr lasst es Euch nicht schenken.
Jetzt kannst Du Dich nicht mehr wehren – na ja, Du könntest es ablehnen. So dumm wirst Du doch wohl nicht sein?
Mach was draus, Connymädchen. Überdenke gut, ob Du Dein Schicksal wirklich ganz und gar diesem gazellenäugigen Prinzen in den Schlund werfen solltest.
Du wirst immer Menschen finden, die Dich lieben, denn Du bist sehr liebenswert und Dein kleiner Junge ist es auch schon.
Ich wünsche Dir ein wunderbares Leben.
Meins war gar nicht so übel, vor allem die letzten beinah zwanzig Jahre.
Weißt Du was, Conny?
Ich glaube, ich bin glücklich –

Im 14. Kapitel
treffen wir auf manche Neuerung, entspannen uns am Mittwochnachmittag und wundern uns über Schönheit und Gerechtigkeit
1983–1987

Conny – warte doch mal – Herzchen! Bist du das? Klar bist du das – und da haben wir ja wohl den kleinen Eric, oder?«, rief eine durchdringende Stimme quer durch die Flughafenhalle von Malpensa, gefolgt vom energischen Gestöckel hoher Absätze.

Etliche Leute drehten sich zu der eleganten, lauten Dame um, die einer jungen Frau mit Kind so lebhaft um den Hals fiel, dass die ihre Reisetasche und den Schirm zu Boden plumpsen ließ.

»Tag, mein Herzchen – und Tag, du Mini-Herzchen, huhu, ich bin übrigens deine Tante! Gott, ist der süß … Wie alt ist der denn jetzt schon? Und was macht ihr zwei überhaupt in Mailand?«

»Femke – schön, dich zu sehen … Eric ist vier … Was wir hier machen? Na, ich muss mich um meine Modenschau kümmern!«

»Du hast eine Modenschau in Italien?!«, schrie Femke beeindruckt. »Das ist ja toll! Wann – heute Abend?«

Conny musste lachen. »Um Himmels willen, das wäre ja schrecklich, wir sind doch gerade eben gelandet. Ich muss erst mal alles organisieren, was sich von hier aus besser machen lässt als von Hamburg aus. Den richtigen Veranstaltungsort finden – da stehen einige zur Auswahl –, Laufsteg und Saalbestuhlung anbringen lassen, die passende Musik finden: Musik ist ganz wichtig …«

»Ah, und Gäste einladen, sobald du weißt, wo es stattfindet?«

»Richtig. Und Models finden. Zwei brauche ich nur noch. Drei kommen nächste Woche aus Hamburg.«
»Ach, zu schade, dass ich heute schon wegmuss. Das hätte ich gern erlebt. Du, mein Abflug ist erst in einer guten Stunde! Wollen wir uns nicht eben ins Restaurant setzen und ein bisschen klönen?«
Conny überlegte kurz. »Eric hat im Flieger geschlafen statt zu essen, der hat bestimmt Hunger. Femke, geh doch mal voraus und bestell was für dich und für uns – warte … Ja, für mich einen Kaffee und für Eric irgendein Kindermenu. Er mag nahezu alles, praktischerweise … Willst du ihn gleich mitnehmen? Dann geht das schneller – ich muss mich um die Kleider kümmern, die sind ja mitgeflogen.«
Femke nickte verständnisvoll: »Deine Haute Couture!«
Conny kicherte. »Na, ganz so schlimm ist es nicht. Nur Prêt-à-porter. Ich will keine genialen neuen Werke schaffen, die niemand tragen kann, sondern einfach meine Fummel verkaufen …«
Femke nahm beinah zaghaft die Hand des kleinen Jungen und beugte sich über ihn. Sie dämpfte ihre Stimme etwas, als sie fragte: »Kommst du denn einfach mit mir? Du kennst mich doch überhaupt nicht – also nicht richtig, ich hab dich zuletzt gesehen, als du noch ein Baby warst …«
Aber Connys Sohn blickte vertrauensvoll mit seinen riesigen Brombeeraugen zu ihr hoch, und Conny versicherte: »Eric ist ein Mann von Welt. Er reist dauernd mit und lernt ständig neue Leute kennen. Solange er noch nicht zur Schule muss, hab ich ihn eben am liebsten immer bei mir. Er ist gewöhnt, mit bunten Stoffresten zu spielen oder mit Haarteilen und Puderquasten und wird von dünnen Models mit Schokolade gefüttert …«

Fünfundzwanzig Minuten später blickte Femke beunruhigt auf ihre Uhr, den bereits wieder schlafenden Eric, der seinen

Teller brav leer gegessen hatte, auf dem Schoß. Was sollte sie tun, falls Conny nicht gleich auftauchte? Auf ihren Flug verzichten? Das Kind mit nach Hamburg nehmen? Am besten Frau Hertz ausrufen lassen – aber dazu musste sie aufstehen, dann würde der Kleine aufwachen und vielleicht weinen?

Doch da kam Conny angeschossen: »Entschuldige, der Zoll – ich erklär's dir gar nicht erst, sonst können wir keine drei Worte darüber hinaus wechseln. Ist das hier mein Kaffee?«

»Ja. Eiskalt natürlich!« Femke bemühte sich deutlich, ihren Lautsprecher zu drosseln, um Eric nicht zu wecken. »Herzchen, du sollst jetzt auch nicht Kaffee trinken, sondern reden! Erzähl mir was über deine Firma. ›Hertz-Moden‹, nicht wahr? Mit diesem etwas eckigen rosa Herzen. Hab ich schon gesehen. Ich hab mir sogar schon mal eine Bluse von dir gekauft. Was stellst du noch her?«

»Kleider und Mäntel, ein paar Hosen, meist ohne Verschluss, nur mit Gummizug. Alles gut geeignet für Mollige und trotzdem reizvoll auch an schlanken Frauen. Weich fließende Stücke, nicht nach dem Fadenlauf, sondern diagonal verarbeitet. Reines Naturmaterial, das macht sonst einstweilen kaum einer – außer so unschicke Lehrerinnen-Blockflöte-Mode oder knallbunte Folklore aus Indien. Aber der Trend geht schon da hin. Meine Sachen sind aus Leinen, Baumwolle, Viskose und Seide, auch miteinander gemischt, immer ohne Synthetik. Stretchmaterial beispielsweise wäre ja albern, weil nichts anliegt, sondern alles weich die Figur umspielt.«

»Geht denn das Geschäft sehr gut?«

»Immer besser. Ich entwerfe auch Stoffmuster selbst, ganz typische, naive Bäume und Vögel und so was. Inzwischen beschäftige ich vier Mitarbeiter. Das wird demnächst mehr werden …«

»Deine Eva wäre stolz auf dich.«

»Ohne sie, ohne die Erbschaft, wäre das alles nicht möglich, Femke. In ihrem letzten Brief hat sie mich aufgefordert: Mach was draus! Deshalb fühl ich mich verpflichtet. Eva treibt mich gewissermaßen aus dem Grabe an – und das macht sie gut.«

»Da bleibt nicht viel Zeit für die Liebe, was? Andererseits – ihr seid doch wieder zusammen, mein Bruder und du?«

Conny blickte mit zusammengezogenen Augenbrauen aus dem Fenster auf eine Boeing 747, die gemächlich zur Startbahn rollte, und trank einen Schluck vom kalten Kaffee. »Ja, seit einem Dreivierteljahr etwa. Davor war ein halbes Jahr lang Sendepause. Nicht nur, dass wir uns nicht begegnet sind – er hat nie angerufen, nie geschrieben. Einmal sind wir uns in der Innenstadt über den Weg gelaufen – da ist er über die Straße gerannt, um bloß von mir wegzukommen. Wäre fast überfahren worden …«

Femke nickte. »Das war sein heiliger Schwur. Ich weiß.«

Conny lächelte zweifelnd. »Warum schwört er, wenn er es dann doch nicht hält?«

»Weil Lauras Geburt ein Albtraum gewesen sein muss. Hat trotz kompetentester ärztlicher Bemühungen beinah zwei Tage gedauert und sah die ganze Zeit so aus, als ob Susann krepieren würde mitsamt ihrem Baby. Da hat er halt irgendwelchen höheren Mächten versprochen, sein Verhältnis mit dir ein für alle Mal zu beenden, falls seine Frau und das Kind alles heil überstehen.«

»Ja. Das hat er mir ja auch so erklärt. Und dann hat er mich trotzdem wieder angerufen.«

»Da war seine fromme Phase wohl vorbei. Und er hatte eben Sehnsucht nach dir. Nach euch …«

Beide betrachteten den schlafenden Jungen auf Femkes Schoß. »Du, es verhält sich nicht unbedingt so, dass Eric Vicos Ein und Alles ist. Er behandelt ihn ganz lieb, aber wenn ich nicht ab und zu anregen würde, dass sie sich sehen …«

»Tatsächlich? Dabei ist der Kleine doch ein Knüller. Wie süß der sich vorhin mit mir unterhalten hat! Seine kleine Laura vergöttert Vico. Komisch, man denkt immer, Männer wünschen sich Söhne?«

Conny zuckte mit den Schultern. »Wir sind nun mal keine Familie. Mir bleibt jede Woche nur eine kleine Zeitnische mit deinem Bruder. Und wenn ich ganz ehrlich sein soll, in den paar Stunden will ich ihn nicht unbedingt in erster Linie als Vater, sondern als Mann …«

Femkes Flug wurde jetzt aufgerufen, und sie übergab den Kleinen mit gebührender Vorsicht seiner Mutter. Er wachte kaum auf, kuschelte sich zurecht, steckte den Daumen in den Mund und lächelte zufrieden.

»Aber jetzt hast du überhaupt nichts von dir erzählt –«, wurde Conny klar.

»Ach, ich … meine italienische Ehe wird gerade geschieden. Mit Signore Favelli ist es aus.«

»Oh, das tut mir leid!«

»Nicht doch, muss es nicht. Weißt du, was ich tun werde? Ich mache das, was Tony Buddenbrook gemacht hat!« Femke lächelte schelmisch.

Conny überlegte. Die Buddenbrooks hatte sie natürlich bei Eva gelesen. Was um Himmels willen hatte Tony denn gemacht? Einen Verehrer spitzfindig beleidigt? Einen Behinderten geneckt? Nach zu viel kaltem Bier auf die Gartenrabatten gespuckt?

»Ähm …?«

»Ich werde das zweite Mal nach München heiraten!«, rief Femke triumphierend.

»Toll!«, erwiderte Conny in möglichst beeindrucktem Ton. Es war sicher nicht sinnvoll, jetzt zu erwähnen, dass Tony Buddenbrook ihre zweite Ehe doch ebenso bereuen musste wie die erste.

»Ja. Sobald die Scheidung durch ist. Dann besuchst du mich mal, versprochen?« Femke raffte Tasche und Handgepäck, küsste Conny hastig auf beide Wangen: »Viel Erfolg bei deiner Modenschau und überhaupt weiterhin!« – nickte ihr zu und stöckelte, laut und energisch, zum Ausgang.

1985 beschäftigte Hertz-Moden bereits sieben feste Mitarbeiter, ein Jahr später waren es elf. Die neueste Angestellte, eine noch junge Person mit nussbraunen Augen, Stupsnase und selbstbewusster Miene, wurde von Connys Chefsekretärin eingearbeitet. »Frau Kannemaker? Ich sehe gerade, Sie haben versehentlich zwei Termine für die Chefin auf den Mittwochnachmittag gelegt. Das können Sie nicht wissen – das geht nicht, ja? Der Mittwochnachmittag ist ein Tabu, ja? Da hat die Chefin unabdingbar ihren freien Nachmittag. Und wenn die Welt untergeht. Sonst ist sie nahezu rund um die Uhr erreichbar, Tag und Nacht. Arbeitet uns alle wirklich in Grund und Boden. Aber etwas Privatleben braucht der Mensch. Und das hat die Chefin eben am Mittwochnachmittag, ja? Das woll'n wir ihr mal gönnen ...«

Der Mittwochnachmittag begann für Conny kurz nach zwölf. Sie verabschiedete sich aus ihrer Firma und fuhr zu einem großen Delikatessengeschäft in Eppendorf, um dort in Ruhe einzukaufen. Ein schmächtiger Verkäufer mit Mittelscheitel und Silberblick eilte ihr entgegen: »Für Ihr Mittwochs-Picknick, Frau Hertz? Also, ich würde heute Folgendes vorschlagen: Langustenschwänze in Blätterteig, eine Spargel-Brokkoli-Tarte – können Sie flink im Backofen heizen, schmeckt jedoch auch kalt *superb* –, frittierte Hähnchenkeulen mit einem *exzellenten* Senf-Honig-Dip – und ein bisschen was Süßes mag doch der Gemahl gern zum Schluss? Also entweder unsere schokoladisierten Erdbeeren oder diese Rhabarber-Biskuitwürfelchen, kann ich *beides* empfehlen! Ach, ich kenne Sie – Sie nehmen sowohl als auch ...«

Mit den Picknick-Zutaten fuhr sie zu einem ziemlich anonymen Hochhaus in Eimsbüttel, parkte auf einem der beiden Tiefgaragenplätze, die Vico gemietet hatte, und fuhr mit dem Fahrstuhl in den 14. Stock.

In den vergangenen vier Jahren war ihr so gut wie nie ein Nachbar begegnet. Falls wirklich mal jemand den Fahrstuhl mit ihr teilte, kuschelte sie sich in ihren Kragen und blickte auf den Boden.

Sie schloss das Einzimmerapartment auf, stellte die Lebensmittel in der kleinen Küchennische ab, raffte mitleidslos die Rosen, die noch recht gut aussahen, aus einer Vase und stopfte sie in den Müll. Vico würde neue mitbringen, so verlangte es das Ritual, und sie wollte nicht darauf verzichten. Nach Hause mitnehmen mochte sie den Strauß so wenig, wie man das mit Krankenhaus- oder Friedhofsblumen macht.

Der Mittwochnachmittag bot sich an, weil Vicos eigene Praxis dann geschlossen war. Susann van Loon ging davon aus, dass ihr Mann bei einer ehemaligen Mitstudentin jede Woche eine Art Physiotherapie für seinen »kranken Rücken« bekam. Bei dieser Therapeutin handelte es sich wieder um die geheimnisvolle Frau Schwarz, Dr. Almut Schwarz hatte Vico sie getauft. Susann besaß sogar, für den Notfall, die Telefonnummer dieser Praxis. Doch sie sah offenbar nie einen Anlass, dort anzurufen.

Conny stellte zufrieden fest, dass ihr bis zwei Uhr noch eine Stunde blieb. Sie schaltete im Radio einen Kultursender ein, der um diese Zeit zuverlässig klassische Musik lieferte, und schminkte sich ab. Inzwischen sprudelte das Badewasser auf eine Handvoll Duftöl. Während sie badete, entspannte sie sich bereits aus Gewohnheit. Jeder Gedanke an Hertz-Moden verschwand aus ihrem Kopf, auch der bevorstehende Umzug mit

Onkel und Sohn sollte sie jetzt nicht beschäftigen. Vor allem jede Art von eventuellem Groll gegen Vico atmete sie tief von sich weg.
Keine Vorwürfe. Gute Laune. Vorfreude.
Conny trocknete sich ab, parfümierte ihren Körper mit Bodylotion und schlüpfte ohne Unterwäsche in ein langes rotes Hauskleid. (Aus eigener Kollektion; weder Onkel Dieter noch Eric hatten sie je darin gesehen, so wenig wie in einem der anderen Kleidungsstücke, die hier im Schrank hingen.) Sie steckte funkelnde schwarze Perlentrauben, die bis auf die Schultern tippten, an ihre Ohren und legte neues Make-up auf, kräftiger als für den Berufsalltag. Das Zimmer war ein wenig dämmerig, da machte sich das gut.
Sie deckte den Tisch, zündete zwei neue Bienenwachskerzen in den Leuchtern an (die angefangenen pflegte sie, im Gegensatz zu den Blumen, mit nach Hause zu nehmen und dort aufzubrauchen) und blickte wieder auf die Uhr.
Da hörte sie schon die Fahrstuhltür im Treppenhaus.
Er schloss die Tür auf und lächelte, stellte, ohne hinzusehen, den neuen Strauß – zwanzig dunkelrote Rosen – in die Vase, ohne sie aus den Augen zu lassen, ging schnell auf sie zu, schloss sie in die Arme und flüsterte die gesamte Liste vertrauter Worte, die sie gewohnt war und die sie hören wollte und die sich nie abnutzten. Dann nahm er ihr Kinn zwischen Daumen und Zeigefinger und küsste sie.
Und Conny wusste: Susann erhielt von Vico bestimmt im Lauf der Woche einige Küsse; auf die Wange, auf die Stirn, sicher auch auf den Mund. Wahrscheinlich im Bett – das war etwas anderes. Doch niemals bekam sie zur Begrüßung oder zum Abschied einen Kuss dieser Art. Der war nichts für Ehefrauen. So was bekam nur eine Geliebte …

Nachdem sie von Eva so reich beschenkt worden war, hatte Conny überlegt, ob sie nicht mit ihrer verbliebenen kleinen Familie in die gelbe Villa ziehen sollte. Einerseits widerstrebte es ihr, weil in diesem Haus zwei ihrer liebsten Menschen gestorben waren. Andererseits beherbergte der Ort auch viele schöne Erinnerungen. Doch als sie begann, einige Umbauten zu planen, und einen Experten hinzuzog, entdeckte der den Schwamm! Nicht zu reparierende Schäden im Bauholz, vor allem im Dachstuhl.

»Aber es riecht doch so sauber?«, fragte Conny entsetzt – schließlich wusste keiner besser als sie, was ein krankes, billig gebautes Haus ausdünstete.

Sie erfuhr, den Geruch von Hausschwamm könne man meistens nicht wahrnehmen. Und dieser Fall sei leider ziemlich hoffnungslos: Abreißen und neu bauen wäre die sinnvollste Alternative. Beim Wert des Grundstücks und bei ihren Bargeldreserven sei doch die Finanzierung kein Problem.

Solange die Abrissbirne wütete, ging Conny nie in den König-Heinrich-Weg. Sie kam erst wieder vorbei, als der Keller für ein mittelgroßes Wohnhaus gebaggert wurde.

Etwas später ließ sie auch ihr verbautes Elternhaus im Rebhuhnweg abreißen und dort ein weiteres Mehrfamilienhaus hinstellen. Die beiden roten Gebäude waren zweistöckig und beinhalteten je sechs Dreizimmerwohnungen mit großen Balkons. Alle zwölf Wohnungen wurden gut vermietet und brachten Conny einen erfreulichen Gewinn – wenn sie natürlich, andererseits, auch immer mal wieder Kosten verursachten.

Conny war nun seit einer Weile – eigentlich, seit es den energischen Onkel Uwe nicht mehr gab – das Familienoberhaupt. Onkel Dieter neigte sehr dazu, auf ihre Fragen nach diesem oder jenem zu antworten: »Och, mach das man ganz, assu denks, Bibi.«

Eines Tages fragte sie nicht mehr, sondern entschied einfach alles selbst.
Der Onkel freute sich über den Wohlstand, der es ihm ersparte, noch irgendwie Geld verdienen zu müssen oder auch nur die Betten zu beziehen oder den Küchenboden zu wischen; jetzt konnte Familie Hertz sich eine eigene Putzfrau leisten.
Aber er kümmerte sich stets gern und liebevoll um Eric, so gut er es vermochte.
Sogar als sie mit Vico einen zweiwöchigen Urlaub in der Karibik machte (während Susann meinte, er sei auf einer Fortbildung in Österreich), übernahm er die Aufsicht für den kleinen Jungen. Dabei wurde er allerdings von Christian Schnoor unterstützt. Bei den Schularbeiten hätte der alte Herr Hertz seinem Großneffen nämlich wirklich nicht helfen können.
Bis 1986 wohnten Conny, ihr Sohn und Onkel Dieter in einer Vierzimmerwohnung An der Lohe. Dann zogen sie in ein hübsches Haus am Perckentinweg, immer noch in Niendorf, aber weiter nördlich.

Kurz nach diesem Umzug klingelte abends das Telefon.
Eric rannte, nahm den Hörer ab und meldete sich brav mit Vor- und Nachnamen, wie er es gelernt hatte. Dann rief er: »Mami? Tante Nelli möchte dich sprechen …«
»Würdest du heute Abend mit mir zu einer Ausstellung gehen?«, bat Nelli ihre Freundin. »In einer Galerie in Alsterdorf. Bilder. Überwiegend Porträts, glaube ich. Ich hab den Maler kürzlich kennengelernt, ganz absurd, im Wartezimmer beim Zahnarzt. Weise heißt der, Kolja Weise. Wir haben uns eine Weile unterhalten, er ist sehr nett. Hinterher sind wir sogar noch etwas spazieren gegangen … Ich möchte gern sehen, was für Bilder der macht. Das geht um halb neun los.«
»Klar komme ich mit. Damian hat kein Interesse daran?«

»Nein. Du weißt ja, wie ungern Dami aus dem Haus geht. Außerdem ist ihm so, als bekäme er eine Erkältung …«
»Dann wünsche ich ihm gute Besserung. Ich hole dich ab, sobald ich gegessen habe, ja?«
Conny legte sehr nachdenklich den Hörer auf. Damian bekam vielleicht eine Erkältung – und Nelli blieb nicht bei ihm, um ihm vorzulesen und den sieben Stofftieren kleine Wollschals umzubinden? Sie musste ja wirklich enorm neugierig sein auf die Porträts von Herrn Weise.

Kolja Weise, Mitte oder Ende zwanzig, trug eine veilchenblaue Samtjacke genau im Ton seiner Augen. Die wurden von dichten dunklen Wimpern umrahmt und waren das einzig Feminine an ihm. Ansonsten platzen seine Bizepse fast aus den Ärmeln, und wenn er tief Luft holte, ächzten seine Hemdknöpfe.
Er wirkte wie ein junger griechischer Ringer des Altertums, nicht im Mindesten wie ein Maler – oder jedenfalls nicht wie ein Kunstmaler. Eher schon wie ein kräftiger Anstreicher. Dazu passte, dass er zum Schwitzen neigte, vielleicht auch vor Nervosität wegen der Ausstellung und weil die Galerie gut beheizt wurde. Sein dichtes, lockiges Haar kräuselte sich dadurch lebhaft auf der breiten, etwas niedrigen Stirn, was ganz reizend und sinnlich wirkte.
Eins muss man Nelli lassen, dachte Conny verblüfft, sie hat einen Griff für traumhaft schöne Männer.
Kolja rannte geradezu durch den Raum, sobald Nelli und Conny eintraten, begrüßte Conny geistesabwesend und nebenher, verschlang Nelli mit den Augen und stellte sie seinem Agenten vor, der etwas erstaunt wirkte, als Kolja versicherte, dies hier sei die Frau Gebhardt, von der er schon so viel erzählt habe und die er unbedingt demnächst porträtieren müsse.

Nelli trug selbstverständlich ein Hertz-Modell, ein dunkelblaues, fließendes Gewand, das gut zu ihren kurzen roten Locken passte. Ihre kleinen schräg stehenden Augen leuchteten und ihre Wangen glühten – es war wirklich sehr gut geheizt in der Galerie –, und das machte sie hübscher. Trotzdem blieb sie eine mollige Frau mit zu großen Vorderzähnen, die etwas älter aussah, als sie war.
Entweder fiel das Kolja Weise nicht auf. Oder es war ihm egal. Oder es bildete ganz genau die Zutaten zu seinem persönlichen Schönheitsideal.
Als sie nach Hause fuhren, fragte Conny nach längerem Schweigen: »Bist du verliebt in ihn?«
»Schlimmer, Conny. Ich glaube, ich liebe ihn.«
Conny versuchte, ihre Bestürzung zu verbergen. »Er hat ja offensichtlich auch sehr viel für dich übrig. Aber – was ist mit deinem Mann? Der war doch, dachte ich, immer die große Liebe deines Lebens?«
»Ist er noch. Ich verstehe mich mit niemandem besser. Dami ist mein Seelenpartner«, versicherte Nelli. Und nach einer Pause: »Aber Kolja liebe ich eben auch. Es ist einfach so. Nicht dass ich es begreifen würde. Ich war ja glücklich, mir hat nichts gefehlt. Kolja ist vollkommen überflüssig. Ich brauche ihn nicht. Und doch …«
»Wie geht das denn? Du kannst doch nicht zwei Männer auf einmal lieben?!«, fragte Conny etwas ärgerlich.
»Anscheinend kann ich. Ich verstehe es selber nicht. Glaub nicht, dass ich mich gut dabei fühle. Ich will niemandem wehtun, schon gar nicht einem von den beiden, verstehst du? Wenn ich es könnte, würde ich es lassen. Ich kann aber nicht mit Lieben aufhören. Ich meine – du liebst ja auch Vico und Eric und Onkel Dieter –?«
»Das ist doch etwas ganz anderes! Mutterliebe ist mit erotischer Liebe nicht zu vergleichen, Nelli.«

»Ja. Nein. Aber ist nicht jede Liebe irgendwie etwas anders und deshalb nicht miteinander zu vergleichen? Du kannst mich totschlagen, ich weiß nicht, welcher mir wichtiger ist. Wenn wir zu dritt in einem Boot kentern würden, würde ich lieber mit beiden untergehen, als einen zu retten, ich meine, falls ich könnte ...«

»Damian sollte dir wichtiger sein. Mit dem bist du schließlich verheiratet!«, verlangte Conny – merkte, wie Nelli sie mit einem gewissen Vorwurf von der Seite ansah, und verbesserte sich gereizt: »Was ich sagen will, ist, der war nun mal zuerst da!«

Nelli guckte immer noch genauso – und schüttelte dann den Kopf: »Das sind vielleicht Argumente, die juristische oder besitztechnische Probleme klären können. Aber nicht gefühlsmäßige.«

»Und – bist du glücklich damit?«, wollte Conny wissen.

»Teilweise bin ich enorm glücklich. Liebe macht nun mal glücklich. Und teilweise fühle ich mich schmerzhaft in zwei Hälften gerupft ...«

Conny fuhr eine Weile schweigend vor sich hin. Schließlich fragte sie: »Und was willst du jetzt tun?«

»Ich muss mit Dami drüber sprechen.«

»Aua. Hältst du das für eine sehr gute Idee?«

»Vielleicht nicht. Aber wir sprechen immer über alles, seit wir uns kennen.«

»Ja. Bloß – vielleicht will er das überhaupt nicht wissen? Vielleicht solltest du das mal nur mit dir selber abmachen? Und, wenn's sein muss, mit Kolja Weise? Weißt du, so, wie Männer immer sagen, wenn sie erwischt werden: Das Eine hat doch mit dem Anderen gar nichts zu tun ...«

Darauf sagte Nelli nichts, und Conny fiel auch nichts mehr ein. Sie setzte ihre Freundin etwas später vor der Tür des schneeweißen Hauses ab und wünschte ihr: »Hoffentlich findest du eine Lösung, die möglichst wenig Schaden anrichtet …«

Nellis rundliches Gesicht mit den schiefen Augen sah sehr blass und sorgenvoll aus, weshalb sie schnell hinzufügte: »Ich drücke dir ganz fest den Daumen!«

Als sie zum Perckentinweg fuhr, dachte sie: Ich hab Nelli oft beneidet um ihre perfekte Partnerschaft. Sie war doch so glücklich mit ihrem Damian? Ich dachte immer, sie hat wirklich unverschämt viel Glück in der Liebe. Und jetzt hat sie noch mehr Glück in der Liebe und kann es nicht brauchen …

Drei Tage später rief Miranda Gebhardt abends bei Conny an. »Du als ihre beste Freundin steckst ja wohl mit in diesem schmutzigen Komplott?! Ich habe meinen Sohn gewarnt. Ich habe ihm von Anfang an abgeraten. Seit zwölf Jahren hab ich darauf gewartet, dass er es bereut! Und jetzt ist es passiert. Jetzt ist sie abgehauen. Sie hat meinen wunderbaren Jungen im Stich gelassen … Wie ist das möglich? Was hat sie dazu gebracht? Sie haben sich ein bisschen gestritten, soweit ich hören konnte. Nur etwas. Ich weiß nicht, worum es ging. Er will es mir nicht sagen … Also sag du es mir!«

Conny hatte nicht die geringste Lust, Miranda darüber zu informieren, dass Nelli ihren unvergleichlichen Traumsohn wahrscheinlich wegen eines anderen unvergleichlichen Mannes verlassen hatte. »Sie irren sich, ich bin nicht eingeweiht«, behauptete sie so nett und höflich wie möglich. (Immerhin ahnte sie ja wirklich nicht, wie Nelli sich nun entschieden hatte und was sie plante.) »Bitte grüßen Sie Damian herzlich von mir. Ich hoffe, Nelli kommt bald zurück.«

»Tust du das? Ich meinerseits hoffe, dass Damian sich schnell erholt und sie vergisst. Dass er sein Leben ändert und eine oder mehrere vernünftige, repräsentative Frauen findet. Ja, es ist zwar erst mal traurig für ihn, dass sie verschwunden ist. Aber vielleicht stellt es sich ja noch als Glücksfall heraus! Entschuldige mich, ich muss die Plüschtiere zu Bett bringen«, rief Miranda und warf den Hörer auf, ohne sich zu verabschieden.

Am darauffolgenden Nachmittag holte Conny ihren Sohn mit dem Wagen von der Schule ab, um ihn zur Gärtnerei der Schnoors zu fahren. Christian, sein Patenonkel, wollte mit dem Jungen ein HSV-Spiel besuchen, das war seit einer Weile verabredet.

Der achtjährige Eric war groß für sein Alter. Er rannte seiner Mutter strahlend entgegen, das schwarze Haar, genauso spiegelblank wie ihr eigenes, fiel ihm über die Augen. Er reckte sich hoch und knuddelte sie.

Sie fragte sich immer, wann er das wohl endlich unter seiner Würde finden mochte. Seine Klassenkameraden waren längst zu männlich, um ihre Mütter öffentlich zu umarmen.

»Ist dir das nicht peinlich, Eric? Mich auf dem Schulhof abzuknutschen, wenn das jeder sieht? Macht sich da keiner drüber lustig?«

Eric grinste. »Was?! Das soll mal einer wagen! Der erlebt den Abend ohne Vorderzähne. Ich bin doch stolz auf dich, Mami. Aber du kannst auch stolz auf mich sein. Du musst nachher mal mein Rechenheft unterschreiben – ich hab eine Eins in der Arbeit! Als Einziger!«

»Eine Eins?«, freute sich Conny. »Wo hast du das bloß her? Von mir jedenfalls nicht. Ich war immer schlecht in Mathe.«

»Na, Onkel Dieter sagt, du konntest schon als kleines Mädchen besonders gut mit Geld umgehen. Du hast ständig was gespart …«

»Ja, schon. Aber das ist doch was anderes«, fand Conny.

Die Gärtnerei wurde jetzt in erster Linie von Nellis älteren Schwestern betrieben. Die Eltern Schnoor überließen den Töchtern ganz gern den Hauptanteil der Arbeit. Christian, inzwischen Mitte zwanzig, studierte. Er war ziemlich groß und sehr langbeinig geworden, und Conny konnte sich nie darüber klar werden, ob er nun eigentlich gut aussah oder auf eine interessante, anziehende Art hässlich war mit diesen spitzen Wangenknochen und den an den Augenwinkeln nach oben laufenden grünen Augen.

»Hast du eine Meinung zu Nellis Verhalten?«, fragte sie ihn, während Eric in Foxis kleinen Jeep kletterte und sich anschnallte.

»Durchaus nicht. Dazu hab ich viel zu wenig Ahnung vom Thema«, erklärte er. »Ich kenne diesen Maler nicht und ich kenne auch Damian kaum – wer kennt den schon? Pass auf, ich bring dir Eric spätestens um neun nach Hause, okay? Wir essen hinterher noch bei McDonald's oder so.«

Christian und Eric fuhren vom Gärtnereigelände, und Conny winkte hinterher. Dann drehte sie sich um und erblickte Corinna, die auf der Bank vor einem der Gewächshäuser saß und mit einem Bambusstab zum Blumenhochbinden vor sich in den Sand malte.

Sie schlenderte zu Nellis großer Schwester und setzte sich neben sie.

»Hallo«, murmelte Corinna, hob ganz kurz ihr hübsches, regelmäßig geschnittenes, etwas welkes Gesicht und blickte dann wieder auf die Ornamente, die sie auf den Boden schrieb.

»Hallo. Wie sieht's aus?«, fragte Conny in möglichst neutralem Ton.

»Ja, wie sieht's aus ...«, wiederholte Corinna. Sie strich ihr blondes Haar hinter die Ohren. »Cordula und ich galten ja immer als die Schönheiten in der Familie. Ich weiß noch, wie meine Eltern sich gegrämt haben, weil Nelli leider so hässlich wurde.

Die würde mal keinen Mann abkriegen, im Gegensatz zu uns. Deshalb durfte sie ja die mittlere Reife machen, weil man dachte, sie würde irgendwie beruflich was Tolles werden. Dann wollte sie eben nur hier in der Gärtnerei lernen. Bis sie's hingeschmissen hat. Und dann hat sie den schönsten und reichsten Mann abgeräumt, der zu haben war. Auch noch jünger als sie selber.« Corinna überkrakelte mit ihrem Bambusstock alles, was sie an Schnörkeln gemalt hatte. »Jeder hätte doch gedacht, der betrügt sie irgendwann oder schickt sie in die Wüste, wenn er eine jüngere, hübsche Frau findet. Gut, schon klar, der Damian Gebhardt hat einen an der Marmel, so was kann ja vorkommen. Da hat meine kleine Schwester irrsinnig Schwein gehabt. Und was passiert als Nächstes? Nicht er haut ab, sondern sie. Nicht er mit einer Jüngeren, Schöneren – sondern sie mit einem noch Jüngeren, noch Schöneren. Ich hab ihn vorgestern gesehen, er hat sie hier abgeholt. Sie war ja eine Nacht in ihrem alten Kinderzimmer, nachdem ihr Gatte sie rausgeschmissen hat. Der Kolja sieht super aus, er hat eine ganz süße Art und er ist über alle Maßen verknallt in Nelli. Hat nur Augen für sie. Ich hätte mich neben ihr ausziehen können, er hätte nicht hingeguckt. Jetzt kann man nur noch hoffen, dass der nie richtig berühmt wird und dass sie beide bald am Hungertuch nagen und tief ins Elend geraten. Denn eins steht fest: Damian nimmt sie natürlich nie zurück. Da wäre schon seine Mutter vor …« Corinna schüttelte den Kopf und fuhr fort: »Unsere jüngste Schwester war nie übertrieben clever. Gut, sie ist irgendwie ganz besonders warmherzig und liebevoll, das schon, jede Katze und jeder Hund ist immer an uns vorbei auf sie zugerannt. Sie hat haufenweise Mitgefühl, Verständnis für andere, mehr als genug. Aber sie ist nicht charmant. Sie ist nicht witzig. Sie kann wenig. Ihre Zähne sind größer als ihre Augen. Trotzdem fahren solche Prachtexemplare auf sie ab. Ist das nicht putzig? Cordula ist wirklich hübsch und genauso wenig verheiratet wie ich. Immerhin hat die ab und zu einen Mann. Es hält bloß nie. Alles Nieten. Ich hatte im Prinzip noch nie eine Beziehung. Glaub es oder glaub es nicht. Ich bin jetzt Anfang vierzig …« Corinna warf den Bambusstock mit Schwung neben sich auf den Boden, sodass er einige Male auf und ab federte. »Ich finde, *ich* hätte die mittlere Reife machen sollen!«

Das 15. Kapitel
bekommt einen Schreck, startet eine Rettungsaktion und tanzt unvermutet in den Aschermittwoch
1988

Femke, die jetzt also nicht mehr Favelli, sondern Hackl hieß, telefonierte ab und zu mit Conny, lud sie immer wieder mal nach München ein – was aus Termingründen leider nie verwirklicht werden konnte – und erzählte von ihrem neuen Mann.

Im ersten Jahr gab es Liebenswertes von ihm zu berichten, im zweiten noch viel Amüsantes. Vier Jahre später klang es bereits, als sei Florian Hackl einer der unangenehmsten Menschen, die Vicos Schwester je begegnet waren.

»Aber erinnere dich doch mal, Leo war dir viel zu nett!«, wandte Conny ein. »Vielleicht ist dein Mann einfach nicht langweilig?«

Worauf Femke erwiderte: »Vielen Dank, das ist mir einige Stufen zu wenig langweilig. Wenn ich noch sehr viel länger bei diesem Burschen bleibe, gibt es hier einen Mord. Und ich vermag nicht zu sagen, ob ich der Täter oder das Opfer sein werde. Oh, lenk mich ab, Herzchen! Gibt es was Neues von deiner Freundin, die ihrem Mann mit diesem Künstler weggelaufen ist? Das Thema interessiert mich zurzeit, Weglaufen, meine ich …«

Und Conny erzählte von Nelli, die jetzt in England wohnte: »Sie kaut nicht gerade am Hungertuch, wie's ihr ihre nette große Schwester gewünscht hat. Aber es sieht wohl finanziell ziemlich knapp aus für sie und Kolja. Er hat immer Hoffnungen für Ausstellungen und den Durchbruch oder reiche Förderer, die sich wieder zerschlagen. Trotzdem sagt sie, sie ist glücklich …«

»Glück hat nicht viel mit Geld zu tun. Glück – das sind zwei große warme Hände, die dich festhalten!«, behauptete Femke. Conny gab zu bedenken: »Andererseits, du kennst doch die Sache mit dem Kaukasischen Kreidekreis? Wenn Damian Nelli festgehalten hätte, wäre sie jetzt vielleicht nicht so glücklich?«
»Oder noch glücklicher, wer weiß. Kommt drauf an, wer fester zieht. Klar kenne ich den Kreidekreis mit dem zerrupften Säugling. Mir hat trotzdem nie so recht einleuchten wollen, dass der, der loslässt, unbedingt der sein soll, der mehr liebt«, meinte Femke nachdenklich. »Ist man nicht vielleicht sogar glücklicher, wenn's einen zerreißt – als wenn man heil bleibt?«
»Kann ich schwer beantworten. Vielleicht solltest du das mal deinen Bruder fragen. Verstehe ich dich richtig: Du willst dich von Herrn Hackl trennen? Richtig, du wolltest das machen wie Tony Buddenbrook ...«
Femkes Lachen klang so laut und scheppernd, dass Conny das Telefon ein Stück vom Ohr weghielt. »Stimmt überhaupt. Das hab ich ja gut hingekriegt! Aber vorher musst du mich unbedingt noch mal in unserem Haus besuchen«, verlangte sie.
Und Conny versicherte ein weiteres Mal, sie müssten einen gemeinsamen Termin suchen.

Am Montag, dem 15. Februar, klingelte spätabends ihr Telefon, als sie sich, bereits im Schlafanzug, gerade im Badezimmer kämmte. Conny warf den Kamm von sich, rannte ins Wohnzimmer und kam trotzdem zu spät für ein direktes Gespräch.
Der Anrufbeantworter enthielt Femkes Stimme, noch lauter und schriller als gewöhnlich: »Hol mich hier weg! Das ist ein Notruf, hörst du? Das ist ein Hilfeschrei, Herzchen, ich meine das ernst. Mayday! Er wirft schon nach mir. Hat geworfen. Hol mich hier weg! So schnell wie möglich ...«

Conny war ziemlich aufgewühlt und versuchte sofort, zurückzurufen, doch in Femkes Haus ging niemand ans Telefon.
Um diese Zeit konnte sie Vico, der womöglich schon neben seiner Frau schlief, nicht erreichen. Das tat sie am nächsten Vormittag: »Ich hab dauernd versucht, die Ärmste anzurufen. Nie geht jemand ran. Ich traue mich auch nicht, etwas auf den AB zu sprechen, weil das ja ihr Mann hören könnte ... Was mag da passiert sein?«
»Keine Ahnung. Femke hat doch ein spezielles Talent, sich in Schwierigkeiten zu bringen, vor allem partnerschaftlich ...«, antwortete er. In seiner Stimme klang das ruhige Selbstbewusstsein eines Mannes, dessen partnerschaftliche Belange perfekt geregelt sind.
»Vico, willst du nicht was unternehmen? Vielleicht ihren Mann anrufen? Du kennst den doch? Oder deine Schwester aus München hierher holen? Sie sagte, er hat etwas nach ihr geworfen ...«
»Ich werde mich da hübsch raushalten. Sie hat nicht mich angerufen, sondern dich. Wenn du willst, rette du sie. Dann solltest du dich aber beeilen.«
»Also machst du dir doch Sorgen um sie?«
»Eigentlich nicht. Ich mache mir höchstens Sorgen, dass du morgen Nachmittag nicht in unserem Mittwochszimmer bist, Schäfchen.«
Conny legte auf und rief nach Frau Kannemaker, neuerdings ihre wichtigste Mitarbeiterin: »Buchen Sie mir bitte für heute Nachmittag einen Flug nach München – und dann müssen wir mal schnell gucken, dass wir ein paar Termine verschieben ...«

Bereits im Flugzeug und noch mehr im Flughafen Riem begriff Conny, dass dies kein gewöhnlicher Wochentag sein konnte. Die Menschen feierten. Es wurde gejubelt, gelacht

und getanzt. Es gab überall kostümierte oder wild geschminkte Leute.
Sie fuhr mit einem Taxi zum eleganten Bungalow der Familie Hackl, den sie doch seit Jahren hätte besichtigen sollen.
»Hol mich hier weg!«, hatte Vicos Schwester sie gebeten.
Vielleicht war das wirklich nötig.
Conny bat den Taxifahrer, zu warten.
Auf ihr Klingeln öffnete eine zarte junge Frau im schwarzen, engen Kleid mit vorgebundenem weißem Schürzchen.
Ich werd verrückt, Femke hat eine Kammerzofe!, dachte Conny.
Sie fragte nach Frau Hackl – da wurde die kleine Hausangestellte beiseitegeschoben von einem Berg von Mann, dessen leicht vorstehende Augen sie wütend anstarrten. Er knurrte sie mit unverständlichen Lauten an.
Hatte er gesagt, die »Wurzel« habe er rausgeworfen? Bevor Conny nachfragen konnte, bekam sie die grün lackierte Haustür vor der Nase zugeworfen.
Sie blieb unschlüssig stehen. Sollte sie die Polizei anrufen?
Hatte ihre Freundin nicht bei einem der letzten Gespräche gemeint, ihre Eheprobleme könnten bis zum Mord gehen – und dass sie nicht wüsste, ob sie Täter oder Opfer sein würde?
Was mochte dieser Mensch nach ihr geworfen haben?
Es würde doch nichts wirklich Schlimmes passiert sein?
Sie ging langsam zurück zum Taxi.
Als sie gerade eingestiegen war, flitzte die Hausangestellte in ihrem engen dunklen Kleidchen von irgendwo aus dem Garten zu ihr und klopfte aufgeregt an die Fensterscheibe.
Conny öffnete die Autotür noch einmal und bekam einen zusammengeknüllten Zettel in die Hand. Hotel Regina Zimmer 414, war darauf gekritzelt. Conny reichte es gleich nach vorn an den Fahrer weiter.

Während sie durch einen verregneten, düsteren Spätnachmittag fuhren, erblickte Conny noch mehr jubelndes Volk. »Was ist denn hier bloß los?«, fragte sie den Taxifahrer. »Wird etwas gefeiert?«
Der drehte sich an der nächsten Ampel um und musterte ausführlich die dumme Person hinter sich. »Ja, mei, mir ham Fasching, bei uns geht's recht zua!«, grummelte er.
Darauf hätte sie eigentlich wirklich alleine kommen können ...
Die Hotelhalle waberte von Ballons und bunten Luftschlangen. Auch hier drängelten sich jubelnde, lachende, tanzende, kostümierte und wild geschminkte Menschen.
Conny betrachtete sich im Spiegel des Hotelfahrstuhls und kam sich erstaunlich farblos und grämlich vor. Sie hatte in der Nacht vor Sorge um Femke kaum geschlafen, und das sah man. Außerdem war wohl die Beleuchtung einfach besonders ungünstig ... Fast hatte sich die Tür hinter ihr geschlossen, als jemand sie aufzog und noch in den Fahrstuhl sprang, ein ziemlich großer Mann.
Er wirkte so nüchtern und alltäglich wie Conny selbst, weder geschminkt noch kostümiert, in einem auf den Schultern feucht geregneten Trenchcoat mit hochgeschlagenem Kragen. Dafür besaß er ein exotisch geschnittenes Gesicht. Die schmalen schwarzen Augen hinter der randlosen Brille musterten sie amüsiert, und er sagte in deutlich norddeutscher Klangfarbe: »Sie sind nicht von hier, hab ich Recht?«
»Sie wohl auch nicht?«, gab Conny zurück.
»Natürlich nicht. Ich lebe in Flensburg und nehme hier in den nächsten Tagen an einem Kongress über Herzschrittmacher teil.«
»Sind Sie Arzt?«
»Nein. Ich helfe, die Geräte herzustellen und weiterzuentwickeln. Ich bin Ingenieur ...«

»Ach, dann sind Sie Japaner«, meinte Conny verständig.

»Meine Eltern sind Japaner. Aber die Geräte werden in Deutschland hergestellt. Und was mich angeht, ich bin auch hier hergestellt worden. Vielleicht fühle ich mich deshalb eher als Deutscher. Nein, eigentlich fühle ich mich als Garnichts …«

»Für Garnichts sind Sie zu groß«, widersprach sie – und da hielt leider der Fahrstuhl. Beide hatten in den vierten Stock gewollt und stiegen nun aus. Sie blieben jedoch vor der Fahrstuhltür stehen, die sich wieder schloss, und lächelten sich an.

»So dunkle Augen und derart schwarzes Haar wie Sie haben aber auch nur wenige Deutsche?«, meinte er.

»Ja, stimmt, meine Großmutter war aus dem Orient.«

Der deutsche Japaner blickte Conny tief in die Augen und sagte: »Ihre Großmutter muss eine wunderschöne Frau gewesen sein.«

Jetzt wurde sie doch ein wenig verlegen. »Ja – ich muss zu Zimmer 414 … Es war nett, mit Ihnen nach oben zu fahren.«

»Das kann ich nur zurückgeben. Wie lange bleiben Sie in München? Vielleicht sehen wir uns heute Abend beim Fasching im Hotel?«

»Oh … keine Ahnung. Nein, ich glaube nicht. Vermutlich fliege ich nachts noch zurück. Und selbst, falls – ich hätte ja nicht mal ein Kostüm …«

»Deshalb wird Sie keiner rausschmeißen. Außerdem kann man da doch schnell irgendwas improvisieren, wenn man unbedingt will. Wissen Sie was? Ich warte gegen elf Uhr an der Hotelbar auf Sie. Vielleicht können Sie es ja irgendwie ermöglichen? Ich heiße übrigens Daichi Hisatake. Und weil wir uns am Faschingsdienstag kennengelernt haben, dürfen wir uns auch sofort duzen!«

»Ist das ein Gesetz?«

»Ein strenges.«

»Ja, dann! Ich heiße … Bibi.«
Er unterdrückte ein Lachen, und sie dachte: Der hat einen hübschen Mund.
»Bibi. In dem kleinen Zögern lag eine kleine Lüge?«
»Eine ganz kleine. Ich bin nach meiner wunderschönen Großmutter mit zweitem Namen Habiba getauft, und mein Onkel nennt mich Bibi.«
Daichi machte eine anmutige kleine Verbeugung. »Ich warte um elf an der Bar auf – Bibi …«
Schöne Zähne besaß er auch.

Conny ging den Flur hinunter, suchte nach Zimmer 414 und klopfte an.
Gleich darauf wurde die Tür aufgerissen, Femke umarmte sie stürmisch und trompetete:
»Du bist wirklich hierher geflogen! Ich weiß, was das bedeutet, und ich bin dir wahnsinnig dankbar, mein Herzchen! Die kleine Bärbel ist meine Vertraute, unsere Hausangestellte, weißt du? Die hat mich eben schon angerufen und dich angekündigt. Meine Retterin! Du bist ja so was von süß … Soll ich uns Kaffee bestellen? Zuallererst trinken wir ein Glas Sekt, siehst du, steht hier im Eimerchen … Auf das Scheitern meiner zweiten Ehe! Es lebe die Katastrophe!«
Conny kippte erleichtert ein großes Glas kalten Sekt in ihren ziemlich leeren Magen. »Für ein Katastrophenopfer siehst du bemerkenswert gut aus!«
»Ich weiß. Ich befinde mich in akuter Scheidungseuphorie, das macht rote Bäckchen. Wir hatten einen gewaltigen Krach, mein Fast-schon-Zerschlissener und ich. Er hat etwas Preiswertes nach mir geworfen, eine Vase, die sowieso schon einen Sprung hatte. So kalkuliert Florian noch in der entfesselten Leidenschaft. Ach, lass uns nicht von dem Kerl reden. Tut mir leid, dass ich mich nach dem Hilferuf nicht mehr bei dir ge-

meldet hab – es war so viel zu regeln. Hab dauernd mit Anwälten und Banken gesprochen, sofern die erreichbar gewesen sind. Also in erster Linie mit deren Anrufbeantwortern. Weißt du, hier herrscht heute Ausnahmezustand …«

»Ja, ich weiß. Allmählich hab ich's begriffen.«

»Herzchen, ich hab für nachher eine Einladung zu einem supertollen Kostümfest, du musst natürlich mitkommen. Ein Kostüm für dich basteln wir irgendwie zusammen, ein schwarzes Korsett kann ich dir geben …«

Conny unterdrückte ein Gähnen. »Kostümfest? Femke, ich bin der Rettungstrupp! Ich dachte, ich muss dich trösten und deine Taschentücher auswringen und wir fliegen gemeinsam noch in dieser Nacht nach Hamburg? Du kannst selbstverständlich bei uns schlafen und auch gern eine Weile wohnen, bis du weißt, wo du hin willst. Oder vielleicht möchtest du lieber in dein Elternhaus zurück, ich meine, Vico nimmt dich bestimmt ebenso gerne auf …«

»Als Vertriebene im Gästezimmer von Susanns Gnaden? Och nö, danke. Dann doch lieber bei dir oder schlimmstenfalls in einem Hotel, bis ich ein Haus gefunden hab. Süßes Angebot, ich danke dir und ich denke gern drüber nach. Aber was hat das mit dieser Nacht zu tun? Für dich hab ich gleich eben noch ein Zimmer gekriegt, absolute Glückssache im Fasching, nur ein paar Türen weiter, Nummer 417. Da ist eine Familie mit Kind spontan raus, denen war zu viel Krach in der Stadt. Du hast ja eine kleine Reisetasche, wie ich sehe?«

»Vorsichtshalber, ja. Ich wusste nicht genau … Aber ich hatte, wie gesagt, gehofft, dass ich nicht in München übernachten muss.«

Femke schüttelte ungeduldig den Kopf. »Hast du nicht gehört: Ich hab eine supertolle Einladung zu …«

»Femke! Du bist eben aus deinem eigenen Haus geflohen, dein Mann hat dir eine wenn auch angeknackste Vase hinterhergeschmissen – und du hast keine anderen Sorgen als ein Kostümfest?«

»Das ist keine Sorge, das ist Spaß. Und den hab ich lange genug vermisst in dieser Ehe. Heute Nacht fängt eine neue Ära an! Also gut, dann trage ich selbst mein schwarzes Korsett, Netzstrümpfe hab ich auch und schwarze Pumps mit sehr hohem Absatz sowieso ... Vielleicht hängen wir dein Schnäuzchen mit einem hübschen Tuch zu und den Rest mit den berühmten Bettlaken, die doch seit Jahrhunderten jedes Kostüm ergeben? Nein, warte, ich hab noch mein rot geblümtes Riesentuch, da wickeln wir dich rein, das ist wie ein Pareo. Klar, wir machen eine süße Haremsdame aus dir, das wird überzeugend zu deinen Augen ...«

Conny musste unwillkürlich lächeln. »Hab ich dir mal erzählt, dass meine Mutter als Haremsdame auf dem Hamburger Fasching war und dabei meinem Vater begegnet ist? Und die war blond!«

»Na also! Abgemacht. Du als Scheherazade. Ha, ich hab auch noch wilde goldene Ohrringe für dich, die passen genau dazu. Das wird eine Nacht, sage ich dir! Die letzte in diesem Fasching und die erste, in der ich wieder lebendig bin. Die dauert garantiert bis in den späten Morgen ...«

»Bis in den späten –? Ach du lieber Himmel. Ich bin jetzt schon zum Umfallen müde, ich hab seit deiner Schreckensnachricht letzte Nacht praktisch nicht mehr geschlafen. Außerdem, Femke, morgen ist doch Mittwoch! Du weißt schon: Vicos und mein Nachmittag. Wir sollten auf jeden Fall vor zwölf zurück in Hamburg sein, ich muss ja auch noch was zu essen kaufen, und ...«

»Spinnst du, Herzchen? Morgen ist nicht einfach Mittwoch, morgen ist Aschermittwoch. Dann ist alles vorbei. Aber vorher muss es passieren, sonst kann es nicht vorbei sein. Also, du darfst ja gleich ins Bett gehen, wenn du müde bist. Aber ich

werde morgen ganz gewiss nicht früh aufstehen!«, versicherte Femke.
Schließlich nahm Conny für alle Fälle ein hübsches rotes Baumwolltuch, den rot geblümten Riesenpareo und die »wilden« goldenen Ohrringe mit in ihr Hotelzimmer. Sie wollte sich eine Weile hinlegen. »Falls ich dann aufwache, komme ich hinterher zu deinem Fest, gib mir die Adresse! Oder ich geh einfach nur ein bisschen runter an die Bar, hier im Hotel wird ja auch gefeiert. Oder ich wache erst morgen früh auf …«
»Wie du magst. Hauptsache, du weckst mich nicht vor zwölf am Aschermittwoch!«
»Gut. Dann will ich Vico sofort anrufen, sonst hab ich ein schlechtes Gewissen«, erklärte Conny.
Femke verzog ironisch den Mund: »Du bist doch ein braves Lämmchen! Pennt am Faschingsdienstag ab halb zehn im Hotelbett, um meinem Bruder treu zu sein, der ihr nicht treu ist, weil er pflichtgemäß seine Gattin bespringt. Na, du musst es wissen. Bis nachher – oder bis morgen!«

Gegen halb elf hatte Conny wirklich ein wenig geschlafen. Sie zog das schwarze T-Shirt wieder an, das sie zum Kostümrock getragen hatte, wickelte sich das geblümte Laken um die Hüften, hängte die wilden Ohrringe an, band Femkes Tuch locker um den Kopf und schminkte sich die Augen dramatisch. Falls sie nicht direkt wie eine Haremsdame aussah, dann vielleicht wie eine Carmen oder eine Zigeunerin, egal. Sicherlich würde man sie auf jedem Kostümfest akzeptieren.
So. Wollte sie an die Hotelbar? Sie ging zur Tür.
Kehrte um und setzte sich auf's Bett. Nein, sie wollte nicht. Sie gehörte zu Vico.
Lämmchen hatte Femke gesagt. Vico nannte sie Schäfchen. Ein unschuldiges Opfertier, das nie an sich selbst denkt und ergeben zum Schlachter trappelt.

Sie konnte ja ganz unverbindlich hingehen. Vielleicht wurde dieser Daichi uninteressant oder unsympathisch, wenn man ihn näher kennenlernte. Vielleicht war er überhaupt nicht an der Bar?

Aber Daichi war da und er wirkte sehr erfreut, als sie auf ihn zukam. Leider sah er inzwischen noch viel besser aus als im Fahrstuhl (dessen Beleuchtung musste wirklich besonders ungünstig sein), obwohl er darauf verzichtet hatte, sich zu kostümieren. Er trug einfach Jeans und einen grauen Baumwollpullover.

Sie tanzten und sie unterhielten sich, und Conny wartete im Lauf der Nacht geradezu verzweifelt darauf, dass Daichi etwas Falsches sagte oder sich irgendwie blöd benahm.

Er war intelligent und witzig und gut erzogen, er war aufmerksam und fürsorglich und, wie sich gegen Morgen immer mehr herausstellte, sehr verschmust.

Um vier wurde es etwas leerer im Barraum und die Musik ruhiger. Daichi und Conny tanzten sehr langsam, sie hatte beide Arme um seinen Hals geschlungen und den Kopf an seine Brust gelegt. Sie war ein wenig beschwipst und angenehm müde.

Er griff in ihr Haar. »Zeit für kleine Bibis, die morgen nach Hamburg fliegen wollen, noch etwas zu schlafen.«

»Hmmmm. Kann stimmen. Wo ist denn Platz?«, fragte Conny, die vorübergehend das Gefühl hatte, ihre Hemmungen und Gewissensbisse seien bereits ohne sie schlafen gegangen.

»Ich hab Platz für dich. Nicht nur in meinem Bett, Bibi. In meinem Herzen und in meinem Leben ist ganz viel Platz für dich. Ich bin gerade sehr Single und ich bin fünfunddreißig und ich wäre mit dir zu vielem bereit, von mir aus auch längerfristig.«

Conny blickte erschrocken auf.
Seit fast fünf Stunden sah sie dieses Gesicht dicht vor sich, und es gefiel ihr immer besser. Was er sagte, gefiel ihr, seine Ansichten, seine Einstellungen gefielen ihr. Es war stark zu befürchten, dass ihr auch gefallen würde, was er tat!
Auf einmal wurde ihr bewusst, dass sie dabei war, sich gewaltig zu verlieben. Sie blieb mit einem Ruck fest stehen. »Daichi – ich habe einen Sohn. Einen kleinen Jungen. Wird im Juni neun Jahre alt.«
Er musste auch stehen bleiben und schaute sie etwas besorgt an. »Ja, das ist doch schön. Oder bist du verheiratet?«
Darauf mochte Conny lieber nicht direkt antworten. »Ich bin jedenfalls – gebunden. Entschuldige, das hätte ich vielleicht … Ich hätte das eher sagen müssen?«
Er lächelte, nahm sie sanft bei den Schultern und begann wieder zu tanzen. »Mach dir keine Vorwürfe. Ich hab mir so was beinah gedacht, aber ich war nicht sicher. Danke, dass ich die letzten Stunden in Ungewissheit verbringen durfte. So, jetzt ist das Lied vorbei und ich bringe dich zu deinem Hotelzimmer. Wir steigen noch mal in diesen Fahrstuhl, in dem wir uns begegnet sind.«
»Bloß nicht!«, protestierte Conny, »der hat so ein schrecklich ungünstiges Licht …«
»Dann mach die Augen zu, damit du mich nicht sehen musst!«, schlug er vor und zog sie hinter sich her.
Conny schloss im Fahrstuhl wirklich die Augen, schon deshalb, weil sie geküsst wurde.
Daichi brachte sie zu ihrer Tür. »Danke für eine der schönsten Faschingsnächte, die ich je … Nein, das ist Schwachsinn, ich hab ungefähr zwei in meinem Leben mitgemacht. Also, danke für eine der schönsten Nächte meines Lebens. Und sollte der, an den du dich gebunden fühlst, dich irgendwann nicht nett behandeln, dann ruf mich in Flensburg an, bitte. Guck, hier

ist die Nummer, ich stecke sie in die Tasche von deinem Jäckchen. Schlaf gut, Bibi …«

Sie ging in ihr Zimmer und lehnte sich von innen gegen die Tür. Nach einer Weile hörte sie, wie seine Schritte sich entfernte und sie biss sich in den rechten Zeigefinger, um nicht die Tür wieder aufzureißen und ihn zu rufen.

Auf einmal konnte sie Nelli verstehen. Warum musste Gott auch so viele bezaubernde, liebenswerte Männer erschaffen? Und wieso bekamen manche Frauen ganze Wagenladungen davon ab, während andere, wie Corinna und Cordula, nur die Nieten oder gar keinen erwischten?

Am nächsten Morgen fetzte sie, bevor sie das Hotelzimmer verließ, Daichis Karte in kleine Schnipsel und warf sie in den Papierkorb.

Das 16. Kapitel
enthält Anteilnahme, Vermutungen über die Perspektive höherer Mächte sowie Rhabarber, Vanillecreme und rote Grütze
1992–2005

Die Praxis von Dr. Victor van Loon lag in der Vogt-Wells-Straße im ersten Stock eines älteren Büro- und Ärztehauses. Unten im Gebäude befand sich ein winziges Restaurant: drei hohe Tische und zwölf unbequeme Barhocker. Über der Tür stand HOLGI's.

Holgi war riesig und spargeldünn, schnaufte jedoch wie ein Dicker, was vermutlich daran lag, dass er immer eine geknautschte Zigarette im Mundwinkel trug. Er machte seinen Laden kurz vor elf Uhr auf und schloss ihn nach Belieben und Bedürfnis. Anfangs hatte seine Mutter in der Küche gewerkelt nebst seiner Lebensgefährtin; seit beide dahin waren, arbeitete hier ein unsichtbarer Koch. Zumindest hielt er sich vor den Gästen verborgen.

Vico ging gern mal nach unten, um eine Kleinigkeit bei Holgi zu essen oder Kaffee zu trinken. Er setzte sich auf einen der unbequemen Hocker am Tresen und begrüßte den Wirt: »Hallo, Holgi!«

Der antwortete im allertiefsten Bass: »Moin, Doktor. Käffchen? Oder 'n lüttn Happs?«

Vico entschied sich für Kaffee, musste nach sechs Jahren nicht mehr erklären, ob Milch oder Zucker, nippte am Becher und äußerte halb laut, ohne den Wirt anzusehen: »Sie hat's schon wieder getan!«

»Die Blonde oder die Schwatte?«, erkundigte sich Holgi, um den Überblick zu behalten, erfuhr: »Meine Frau!« und brummelte: »Also die Blonde …«

Die Geheimnisse, denen Vico hier freien Auslauf gewährte, waren zu tief, um sie irgendjemandem anzuvertrauen. Weder seinen Eltern, Gott behüte!, noch seiner Schwester. Freunde besaß er nicht, höchstens Bekannte.
Natürlich konnte er nie Susann sein Herz ausschütten, wenn er sich über Conny ärgerte. Und Conny gegenüber auf Susann zu schimpfen, wäre nicht nur unfair, sondern landete bloß wieder bei der Frage, weshalb er diese Ehe aufrechterhielt, anstatt endlich die Mutter seines Sohnes zu heiraten.
Sich in einem leeren Zimmer die eigenen Sorgen aufzuzählen, wäre diskret genug gewesen, aber psychologisch bedenklich.
Wenn er aufschaute in das ausdruckslose Gesicht ihm gegenüber, die Wangen zu einem Drittel unter Tränensäcken, die Augen zu zwei Dritteln unter Schlupflidern versunken, wurde deutlich: Holgi war sowieso alles gleich. Der hatte schon viel gesehen und alles gehört, den regte nichts mehr auf. Da er außerdem nur lauschte und nie selbst plauderte, war davon auszugehen, dass er dichthielt. Hier durfte man ungeniert die intimsten Dinge auspacken. Eben jetzt über Susann: »Sie hat sich schon wieder Tabletten besorgt zum Rauf- und welche zum Runterkommen. Ich finde dann die zerfetzten Packungen im Müll. Natürlich erkenne ich immer noch, worum sich's handelte. Sie hat schon immer viel Pharmazie geschluckt. Hat ja auch 'n kleines Alkoholproblem. Ist labil, übersensibel. Das macht sie manchmal unerträglich. Dann kommen diese ›Klärungsnächte‹ …« Vico schüttelte betrübt den Kopf und trank an seinem Kaffee.
Holgi nutzte den Moment, um die Kippe mit Daumen und Zeigefinger aus seinem Mundwinkel zu holen und nach einem kurzen, rauen Husten wieder dorthin zu stopfen.
»Vorwürfe bis zum Morgengrauen. Danach fahre ich ganz zerschlagen in die Praxis und freu mich nur noch auf den Mittwochnachmittag.«

»Aber die Schwatte kann ja auch fünsch wern?«, wusste Holgi. Vico lächelte. »Sicher. Conny hat mir schon mal 'ne Haarbürste an den Kopf gehauen. Einmal hat sie sogar eine Tasse nach mir geschmissen. Wir streiten oft, und ich weiß meistens nicht, wieso, also, worum es geht. Sie wahrscheinlich auch nicht. Und sie wird laut! So ein zartes kleines Geschöpf, aber laut! Also, dann fahr ich manchmal auch gern wieder nach Hause. Sannchen hat ja durchaus Qualitäten. Zum Beispiel kocht sie grandios, das ist ihr Hobby. Sie ist eine perfekte Gastgeberin. Denkt sich Menüs aus und arrangiert ganze Fest-Choreografien. Sie weiß, welchen Gast man neben wen setzen muss und mit wem man über was reden soll. Die beiden sind so verschieden! So dunkel die eine, so blond ist die andere. Die eine temperamentvoll und aufrichtig, die andere kühl und geheimnisvoll … Beides hat seinen Reiz …« Vico seufzte und blickte in Holgis uralte, weise, verhangene Augen.
Der Wirt schnaufte und kaute ein wenig auf der Kippe herum. »Dabei hab ich das nie angestrebt. Hat sich irgendwie so ergeben. Die meisten Männer würden mich schon um eine von beiden glühend beneiden, das ist mir bewusst. Und dann auch noch meine Laura! Das perfekte kleine Frauenzimmer, frech und charmant. Wir sind gegenseitig stolz aufeinander. Mit 'ner Tochter gibt es ja überhaupt keinen Stress wie mit erwachsenen Frauen. Nur Freude«, erklärte Vico lächelnd – und wurde wieder nachdenklicher. »Mein Sohn ist natürlich auch ein feiner Kerl. Unbestritten. Nur ist der weitgehend ohne mich aufgewachsen bis jetzt. Der wird schon dreizehn. Conny macht das wohl sehr gut, muss ich sagen. Ich halte mich aus seiner Erziehung raus. Das wäre anmaßend, wenn ich Eric plötzlich predigen wollte, wie ein richtiger Junge zu sein hat, oder Geschichten erzählen würde, wie ich selbst dies und das in seinem Alter gemeistert hab. Ich zahle einfach pünktlich und großzügig …«

»Könns du schlechter machn«, fand Holgi, den Tresen abwischend. »Und – sind die Malediven noch an Platz?«
»Ach so – das ist ja auch schon wieder zehn Tage her. Doch, war ein schöner Urlaub, unser schönster bis jetzt. Ein strohgedecktes Strandhäuschen und eigene Palmen. Wir haben kaum gestritten, Conny und ich, komischerweise. Susann will ja immer nur nach Griechenland. Die dachte natürlich wieder, ich wäre auf einer längeren Fortbildung gewesen. Also *das* hat sie nicht so aus dem Gleichgewicht gebracht. Aber was dann? Ich mag nicht nach Hause fahren. Feinste Giftpfeile. Es geht nicht darum, eine Einigung zu erzielen – nur, zu verletzen. Man hört nicht mehr auf Argumente, man versucht, sie möglichst geschickt und überzeugend beiseitezuschleudern. Ein Krieg, in dem es drauf ankommt, den anderen zu treffen, ohne selbst getroffen zu werden …« Vico schaute auf die Uhr – »Holgi, ich muss noch was besorgen und dann fängt die Sprechstunde schon wieder an …« – und rutschte, indem er Geld aus dem Portemonnaie suchte, vom Hocker.
»Tschüs, Doktor. Wennas zu schlimm wird, komms her. Denn tüters dir ein an. Genuch Schnaps ham wir hier …«, schlug Holgi vor.

Connys Ziel, Vico zu heiraten und jeden Wochentag mit ihm zu verbringen, nicht nur den Mittwochnachmittag – dieses Ziel schien beweglich zu sein. Es wanderte vor ihr her wie der Stern von Bethlehem vor den Heiligen Drei Königen, stets ein Stück voraus.
In gewisser Weise hatte sie sich an den Zustand gewöhnt. Und doch konnte es passieren, dass sie eine klärende Aussprache mit Vico suchte – ohne zu ahnen, wie schmerzhaft er in dieser Beziehung allmählich von Susann traumatisiert war. Statt zuzuhören, begann er sofort, sich zu verteidigen, kam seinerseits mit Anschuldigungen, die nichts mit dem Thema zu tun hat-

ten, und rannte auf dem Höhepunkt der Auseinandersetzung davon.
Wenn es schlimm gewesen war, dann folgte eine wochen-, manchmal sogar monatelange Pause. Das Mittwochszimmer – oder die Praxis der Rückentherapeutin Dr. Almut Schwarz – blieb geschlossen. Der Mittwochnachmittag wurde zu einem schmerzerfüllten Termin.

Conny klingelte Sturm und warf dem öffnenden Christian beide Arme um den Hals: »Danke, Foxi, dass du gleich gesagt hast, ich darf zu dir kommen! Kann ich mir auch mal deine neue Wohnung angucken. Eigentlich hätte ich ja Brot und Salz mitbringen müssen …«
»Ach, das nehmen wir jetzt mal nicht so genau«, erwiderte ihr Freund.
»Weshalb bist du eigentlich nicht in die Nähe der Universität gezogen? Wäre das nicht praktischer? Hängst du so an deiner Mutter und deinen Schwestern oder an Niendorf?«
»An irgendwas hier muss ich ja wohl hängen. Ich bin eben ein treues Tierchen. Komm mit auf den Balkon, da ist es gerade am nettesten. Hattest du schon Kaffee oder Tee?«
Christian trug ein leichtes, kurzärmeliges Hemd aus grünweißem Madraskaro und eine weiße Jeans und wirkte gebräunt statt sommersprossig, ein Kunststück, das er seinem Vater und Nelli voraushatte. Die vertrugen sich keineswegs so gut mit der Sonne.
»Kaffee oder Tee? Eigentlich brauch ich was Stärkeres«, behauptete Conny matt und sank auf einen Balkonstuhl unter der hellblauen Markise.
Christian blickte auf seine Uhr. »Um kurz vor drei am Nachmittag? Meine Liebe, ich bin schockiert …«
»Um kurz vor drei am *Mittwoch*nachmittag. Das ist der Punkt. Ich bin nicht bei meinem Liebsten, verstehst du?«

»Darüber ließe sich streiten«, antwortete er, merkte jedoch an ihrer bekümmerten Miene, dass sie gar nicht zuhörte. »Warte, ich bring dir was Feines … Und dann sollst du eine Massage bekommen gegen dein Kopfweh …«

»Woher weißt du –?«, rief Conny erstaunt hinter ihm her.

Er stellte gleich darauf ein hohes, beschlagenes Glas auf den Tisch: »Hier hast du eine sehr leichte Weißweinschorle mit Eis und Zitronenstückchen, das sollte für unsere Zwecke reichen. Und um deine Frage zu beantworten: Immer, wenn du Verspannungskopfschmerzen hast, verziehst du deine linke Augenbraue. So, jetzt lad mal ab …«

Und während Foxi mit ruhigen, warmen Händen und sehr kundigen Griffen Connys Nacken und Schultern lockerte, erzählte sie, was passiert war.

»Eigentlich überhaupt nichts Spezielles. Ich hab bloß mal … Wir haben gerade 1997, richtig?«

»Da würde ich zustimmen. Dein Nacken ist aus Beton.«

»Gut. Vico und ich sind mit einigen kleinen Unterbrechungen seit … Ich kann nicht rechnen. Seit einer Ewigkeit zusammen. Ich bin inzwischen zweiundvierzig, er ist fast fünfundvierzig. In dem Alter feiern andere Menschen Silberhochzeit! Also beinah. Er verspricht mir seit Jahrzehnten – seit Jahrzehnten, Foxi! –, dass er sich von Susann trennt und mich heiratet und Eric adoptiert. Unser Sohn ist inzwischen volljährig geworden, also das kann er sich schon mal sparen … Wo war ich –?«

»Seit Jahrzehnten verspricht er dir die Ehe.«

»Genau. Dann wurde seine Frau schwanger, ist fast bei der Geburt gestorben. Dann war die Tochter noch so klein – also abwarten, bis sie zur Schule kommt. Aber dann! Na, seine Tochter kriegt Keuchhusten, der zieht sich über ein Jahr hin und ist zum Schluss eine schlechte Angewohnheit. Was bedeutet: Kind zu krank für Scheidung. Durch diesen endlosen Husten oder was immer bekommt seine Frau Depressionen, wodurch ihr kleines Alkoholproblem ein größeres Alkohol-Problem wird. Bedeutet: Frau zu kaputt für Scheidung. Und nachdem Familie van Loon dank vieler nächtlicher Aussprachen über mehrere Jahre und Besuche bei den Anonymen Alkoholikern diese Krisen gemeistert hat, kommt jetzt wieder Laura in die Pubertät und schafft sich eine Essstörung an. Da kann er seine Familie natürlich auch wieder nicht im Stich lassen. Aua, nicht so doll! Ach, ich weiß, ich höre mich gemein an, und es tut mir ja auch alles leid – aber ich bin so mürbe, Foxi. Na, das war's so etwa, was ich gestern am Telefon mal zusammengefasst hab Vico gegenüber. Und nun ist er tödlich eingeschnappt und will nie wieder mit mir reden und mich nie wieder sehen …«

Christian setzte sich Conny gegenüber. »Was hast du dir davon versprochen, ihm das aufzuzählen? Wolltest du ihn in gute Laune bringen?«

»Tja – darüber hab ich nicht richtig nachgedacht. War die falsche Methode, wie? Foxi, er ist so böse … Ganz schrecklich böse. Vielleicht verzeiht er mir das nie! Vielleicht meldet er sich nie wieder bei mir. Vielleicht sehe ich ihn nie wieder!«

»Was du nicht überleben würdest?«

»Weiß nicht. Hab's noch nie probiert.« Conny trank mit großen Schlucken das Glas leer und stellte es geistesabwesend auf den Tisch zurück. »Glaubst du, es wird wieder gut?«

»Ja, das glaube ich. Immerhin habt ihr's bis zur gefühlten Silberhochzeit nicht geschafft, euch zu trenn…« Foxi unterbrach sich, weil sein Telefon in der Wohnung klingelte. »Entschuldige …«

Er ging hinein und meldete sich. Conny hörte: »Hallo – das ist ja lieb. Pass auf, ich kann jetzt nicht. Ich rufe dich an, okay? … Kann ich nicht sagen … Also, ich melde mich. Bis dann!«

Und sie dachte: Bestimmt eine Frau. Sicher eine hübsche. Die zwei-, dreimal, wenn ich eine mit ihm gesehen hab, waren die alle sehr hübsch. Und er schiebt sie erst mal beiseite, weil ich Kummer hab und deshalb Priorität. Wie lieb von Foxi! Andererseits stehen wir uns ja wirklich ganz besonders nahe. Das ist inzwischen schon Verwandtschaft, wie früher bei mir und Tante Eva …

Aber als er wieder auf den Balkon trat, hatte sie das bereits vergessen und fragte sofort weiter: »Meinst du wirklich, wir heiraten eines Tages noch, Vico und ich?«

»Also, ich kann es mir gut vorstellen. *Conny van Loon* … Warum nicht?«

Conny nickte düster vor sich hin. »Ich sag dir, warum nicht. Weil ich sonst schon so viel Glück hab. Darum nicht.«

Christian beugte sich vor. »Versteh ich nicht?«

»Guck mal – meine Firma läuft großartig. Ich hab zwei gut gehende Mietshäuser. Ich! Eine von den Proleten-Hertzen! Das ist allein schon so ein Wunder! Weil ich von Eva eine Riesensumme geerbt hab. Ohne mit ihr wirklich verwandt zu sein. Wo gibt's denn so was? Mein Kind ist die ganze Zeit gesund und tut gut und ist nur lieb. Wenn ich dauernd höre und lese, was alles passiert, kann ich mich vor Dankbarkeit nicht lassen. Und wenn mich jetzt auch noch eines Tages Vico heiraten würde – mein größter Wunsch würde dann auch noch in Erfüllung gehen –, weißt du, Foxi: Das kann Gott gar nicht zulassen!«

»Kann er nicht?«

»Nein. Weil – das wäre zutiefst ungerecht. So viel Glück – unverdientes Glück …«

Christian Schnoor blickte nachdenklich über seine vorbildlich gepflegten Balkonkästen voller weißer, violetter und blauer Hornveilchen hinweg in den wolkenlosen Himmel. Conny beobachtete ihn gespannt und wartete auf eine Antwort, als wär's ein Schiedsspruch. Als würde sie sich dem beugen, was ihr kluger junger Freund nun dazu meinte.

Schließlich zuckte er mit den Schultern und lächelte sie an. »Also, das mit der göttlichen Gerechtigkeit oder Ungerechtigkeit solltest du getrost dem Herrn selbst überlassen. Wie das zusammenhängt, hat sowieso noch nie ein Mensch begriffen. Wir sehen doch nur ein klitzekleines Eckchen vom großen Plan. Ob irgendwas nun verdient oder unverdient ist – wer will das beurteilen? Und aus welcher Perspektive? Vielleicht bekommst du, was du unbedingt wolltest, und bist schließlich kreuzunglücklich damit. Oder das Schicksal verweigert dir etwas, und du bockst und wütest und merkst später, es war ein Segen. Möchtest du jetzt nicht doch einen Kaffee? Oder ein Eis? Manchmal hilft Eis ganz enorm bei Liebeskummer. Ich spreche aus Erfahrung …«

Und natürlich meldete Vico sich zurück, denn ohne Conny schien ihm sein Leben auch nicht zu behagen. Er nahm erneut die Rückentherapie am Mittwoch auf und ab und zu kam er auch wieder darauf zu sprechen, dass er sich von Susann trennen würde.

Der Stern von Connys Hoffnung wanderte, ein wenig wackelig und zerkratzt, nicht ganz so strahlend wie früher und manchmal durch Wolken bedeckt, wieder vor ihr her. Sie lebte wie jemand, der an einem Zaun entlangwandert mit einem Stöckchen in der Hand, das er über die Zaunlatten klappern lässt und dabei immer nur die Pfosten zählt: von *Mittwoch* zu *Mittwoch* zu *Mittwoch*.

Woche für Woche. Monat für Monat. Jahr für Jahr.

Hin und wieder machte Conny immer noch der Aspekt der Sünde zu schaffen. Frau Kannemaker befasste sich nicht nur mit gesunder Ernährung und alternativer Medizin, sondern auch mit Esoterik, das war ganz aktuell. Ein allgemeingebildeter Mensch wusste, was ein Karma ist und weshalb man es sich nicht versauen sollte.

An einem blitzblanken Morgen Ende April spazierte Conny auf den Friedhof, um Onkel Uwe zum Geburtstag lila Tulpen zu spendieren. Auf dem Rückweg lief sie einer schwarz gekleideten Gestalt fast in die Arme: ein älterer Pastor mit braunem Bart, den sie nicht persönlich kannte (dazu ging sie einfach viel zu selten in die Kirche).

Wie sich herausstellte, war er nicht einmal aus der Niendorfer Gemeinde, sondern nur in Vertretung da, und er bereitete sich gerade auf eine Beerdigung vor.

»Komisch, eben hatte ich mir einen Geistlichen herbeigewünscht!«, gestand Conny. »Ich wollte etwas fragen – nein, ich glaube, eigentlich wollte ich beichten. Ich weiß, da bin ich auf dem falschen Friedhof, ich müsste erst mal umlernen und Sie auch …« Sie fürchtete schon, beleidigend zu werden, aber der alte Herr schmunzelte nur. »Ich sündige nämlich«, fuhr sie deshalb fort. »Gewohnheitsmäßig. Glauben Sie, dass Gott mir deshalb böse ist?«

Die Rosinenaugen ihr gegenüber bekamen noch mehr Lachfalten. »Ich persönlich glaube nicht, dass Gott jemals böse ist. Er ist das Prinzip der Güte und der Liebe.«

»Aber der strafende Gott aus dem Alten Testament?« Conny erinnerte sich deutlich an ihren Konfirmationsunterricht. »Er ist doch eifersüchtig und so was?«

»Jaja …«, sagte der Pastor begütigend. »Wenn Sie's keinem verraten, meiner Ansicht nach ist Gott weder religiös noch moralisch. Gesetze sind von Menschen gemacht, und zwar aus ziemlich egoistischen Gründen, um ihren Besitz zu schützen und ihre Ehre. Der Schöpfer bringt es offenbar fertig, uns trotzdem zu lieben. Aber ich halte es für ein Faktum, dass er kein Spießer ist …«

Der alte Herr verbeugte sich, immer noch lächelnd, vor Conny und bog in einen anderen Friedhofsweg ab. Sie sah ihn niemals wieder. Später dachte sie manchmal, sie hätte ihn nur geträumt. Immerhin lastete hinterher die Sünde nicht mehr so schwer auf ihr.

1999 war Damian Gebhardt dreiundvierzig Jahre alt und sah entschieden älter aus. Immer noch wirkte sein ovales, blasses Gesicht mit den großen dunkelblauen Augen perfekt – doch das dunkle, wellige Haar war bereits von breiten grauen und weißen Strähnen durchzogen, ebenso wie sein kurzer Kinnbart. Er ging meistens gebeugt und langsam und ließ den Kopf hängen. Aus einiger Entfernung sah er aus wie ein sehr großer, sehr schöner alter Mann.

Seit zwölf Jahren hatte Miranda ihren Sohn ganz für sich alleine, da er keine Anstalten machte, durch eins seiner vielen Talente Ruhm zu erwerben und sich mit Schauspielerinnen und Erbinnen fotografieren zu lassen.

Die Scheidung von Nelli anzustreben, wie sie vorschlug, hatte er entschieden abgelehnt.

Auch mit seiner Mutter sprach Damian hin und wieder ein Wort, genug, um sich zu verständigen. Er spielte ihr abends auf dem Klavier vor, wundervolle Melodien, die niemand aufschrieb oder aufnahm und die am nächsten Tag vergessen waren.

Gemalt hatte er niemals wieder.

Manchmal saß er am Goldfischteich oder auf einem Küchenstuhl und weinte lautlos: Die Tränen tropften still in seinen grau gesprenkelten Bart. Das hielt Miranda am wenigsten aus und dagegen bekam sie von ihrem Arzt Aufheiterungspillen.

Als ihre Köchin sie so taktvoll wie möglich darauf aufmerksam machte, ihr Sohn benötige psychologischen Beistand, wurde die sofort entlassen – obwohl Miranda diese Ansicht eigentlich teilte.

Bald darauf und nachdem sie eine zufriedenstellende, wortkarge neue Köchin eingestellt hatte, begann sie, den wenig be-

kannten Maler Kolja Weise und seine Lebensgefährtin suchen zu lassen.
Nach drei Wochen hatte sie eine ziemlich glaubwürdige Adresse erhalten und sogar überprüft, indem sie dort anrief – worauf sich Nellis nölige Stimme, in Englisch, meldete und Miranda auflegte. Sie erzählte ihrem Sohn etwas von einer kurzen Reise zu einer Bekannten – eigentlich war es egal, da er sowieso nicht zuhörte. Und als sie ihre Reisetasche packte, verstaute sie darin im letzten Augenblick den weichen Plüschhasen mit dem durchtriebenen Gesichtsausdruck und hinterließ an seinem Fensterplatz einen Zettel: *Richard muss auch mal raus aus Hamburg. Ist am Montag mit mir zurück, versprochen!*
Sie schwor sich, falls ihr Vorhaben gelingen sollte, eine größere Summe in Stofftiere für Waisenkinder oder dergleichen zu investieren.

Nelli Gebhardt lebte mit Kolja in einem alten gelben Steinhäuschen in Juniper Hill, einem sehr, sehr kleinen Ort zwischen Wiesen und Feldern in Oxfordshire. Kolja malte für einen Andenkenladen im Jahr drei bis vier Bilder der Landschaft und der Häuser, was ihn nicht glücklich machte, aber leben ließ.
Der Garten sah sehr gepflegt aus – das hatte die Tochter der Schnoors schließlich mal gelernt –, und sie selbst knipste irgendwelche Zweiglein von einem Strauch, als der Wagen, den Frau Gebhardt in Heathrow samt Chauffeur gemietet hatte, vor dem Haus hielt.
Zwei kleine Mädchen von etwa zehn und elf Jahren, deren Vorderzähne und rote Locken keinen Zweifel daran ließen, wer sie geboren hatte, werkelten ebenfalls am Buschwerk. Doch standen ihre Augen weder schief noch waren sie grün; vielmehr guckten beide so veilchenblau und verträumt unter dichten Wimpern hervor wie ihr Vater.

Nelli sah noch rundlicher aus, und es gab viele Falten um ihre kleinen Augen; überwiegend Lachfalten, wie es schien. Sie lächelte sogar jetzt, bei der Gartenarbeit, vor sich hin.
Für einen kurzen Augenblick ergrimmte es Miranda, zu sehen, dass ihre Schwiegertochter wohl, alles in allem, eine bessere Zeit erlebt hatte als ihr Sohn. Dann erinnerte sie sich, weshalb sie gekommen war. Sie nahm Richard, den Hasen, in den Arm, während sie zögernd auf die Gartenpforte zuging.
Nelli blickte auf, warf die Rosenschere von sich, trabte mit ihrer schweren Figur den Gartenweg entlang und warf sich ihrer Schwiegermutter ohne Weiteres in die Arme, Richard zwischen ihren Busen fast zerquetschend. Als sie Tränen in den schiefen grünen Augen sah, musste Miranda ebenfalls heulen. Sie umklammerten sich gegenseitig und stießen jammernde, schluchzende Geräusche aus, von den Kindern und dem Chauffeur erstaunt beobachtet.
Eins der kleinen Mädchen holte den Vater aus seinem Atelier. Kolja Weise hatte ebenfalls um die Taille zugelegt und blieb trotzdem ein prachtvoller Anblick.
Miranda konnte es sich in keiner Weise vorstellen, fragte jedoch trotzdem: »Kommst du mit uns, Nelli? Nur für eine Weile. Ich fürchte, er stirbt sonst oder er wird verrückt …«
Und Nelli zog sofort ihren Partner am Ärmel hinter sich her ins Haus, auf ihn einredend.
Miranda blieb ratlos stehen, den Hasen in den Händen. Sie lächelte verlegen die beiden Mädchen an, während sie wartete. Bald darauf erschien Nelli mit einem Koffer. Sie umarmte den Mann und die Töchter, gab irgendwelche Anweisungen, verhieß, sie werde abends anrufen – und stieg in das Auto.
Nebeneinandersitzend, das Plüschtier und die Riesensonnenbrille zwischen sich, wurden sie nach London gefahren. Mirandas Besuch in Juniper Hill hatte keine zwanzig Minuten gedauert.

Ohne sie anzublicken, griff Nelli nach Mirandas Hand und hielt sie fest, während sie nachdenklich aus dem Fenster nach vorn schaute. »Ich hab Kolja gesagt, ich bleib erst mal zwei oder drei Monate in Hamburg. Dann sehen wir weiter«, erklärte sie in ihrer gelassenen, etwas nöligen Art zu sprechen.

»Oh!«, sagte Miranda erfreut. Mit einem solchen Entgegenkommen hatte sie nicht gerechnet. »Und wie – ähm – wie geht dein – wie geht er damit um? Kann er sich allein um die Mädchen kümmern?«

»Kolja ist großartig. Er versteht das ganz und gar. Er hatte ja immer ein schlechtes Gewissen Dami gegenüber, das ist doch klar. Kolja wird sich wohl seine Schwester ins Haus holen, Katja wohnt in der Nähe. Die ist verwitwet, war mit einem Briten verheiratet. Deshalb sind wir damals überhaupt auf dieser Insel gelandet. Nein, die kommen auch ohne mich zurecht. Notfalls sogar ohne Katja. Deidre ist die Ordentliche von den beiden Mädchen und Diana kann schon ein bisschen kochen. Ich muss sie nur jeden Abend anrufen, das verstehst du doch?«

Miranda betrachtete das Profil ihrer Schwiegertochter und entdeckte nach fast vierundzwanzig Jahren zum ersten Mal etwas Anziehendes: Nelli besaß ja eine ausgesprochen fein geformte, gerade Nase! Das war ihr noch nie aufgefallen …

Sie drückte die derbe, dickliche, sommersprossige Hand mit ihrer gepflegten, aber etwas welken eigenen und erfuhr Gegendruck. Da sagte sie: »Nelli, ich hab das Gefühl, ich muss mich bei dir entschuldigen. Also *ich* mich bei *dir* – das hätte ich nie gedacht. Ich hab dich geradezu gehasst, lange Zeit. Und jetzt … Ich glaube, du hast eine ganz enorme – wie soll ich sagen – Liebesfähigkeit. Ja, genau. Und Jesus hat doch zu der Ehebrecherin gesagt, ihr ist viel vergeben, sie hat viel geliebt, nicht?«

»Ich glaube, das war keine Ehebrecherin, sondern eine Prostituierte oder so was …«, antwortete Nelli. »Trotzdem danke!«

Sie lächelte Miranda an mit ihren großen Vorderzähnen, die schiefen kleinen Augen wurden dadurch noch schiefer, aber aus irgendeinem Grund wirkte das alles angenehm, und Miranda dachte mit einem gewissen Entsetzen: O Gott, jetzt fange ich auch schon an, sie schön zu finden!

Im Übrigen folgte Damians Mutter ihrem innerlich gegebenen Versprechen und spendete Stofftiere an Kinder- und Waisenheime, bald gewohnheitsmäßig und nicht nur zu Weihnachten.

Nach und nach begann ihr das sogar Spaß zu machen, sie landete deshalb (und nicht wegen ihres berühmten Sohnes) verschiedentlich in der Presse und erhielt, Jahre später, sogar das Bundesverdienstkreuz am Bande für diese lobenswerte soziale Tätigkeit.

Natürlich zog die Sehnsucht Nelli nach einiger Zeit zurück nach Oxfordshire. Da halfen auch die täglichen Anrufe nicht viel. Stattdessen telefonierte sie nun, von dort aus, jeden Abend ausführlich mit Damian.

Und mit der Zeit spielte es sich ein und wurde zur festen Regel, dass Cornelia Gebhardt jeweils ein halbes Jahr in England verbrachte und die andere Hälfte in Deutschland.

Weil Damian seinen Geburtstag im Juli feierte, während Kolja Mitte Januar geboren war, weil Deidre und Diana beide im Frühling Geburtstag hatten, bot es sich an, dass Nelli in der ersten Januarwoche nach Oxfordshire reiste und Ende Juni zurück nach Hamburg.

Damit schienen alle völlig zufrieden zu sein. Jedenfalls beklagte sich niemand, abgesehen von Corinna und Cordula Schnoor, die nicht müde wurden, sich darüber aufzuregen, dass ihre unscheinbare kleine Schwester zwei Männer, zwei Familien und zwei Häuser ihr Eigen nennen durfte – und auch noch glücklich damit war.

So kam es, dass Conny ihre beste Freundin wieder in greifbarer Nähe hatte, zumindest für mehrere Monate im Jahr. Sie besuchte sogar in den Osterferien mit Eric Nellis Zweitfamilie. Mit dem Beginn des neuen Jahrtausends gab Hertz-Moden vierteljährlich Kataloge heraus, begann mit dem Versandgeschäft über das Internet und besaß acht eigene Boutiquen, teilweise integriert in größere Warenhäuser.
Eric hatte die Schule sehr gut abgeschlossen und ging für ein Jahr nach Amerika, bevor er anfing, Wirtschaftsmathematik und Englisch zu studieren, natürlich in Oxford, im idyllischen Haus der Weises wohnend.
Foxi war nun tatsächlich Pädagogikprofessor an der Hamburger Universität und er veröffentlichte Bücher, wie Eva Wohlgast und Damian es vor vielen Jahren seinen Eltern eingeredet hatten. Alles schien geregelt und geordnet, so gut es ging.

Seit es Handys gab und die Möglichkeit, verschiedenen Anrufern spezielle Klingeltöne zu verpassen, hatte Conny der Telefonnummer ihres Liebsten den Beginn von *Wednesday Morning, 3 a.m.* von Simon and Garfunkel zugeordnet. Das tobte eines Morgens in ihrer Handtasche los, passenderweise an einem Mittwoch. Zum Glück nicht um drei, aber immerhin um halb acht: schlimm genug. Sie frühstückte noch und musste anschließend sofort ins Büro. Conny war sowieso keine Lerche. Ihr fehlten sehr früh am Tag oft die Worte.
»Vico? Gottes willen, ist was passiert?«
»Ja, pass auf … Schäfchen? Nein, nichts Schlimmes. Also, es ist so, du musst eine Weile mal verzichten. Mittwochs. Heute. Und überhaupt erst mal. Es ist über mich gekommen – da kann man nichts machen. Ich muss das ausleben. Wenn es vorbei ist, melde ich mich. Hab etwas Geduld …«
»Hast du gerade gesagt, ich muss Geduld haben? Soll das ein Witz sein? Vico, du klingst so komisch – bist du betrunken?«

»Nein. Es ist nur eine Phase. Ich melde mich …«
»Vico?!« – aber da hatte er schon aufgelegt, ohne *Aufwiedersehen*. Conny starrte vor sich hin. Er musste das ausleben? Es war nur eine Phase?
Sie fegte nachdenklich einige Brötchenkrümel von ihrem Kostümrock. Heute begannen die Verhandlungen mit den Bettwäscheherstellern. Demnächst würden Connys typische Stoffmuster stilisierter Bäume und Tiere nicht nur auf Kleidern sitzen, sondern auch auf Tischdecken, Vorhängen und Kopfkissen. Eigentlich passte es ganz gut, dass sie an diesem Nachmittag mal in ihrer Firma bleiben konnte.

Susann erhielt gleich darauf von ihrem Mann einen ähnlich kryptischen Anruf zum Frühstück. Sie hatte eine eigene Art, ihre Stimme sehr leise und dadurch besonders giftig klingen zu lassen: »Natürlich. Ich weiß schon: Chantal. Für wie blöd hältst du mich? Ich weiß sogar, wieso. Weil Laura ihr Baby erwartet, deshalb. Weil du nicht drüber wegkommst, dass du mit Anfang fünfzig Großvater werden sollst. Du musst dir beweisen, was du noch für ein Tiger bist. Deshalb bleibst du einfach die ganze Nacht weg, und ich werde fast verrückt vor Sorge und bin kurz davor, die Polizei anzurufen. Hab ich aber nicht getan – weil ich ja wie gesagt nicht blöd bin und deine mondsüchtigen Augen seit einer Woche betrachten darf, wenn du aus der Praxis kommst. Mach nur so weiter, mein Freund. Du wirst schon sehen, was du davon hast …«
In diesem Fall war es Susann, die ohne *Aufwiedersehen* auflegte.

Vico beklagte sein Schicksal am Nachmittag bei Holgi. Es regnete Strippen, er war der einzige Gast und konnte alles in Ruhe darlegen: »Ich musste einfach eine neue Sprechstundenhilfe einstellen, weil die Glauke ging. So. Und dann kommt da

so was angewippt mit runden blauen Augen und sonst auch überall rund, wo sie nicht schlank ist. Ein Babymund, sieht so aus, als hätte man ihr gerade die Nuckelflasche entrissen und sie staunt darüber ... Chantal ist nicht doof, sonst hätte ich sie ja nicht eingestellt. Aber auf eine niedliche Art naiv ...«
Der Wirt guckte mit müden Schildkrötenaugen über den Zigarettenrauch weg, während er ein Glas abtrocknete. »Wie alt?«
Vico lächelte verlegen. »Zweiundzwanzig. Ich weiß: zwei Jahre jünger als meine Tochter.«
»War die nich auch schon verheiratet?«, erinnerte sich Holgi.
»Seit anderthalb Jahren. Und wird gerade selbst Mama.«
Holgi kaute an seiner Kippe. »Denn hassu die Lütte verführt, um zu zeign, dassu noch kein Opi bis, wa?«
»Nein! Mann, das denkt Sannchen auch. Nein, ich hab sie einfach nur bewundert, bisschen geflirtet vielleicht. Und da kommt sie gestern nach Feierabend, als alle schon weg sind – ich sitz da noch alleine am Schreibtisch und beantworte Briefe, verstehst du –, da geht die Tür auf und sie kommt rein. Ohne was an. Ich hab mich vor Schreck verschluckt und bin fast erstickt vor Husten. Da musste sie lachen. Und dann musste ich selbst lachen. Was hättest du denn gemacht?!«
Holgi stellte das Glas ins Regal hinter sich. »Auch gelacht. Ich will dir ma was sagn, Doktor. Du siehs zu gut aus. Dass' dein Problem.«
Und Vico legte den Kopf schief, halb geschmeichelt und halb schuldbewusst.

Für Conny herrschte, was den Mittwoch und ihren Märchenprinzen anging, also Sendepause. Gut, dass sie so mit dem neuen Seitenzweig der Hertz-Moden beschäftigt war. Auf die Art hatte sie kaum Zeit, sich zu ärgern. Inzwischen war ihr ziemlich klar, was Vico wohl unbedingt ausleben musste. Ei-

gentlich eine Frechheit! Na, irgendwann würde er es wohl hinter sich haben.
Doch als sich die Pause über Wochen und Monate hinzog und allmählich schon fast ein Vierteljahr dauerte, begann es doch, sie zu beeinträchtigen.
Eines Sonntagnachmittags Anfang August fuhr Conny zum Holi-Kino, um sich einen besonderen Film anzusehen. Sie war allein, denn sie hatte niemanden überreden können, mitzukommen. Und als der Film aus war und sich die Zuschauer langsam aus dem Kino bewegten – da erblickte sie vor sich Vico neben einer ziemlich großen Frau mit blonden, langen Locken. Susann? Nein – ein viel, viel jüngeres Gesicht! Sollte das seine Tochter sein?
Conny hielt sich sehr im Hintergrund, verlor das Paar jedoch nicht aus den Augen. Die beiden schlenderten, Hand in Hand, zu Vicos Wagen, der ein Stück entfernt am Straßenrand parkte. Bevor die junge Frau einstieg, fasste Vico ihr Kinn mit dieser unnachahmlichen Geste zwischen Daumen und Zeigefinger, beugte sich über ihr Gesicht und küsste sie ausführlich.
Ah – also nicht seine Tochter – sondern seine auszulebende Phase.
Conny starrte, ohne zu blinzeln, bis ihre Augen brannten. Das war aber mal ein langer Kuss. Und so öffentlich. Sie entschied, dass sie es satt hatte, zuzusehen. Wer weiß, vielleicht knutschten die hier bis zum Abend weiter. So viel Zeit hatte sie nicht, sie wollte nach Hause.
Sie drehte sich um, stolperte zu ihrem eigenen Wagen, in der anderen Richtung, wischte sich ungeduldig, kurz in den Rückspiegel blickend, die Tränen ab und fuhr los. Als sie an dem Paar vorbeifuhr, küssten die immer noch!
Sobald sie zu Hause war, goss sie sich einen großen Cognac ein, den sie trank, während sie Femkes Nummer wählte.
»Herzchen! Lange nichts gehört! Wie geht es dir?«

»Ich bin fünfzig«, erwiderte Conny dumpf. Sie drehte schon wieder den Verschluss der Cognacflasche auf und trank, der Einfachheit halber und weil sie keine weitere Hand frei hatte, den nächsten Schluck gleich aus der Flasche.
Femke lachte scheppernd. »Aber doch schon seit einem halben Jahr, wie? Ist dir das gerade eben aufgefallen?«
»Irgendwie schon. Ich hab deinen Bruder und seine … seine neue …«
»Chantal. Sie heißt Chantal. Vicos Sprechstundenhilfe. Sein derzeitiges Verhältnis.«
»Seine Sprechstundenhilfe ist das? Dieses Goldlöckchen mit dickem Kussmund und Kulleraugen? Ich hab beide zufällig im Holi gesehen. Warum geht Vico mit der ins Kino?«
»Wahrscheinlich, um einen Film anzugucken. Alles andere kann er bei ihr zu Hause haben.«
»Ich dachte, das Mädchen wäre minderjährig. Wirkt ekelhaft jung«, beschwerte sich Conny.
»Das haben Blondinen oft so an sich. Wie Rhabarber mit Vanillecreme. Das gibt sich später. Dann altern sie früher.«
»Wirklich? Wie tröstlich.«
»Kopf hoch, Vico hat die Kleine bestimmt bald hinter sich. Oder anders gesagt: Susann hat ihn mürbe, dann gibt er Chantal auf.«
»Warum, was macht Susann denn?«
»Suizidiert vor sich hin.«
»Was?«
»Zelebriert einen Selbstmord nach dem anderen. Weißt du, Conny, du kannst dich ja still beschäftigen mit deiner Hertz-Mode. Aber unser Sannchen hat viel Muße, um nachzudenken. Da fällt ihr dann auch was ein. Lauras Schwangerschaft interessiert sie nicht übermäßig. Ihre Tochter ist immer ein Vaterkind gewesen. Den Großteil von Liebe und Ärger hat Vico abbekommen. Also, das lenkt Susann auch nicht ab. Zu-

erst hat sie ihr Haupt im Backofen gebettet und das Gas angedreht …«

»Das ist ja furchtbar!«

»Nur mittelfurchtbar. Sie hat als sparsame Hausfrau gewartet, bis sie Vico in die Garage fahren hörte, und dann erst ihrerseits Gas gegeben. Vorher die Küchentür abgeschlossen, damit sie niemand an ihrem Entschluss hindern konnte. Andererseits einen sehr großen, auffallenden Abschiedsbrief im Flur auf dem Teppich deponiert, den Vico sofort sah, als er nach Hause kam. Mein Bruder hat brav die Küchentür ruiniert und seine Frau gerettet. War jedoch wohl erst mal nicht bereit, sich auf diese Art erpressen zu lassen. Also immer noch Chantal. Als Nächstes hat Susann mit Auszug gedroht und mit Scheidung. Vico hat um Bedenkzeit gebeten und weiter an Chantal festgehalten. Dann hat Susann den gesamten Inhalt der van Loon'schen Hausapotheke verschluckt. War jedoch umsichtig genug, ihre schwangere Tochter gleich hinterher anzurufen und laut weinend zu beichten, was sie gerade getan hat. Natürlich hat die arme Laura sofort ihren Vater alarmiert und der den Rettungshubschrauber, was in Niendorf einigen Wind gemacht hat …«

»Um Himmels willen, das war bei den van Loons? Ich hab das natürlich auch am Rande mitbekommen. Aber das sind ja Dramen!«

»Du sprichst es aus. Shakespeare war dagegen ein müder Knochen. An dieser Stelle – Rettungshubschraubergetöse nachts vor der idyllischen Familienvilla – haben unsere Eltern protestiert. Und auch die andern van Loons, mein Onkel und meine Tante, also Susanns Eltern. Die Generation ist ja noch vollständig vertreten. Die baten energisch um Diskretion und Contenance. Und haben Vico auch nahegelegt, nun mal eine andere Sprechstundenhilfe einzustellen. Das heißt, die hacken jetzt von der Seite auf ihn ein. Wenn du noch etwas wartest, kommt er sicher ganz reumütig angetrabt und freut sich, dass du ihn wieder aufnimmst …«

Conny nahm einen weiteren großen Schluck, der sich warm und freundlich in ihrem Körper verteilte. »Vielleicht. Andererseits – warum sollte er? Ich bin fünfzig. Vielleicht sollte ich mich straffen lassen. Ich hab eben im Auto bei jeder Ampel so meine Wangen beiseitegezogen … das macht was aus! Vico kann praktisch jede Frau haben, der mit seinem schönen Gesicht und seinem Charme. Warum sollte er wieder auf mich zurückgreifen? Ich werde mich operieren lassen!«

»Quatsch, wirst du nicht. Und warum solltest du auf ihn zurückgreifen? Du könntest auch ganz was anderes haben!«

Jetzt weinte Conny und widersprach nur noch undeutlich: »Ich will aber nichts anderes!«

»Selbst schuld«, konstatierte Femke.

Abends befand sich nur noch ein trauriges Pfützchen unten am Boden der Cognacflasche, und Conny schlingerte ein bisschen beim Gehen. Eigentlich hätte das ganz lustig sein können – wenn sie bloß nicht so traurig gewesen wäre.

Sie deckte den Abendbrottisch für Onkel Dieter und sich selbst und musste ab und zu »Ups!« sagen, weil sie ein Stück am Tisch vorbeilief oder eine Schüssel aus Versehen fast auf eine andere stellte. Darüber musste sie kichern. Dann dachte sie wieder an Vicos Sprechstundenhilfe und die Art, wie er sie geküsst hatte, und sie begann, ein wenig zu schluchzen.

Zum Schluss holte sie die selbst gekochte rote Grütze (gar nicht so schlecht gelungen), die der Onkel so gern aß, und ging betont langsam damit zum Esstisch …

Gegen acht bekam Dieter Hertz Hunger. Normalerweise aßen sie um sieben, und er wartete seit einer Weile darauf, dass Bibi ihn zum Essen rief.

Sie war doch im Haus – das Auto stand ja im Carport? Er meinte auch, sie vor einer Weile in der Küche gehört zu haben. Wo mochte sie stecken? Und was war mit dem Essen?
Er humpelte langsam die Treppe hinunter und bemerkte als Erstes den gedeckten Tisch – das sah doch gut aus? – und dann die zerbrochene Glasschüssel mit der roten Grütze auf dem Teppich. Das sah weniger gut aus. Schade drum. Wieso hatte Conny das nicht jedenfalls aufgeräumt und weggeputzt?
Als Nächstes fiel ihm die Scheibe der Terrassentür mit dem großen Blutfleck auf. War ein Vogel dagegengeflogen?
Dieter strich vorsichtig über den Fleck und stellte entsetzt fest: Das Blut klebte von innen an der Tür!
Jetzt bekam er Angst. Er rief ein paarmal mit zitternder Stimme nach seiner Nichte – ohne Ergebnis. Mühsam humpelte er die Treppe wieder hinauf und zu Connys Zimmer. Er musste lange klopfen und rufen, bis aufgeschlossen wurde. Sie öffnete nur einen Spalt weit, doch was er erblickte, war schlimm genug: »Bibi, was' passiert um Gottes willn? Hat ein auf dich geschossn oder was? Hassu schon 'n Dokter gerufn oder soll ich ma? Zeichma, blutes du noch? Bibi!!!« Denn sie wollte die Tür wieder schließen.
Conny brach in Tränen aus, taumelte rückwärts und fiel auf ihr Bett. Sie bedeckte ihr Gesicht mit beiden Händen, sodass ihr Onkel das schreckliche Unglück nicht mehr sehen konnte.
»Blutes du noch? Soll ich nich 'n Dokter …?«
»Nein!«, schluchzte Conny durch ihre Finger hervor. Und weil es in jeder Lebenslage nur eine Rettung zu geben schien, brabbelte sie undeutlich, aber dringlich: »Ruf Foxi an, Onkel Dieter. Wenn es geht, soll er bitte sofort zu uns kommen …«

Das 17. Kapitel
rettet ein Gesicht, erholt sich gemeinsam in der Einsamkeit und verschiebt kurzfristig ein zwischenmenschliches Verhältnis
2005

Sofort erreichte Onkel Dieter Christian Schnoor nicht. Aber zwei Stunden später hielt sein Wagen vor dem Haus und er eilte den Gartenweg entlang. Dieter hielt die Haustür auf.
»Herr Hertz! Wie geht es ihr?«
»Och na ja. Nich so. Schwillt immer mehr an, ne. Gucken Sie ma selber …«, empfahl der Onkel und humpelte hinter Christian her, der die Treppe hinaufsprang, zwei Stufen auf einmal, und kurz an Connys Tür klopfte: »Ich bin da! Kann ich reinkommen?«
Sie lag immer noch auf ihrem Bett und hatte unwillkürlich wieder beide Hände vor ihr Gesicht gehoben.
»Komm, zeig mal«, verlangte er und zog ihre Hände weg. Dann pfiff er durch die Zähne. »Conny! Gottes willen – wer hat dir das getan?«
Onkel Dieter gab gefällig Auskunft: »Diesen Bengel vonne van Loons. An den leidet Bibi seit Jahr un Tach, ne. Un nu auch noch das …«
Christian bekam ganz helle, flackernde Augen. »Der Mann hat – ?! Ich kann das nicht glauben!«
Conny musste ein bisschen lachen, und das tat weh. »Aua, autsch! Musst du auch nicht glauben, Foxi. Onkel Dieter meint das nur im übertragenen Sinn. Vico hat mir nichts getan. Ich hab mich nur so über ihn geärgert und dann hab ich zu viel Cognac geschluckt, du weißt doch, wer Sorgen hat, hat auch Likör … Und dann bin ich irgendwie entgleist oder gestolpert. Hab die rote Grütze von mir geschmissen und bin

mit dem Gesicht in die Terrassentür gesegelt, volle Fahrt. Das hat vielleicht einen Wumms gegeben! Hat erst gar nicht richtig wehgetan. Aber inzwischen pocht das überall …«

Foxi untersuchte mit behutsamen Händen das Gesicht seiner Freundin: »Tut das hier weh? Und das? Du hast dein Näschen gebrochen, so viel steht fest. Den Zähnen ist nichts weiter passiert? Na, was für ein Glück. Das linke Auge muss sich ein Augenarzt ansehen, ich fahr dich gleich noch in die Klinik … Du schaust ja aus wie ein Alien!« – denn Connys linker Augapfel war dunkelrot, es gab kein Weiß mehr im Auge. »Der Riss hier vor dem linken Ohr muss genäht werden. Aber nicht von irgendeinem gewöhnlichen Hals-Nasen-Ohren-Arzt oder so. Da muss ein kosmetischer Chirurg ran, sonst gibt es eine schlimme Narbe. Der Riss hat sehr geblutet, was?«

Conny nickte vorsichtig. »Meine ganze Bluse ist voll mit meinem Blut. Das geht nie raus!«

»Ja, das ist natürlich das Schlimmste an der ganzen Sache. Die arme Bluse …«

Christian fuhr sie kurz darauf zur Asklepios-Klinik in Barmbek. Dort untersuchte ein netter, kompetenter Arzt ihr Alien-Auge, stellte fest, weder Netz- noch Hornhaut wären verletzt, und empfahl kalte Kompressen. Am nächsten Morgen wurde sie von Foxi nach Pöseldorf zu einem plastischen Chirurgen gebracht, der ihre Nase und den großen Riss vor dem Ohr anschaute und in aller Ruhe sagte: »Das muss operiert werden!«

Conny glaubte ihm. Zwar gab es in ihrem linken Auge, soweit man es überhaupt noch erkennen konnte, wieder ein paar kleine weiße Stellen, doch ihr Gesicht war über Nacht heftig angeschwollen. Sie mochte es gar nicht angucken und hielt insofern inzwischen den Griff ihres kleinen Handspiegels bereits gewohnheitsmäßig umklammert.

Hatte sie nicht wenige Stunden, bevor sie in die Terrassentür klatschte, noch zu Femke gesagt: Ich lasse mich operieren? Nun nahm das Schicksal sie beim Wort!

Vor allen Dingen rief sie Frau Kannemaker an und erklärte, es sei ganz plötzlich nötig geworden, dass sie einen Eingriff vornehmen ließ. Schon morgen Vormittag. Und es würde eine Weile brauchen, bis sie sich erholt hätte. (Fünf bis sechs Wochen, hatte der Arzt gemeint, dann sah man garantiert überhaupt nichts mehr.)

»Ich melde mich, sobald ich kann!«, versprach sie.

Frau Kannemaker, die ja keine Ahnung hatte, worum es ging, wünschte mit ernster Stimme gute Besserung und versicherte, sie würde für ihre Chefin beten.

Was ja nie schaden konnte.

»Fünf bis sechs Wochen!«, überlegte Christian, als er Conny zurück nach Hause brachte. »Also, morgen früh bastelt der Arzt an deiner Nase und dem Riss rum ... Eine Nacht schläfst du noch dort in der Klink. Und Mittwoch Morgen wirst du entlassen. Wo willst du dich dann verstecken und abschwellen?«

Zu Hause, hatte Conny gedacht.

Doch das gefiel ihrem Freund nicht. »Da hab ich eine bessere Idee. Ich muss bis zum Herbst ein Buch über Verhaltensstörungen zu Ende schreiben, ziemlich intensive Arbeit, sechs bis sieben Stunden täglich. Für den Verlag von Fred – du weißt doch? Du hast ihn mal kurz kennengelernt. Egal – Fred hat ein Riesensegelboot, eine Irgendwas-Jacht ...«

»Ich werde so leicht seekrank«, wandte Conny ein.

»Du sollst doch nicht mit auf den Kahn. Aber wenn Fred und seine Frau von Mitte August bis Ende September in Skandinavien rumschippern, hüte ich so lange ihr Häuschen bei Nieby!«

»Nie-was?«

»Nieby liegt in Schleswig-Holstein ganz weit oben, hängt Dänemark unterm Kinn. Da war ich schon mal, ich hab dir von dort eine Karte geschickt, vor zwei Jahren, erinnerst du dich?«

»Weiß nicht ...«, sagte Conny unsicher. »Ein kleines Häuschen – meinst du, das geht für fünf Wochen mit zwei Personen?«

»Drei. Wir müssen natürlich Sir Gawain mitnehmen ...«, erklärte Christian und kraulte seinen melancholisch blickenden Hubertushund unter dem Kinn. »Wer hat behauptet, dass dieses Häuschen klein ist? Das ist ein U-förmiges Reetdach-Anwesen von vielleicht vierhundert Quadratmetern auf einem kilometergroßen Grundstück in der absoluten Einsamkeit zwischen Wiesen und Feldern. Da kannst du in Ruhe abschwellen und entfärben, ohne dass dich jemand sieht. Wenn Fred und seine Frau einen längeren Törn machen, haben sie gern jemand Tag und Nacht im Haus. Mich, weil sie mir vertrauen, und Gawain, weil er bellt. Ich kann zwar auch kläffen, aber nicht so tief. Du musst weder vertrauenswürdig sein noch bellen, du bist einfach dabei. Es ist eine Sauna da und ein Schwimmbecken – wenn auch nur ein kleines. Und du kannst unter acht oder neun Schlafzimmern wählen! Komm mit, Conny! Ich sage das aus purem Egoismus: Dann hätte ich dich endlich mal für eine ganze Zeit lang nur alleine für mich. Du weißt, was ich für ein überragender Koch bin. Außerdem ist es dann für Gawain und mich auch nicht so langweilig. Wir haben uns manchmal nichts mehr zu sagen ...«

Direkt nach der Operation sah Conny eigentlich erst mal noch schlimmer aus als vorher. Als wäre sie mit einem höchst jähzornigen Mann verheiratet. Ein weißer Verband um den Haaransatz und die Ohren rahmte alles ein.

Wie gut, dachte Conny, dass Vico mich so nicht sieht! Das könnte ihm ein für alle Mal den Appetit verderben. Foxi ist da ganz anders. Den kann nichts erschrecken. Und der mag mich immer, ganz egal, wie ich aussehe. Gott sei Dank.

Die Fahrt von Hamburg nach Nieby dauerte nicht viel mehr als zweieinhalb Stunden, aber sie erschöpfte Conny trotzdem. Sie musste sich sofort nach ihrer Ankunft hinlegen. Christian servierte Tee und setzte sich an den Computer, um an seinem Buch zu schreiben, während Conny ruhig auf einem Sofa im großen Wohnzimmer lag und durch das Fenster in den Garten blinzelte, in dem Schmetterlinge und Hummeln um einige gepflegte Rabatten herumschwebten. Irgendwann schlief sie ein. Als sie erwachte, lag Sir Gawain auf ihren Beinen, eine Vorderpfote auf ihrer Hüfte und eins seiner großen Ohren über die Schnauze gebreitet.

Foxi stand vom Tisch auf und lächelte sie an. »Ich mache jetzt Pilze im Blätterteig mit einer Sherry-Senf-Sauce«, erklärte er gut gelaunt. »Ich habe wunderbar schreiben können. Es inspiriert mich, wenn ihr zwei dabei herumliegt und schlaft!«

Conny packte ein wenig aus, blickte zum zweiten Mal an diesem Tag in einen Spiegel und stöhnte erschrocken. Konnte es sein, dass ihr armes Gesicht immer noch weiter anschwoll? Inzwischen wirkte es, als hätte sie außer ihrem höchst jähzornigen Mann noch einen extrem eifersüchtigen Liebhaber. Sie knipste schnell das Licht über dem Spiegel aus und ging nach unten, denn von dort duftete es bereits nach einem köstlichen Abendessen.

Anfangs war es nicht leicht, sich zu entspannen. Conny hatte in ihrem Leben nie viel Urlaub gehabt und war selten privat verreist. Dreimal mit Eva Wohlgast, viermal mit Vico, einige Besuche in England, das war's eigentlich schon.

Jetzt sollte sie lange schlafen, möglichst auch nach dem Mittagessen ruhen, sich erholen. Andererseits hatte der Arzt ge-

meint, Abschwellen ging am besten durch Bewegung. Also spielte sie Bällchen-Werfen mit Sir Gawain auf dem Grundstück oder sie benutzte eins der Fahrräder aus der Garage und nahm den Hund mit auf einen Ausflug in der Einsamkeit.
In den ersten Tagen telefonierte sie noch mehrmals mit Frau Kannemaker und einigen anderen Mitarbeitern, bis ihr selbst auffiel, dass sie eher störte als behilflich zu sein.
Nach einer Woche fuhr Christian sie nach Hamburg, damit die Fäden gezogen wurden. Das tat kaum weh, sie war damit auch den weißen Kopfverband los und hatte die Erlaubnis, ab jetzt ihre Haare zu waschen. In einer Woche würde sie im Pool baden dürfen und nach drei Wochen die Sauna benutzen.
Da jedoch der Sommer gerade wieder einen kleinen Anlauf nahm (nachdem es in der ersten Woche eher kühl gewesen war) und viel Sonne und Wärme herrschten, machte es Conny nichts aus, auf den Saunabesuch noch zu warten. Dafür badete sie mit großer Begeisterung gemeinsam mit Foxi in dem quadratischen Pool im Reetdachhaus, hinter dem eine mediterrane Landschaft an die Wand gemalt war.

»Und? Wärst du jetzt lieber zu Hause in Niendorf?«, fragte Foxi, der aus dem Haus trat, als sie auf der Innenterrasse lag.
Conny schüttelte sehr überzeugt den Kopf. »Onkel Dieter würde sich vor Mitleid nicht einkriegen über mein Gesicht. Ich würde mich entsetzlich langweilen. Und ich könnte nicht rausgehen, außer nachts … Ja, und dann ist es prima, den Hund dabeizuhaben. Der zwingt ja dazu, lange zu gehen oder Rad zu fahren …«
»Wenn ich dich richtig verstehe, bin ich der einzige Faktor, der etwas stört?«
»Entschuldige, natürlich nicht. Nein! Es ist toll, dass du da bist. Dass du einkaufst und kochst, und dann noch so leckere Sachen. Ich empfinde dich als einen der angenehmsten Men-

schen, die ich kenne, wirklich! Ich wäre weit weniger entspannt, wenn du nicht hier wärst.«
»Na schön, das war die richtige Antwort. Guck mal, der Sir hat schon wieder Kletten in der Perücke …« Und Foxi setzte sich auf die andere Liege und zupfte die klebrigen runden Puschel vorsichtig und geduldig aus den langen Hundeohren. Als er dazu den Kopf senkte, entdeckte Conny, dass sein kastanienbraunes Haar anfing, grau zu werden.
»Du bist jetzt auch schon zweiundvierzig, oder?«, fiel ihr plötzlich ein.
»Übertreib nicht. Noch bin ich einundvierzig.«
»Gut, einundvierzig. Das ist doch auch nicht mehr so superjung. Willst du eigentlich nie heiraten?«
Er ließ das Hundeohr los und blickte einmal rundherum durch den großen Garten. »Warum möchtest du das jetzt wissen?«
»Oh – ich weiß nicht. Ich hab schon manchmal drüber nachgedacht. Es ist doch etwas ungewöhnlich.«
»Du bist doch auch nicht verheiratet. Du hättest dich nur zweimal um ein Haar verlobt. Ist das nicht mindestens so ungewöhnlich?«
Conny seufzte unterdrückt. Sie versuchte seit Wochen, so wenig wie möglich an Vico zu denken. »Na ja, du weißt doch, ich hab meine Gründe. Oder besser: Ich hab einen ganz bestimmten Grund.«
»Nimm mal an, so was hab ich auch, Conny. Einen ganz bestimmten Grund«, sagte er. Und es klang so, als wollte er nicht weiter zu diesem Thema befragt werden.

Nach dreieinhalb Wochen ungefähr hätte Conny schon wieder unter Menschen gehen können. Einige Schwellungen gab es noch hier und da. Einige Stellen, die etwas wehtaten. Ein bisschen verdickte Lymphknoten. Leichte Verfärbungen, die

sich überschminken ließen. Sie begann, wieder gut auszusehen. Eigentlich sogar ganz besonders gut. Was sicher an der entspannten Zeit mit dem besten aller Freunde lag …
Sie ging mit Foxi am Strand der Ostsee spazieren, die kaum fünfzehn Minuten zu Fuß entfernt war und die jetzt, im September, erstaunlich menschenleer dalag.
Sir Gawain versuchte auf seine würdevolle Art, Möwen zu jagen, er lief mit flatternden Ohren und etwas hochmütiger Miene über den Sand.
»Warum hast du eigentlich keinen Hund mehr, Conny? Meine Familie behauptet immer, die Hundeverrücktheit hätte ich von dir. Und jetzt besitzt du nicht mal mehr einen eigenen …«
»Hinten in unserem Garten stecken zwei kleine Kreuze. Da liegen Robin und Charly. Ich weiß gar nicht, ob ich mir das noch mal antun will. Sie sind so süß und sie machen so viel Freude. Aber wenn sie sterben, dann tut das derartig weh …«
Foxi schüttelte den Kopf. »Umgekehrt. Wenn sie sterben, dann tut das weh, das ist richtig. Aber vorher hat man so viel Freude an ihnen. Conny, zu deinem nächsten Geburtstag oder zu Weihnachten – liegt ja beides dicht beisammen – schenke ich dir einen Welpen. Zur Abwechslung mal ein Hundemädchen. Ich such dir irgendwas mit seidigen Öhrchen aus. Und die musst du Sonny nennen.«
»Sonny? Warum?«
»Weil ich das einfach schön finde: Conny und Sonny!«, sagte Foxi. Nahm sie an der Hand und rannte hinter Sir Gawain her.

Die dritte Septemberwoche zeigte sich schon etwas herbstlich und kühler. »Jetzt ist wirklich Sauna-Wetter!«, sagte Conny am Dienstagmorgen beim Frühstück. »Würdest du so nett sein, sie heute Nachmittag für mich zu heizen?«

Foxi setzte seine Tasse ab und blickte Conny leicht amüsiert an. »Meinst du – für dich – oder für uns?«
Conny schwieg überrumpelt. Darüber hatte sie noch nicht nachgedacht. Wenn sie mit Femke oder Nelli in so einem Haus gewesen wäre – dann wär's gar keine Frage gewesen. Gut, Foxi war ihr bester Freund, ihr Vertrauter, sie hatte ihn als Baby herumgetragen. Doch deshalb war er trotzdem ein Mann. Ein Mann, der ihr Komplimente machte, der sie häufig – vor allem in letzter Zeit und je hübscher sie wieder wurde – bewundernd ansah.
Mehr noch: Er war ein gut aussehender, interessanter und sympathischer Mann.
Das alles hätten ja gerade fabelhafte Gründe sein können, sich ohne störende Textilien neben ihn in einem engen Behälter auf eine Holzbank zu setzen. Aber – sie gehörte doch nun mal zu einem anderen …?
»Du wirst mich wahrscheinlich für völlig verklemmt halten«, antwortete sie verlegen. »Nein, ich meine – natürlich kannst du die Sauna gleichzeitig benutzen, wenn du gern möchtest. Ich will nur – ich werde mich von oben bis unten in ein Handtuch wickeln. Und ich wäre dir dankbar, wenn du auch – wenn du deinerseits – also, ich bin der Ansicht … Weißt du, ich würde mich ja auch nicht mit – beispielsweise mit Onkel Dieter ausgezogen in die Sauna setzen! Foxi, bist du jetzt gekränkt?«
Er schüttelte den Kopf. »Ganz im Gegenteil. Geschmeichelt. Bis jetzt hast du immer behauptet, du kannst nichts anderes in mir sehen als das Kleinkind.«
Conny biss ärgerlich in ihr Brötchen und kaute eine Weile, bevor sie sagte: »Mit einem Kleinkind, wenn's nicht mein eigenes ist, würde ich mich auch nicht nackt in die Sauna setzen. Wäre ja wahrscheinlich auch verboten!«

Dieses Gespräch trübte ein wenig ihr bis dahin wolkenloses Einvernehmen.
Am Dienstagnachmittag konnte Conny die Sauna ganz für sich allein benutzen und sie schwamm anschließend ebenso einsam in dem kleinen Pool. Das machte bedeutend weniger Spaß als bisher mit Christian zusammen.
Und so ließ in den letzten fünf Tagen ihres gemeinsamen Aufenthalts in Nieby ihr entspannter, vertrauter Tonfall merklich nach. Conny klang ein Spürchen entnervt, und Christian reagierte darauf mit einer leichten Ungeduld, die er früher nie gezeigt hatte. Sir Gawain betrachtete die beiden manchmal mit einem milden, etwas deprimierten Erstaunen, als wollte er sagen: Da habt ihr's, erwartet hab ich's immer irgendwie.
Am Samstag, dem 17. September, hatte Conny die Nase voll von dieser Situation. Ihr wurde bewusst, dass sie den Mann am Frühstückstisch gegenüber bereits beobachtete, als sei er ein Feind.
»Um ganz ehrlich zu sein, Foxi, ich würde gern heute schon nach Hause gebracht werden, nicht erst morgen. Dann kann ich mich noch auf den Alltag vorbereiten, verstehst du?«
Er nickte. »In Ordnung. Wann bist du so weit?«
»Ich fange sofort an zu packen. In spätestens einer halben Stunde müsste ich fertig sein«, erwiderte Conny (denn doch etwas beleidigt, weil er das so kaltschnäuzig aufnahm. Sie hatte trotz allem mit Widerspruch gerechnet) und trank hastig ihren Tee aus.
»Eine halbe Stunde, um einen kleinen Koffer zu packen? Geht das nicht etwas schneller?«, meinte Christian in gleichgültigem Ton – und sie fragte sich, ob er das ironisch meinte oder es wirklich kaum erwarten konnte, sie loszuwerden.
Auf jeden Fall rannte sie sofort die Treppe hinauf und begann, den Schrank leer zu räumen und alles in den Koffer zu stopfen, den sie auf ihr Bett gestellt hatte.

Als sie nahezu fertig damit war, klopfte Christian kurz und hart an die Tür und trat ein. »Können wir los?«
Conny pfefferte hastig noch ihren zusammengeknüllten Schlafanzug auf alle anderen Sachen und schlug den Kofferdeckel heftig zu.
»Pass auf, wenn du keine Lust hast, mich nach Hamburg zu fahren oder wenn du zu viel zu tun haben solltest – vielleicht sind dir gerade noch Eingebungen zu deinem Werk gekommen –, dann nehme ich mir ein Taxi. Das wird mich auch nicht total ruinieren ...«
Sie blickte gereizt in sein Gesicht und erkannte, dass seine Augen zurzeit eher schwefelgelb wirkten als grün. Überhaupt sah er sich selbst für den Moment nicht besonders ähnlich: Die Jochbeine standen noch spitzer hervor als sonst, und die Kiefer waren plötzlich ganz eckig. Er machte ihr fast Angst.
»Warum bist du eigentlich so widerwärtig bockig?«, fragte er sie durch die Zähne. »Ich wollte dir ein paar schöne Wochen machen, du verwöhnte kleine Ziege ...«
»Wie selbstlos!«, rief Conny. Sie wäre gern ausgewichen, aber sie stieß mit den Knien an die Bettkante und konnte nicht weiter zurück. »Wie rührend von dir! Dabei bist du einfach ein Egoist! Du hast selbst gesagt, dass es dir vor allem darauf ankommt, mich für soundso viel Tage endlich mal für dich alleine zu haben!«
»Hätte ich vielleicht sagen sollen, ich ziehe dich rücksichtsvoll aus dem Verkehr, bis andere Menschen deinen Anblick wieder ertragen?«, schnauzte er sie an.
Conny holte unwillkürlich aus und schlug unwillkürlich zu. Es passierte schneller, als sie denken konnte.
Im nächsten Augenblick flogen sie gemeinsam auf das Bett, ein Knäuel von Armen und Beinen. Sir Gawain, der bisher diskret im Flur vor der Tür gestanden hatte, hielt es für angebracht, jetzt auch in den Raum zu traben und in dunkles, dro-

hendes Gebell auszubrechen, wobei unklar blieb, wen von beiden er verteidigen wollte. Er bekam den umkippenden und vom Bett rutschenden Koffer auf die Schnauze und beendete sein Bellen mit einem weggedrückten Quietschlaut.
Nach einigen unruhigen Sekunden gelang es Christian, Connys Arme auf das Bett zu drücken, und er klemmte auch irgendwie ihre strampelnden Füße mit seinen Beinen fest.
An der Art, wie er sie küsste, merkte Conny, dass er immer noch sehr, sehr böse auf sie sein musste.
Sobald ihr Mund wieder frei war, sagte sie: »Wehe dir, wenn jetzt irgendwas an meinem Gesicht wieder kaputt geht oder die Naht geplatzt ist oder so was!«
»Keine Sorge. Du bist wunderschön. Alles ist heil geblieben«, beruhigte er sie, nachdem er sich einen kurzen Überblick verschafft hatte. Sein nächster Kuss war schon bedeutend sanfter.
»Also, es tut mir leid«, brachte Conny an irgendeiner Stelle an, »Ich wollte nicht – das war wirklich richtig dumm von mir. Und gemein. Du warst so lieb ... Du hast dir solche Mühe gegeben die ganze Zeit. Und du bist natürlich kein Egoist ...«
Nach einer Weile flüsterte er: »Du bist auch keine verwöhnte Ziege. Dass du verwöhnt bist, ist mir jedenfalls sonst noch nie aufgefallen ...«
Sehr viel später fragte Conny mit leiser, verträumter Stimme: »Was ist das eigentlich für ein komisches Geräusch?«
Und Christian antwortete: »Der Hund schnarcht. Er schläft hier vorm Bett, mit der Schnauze in deinem Koffer. Du, Conny? Heute bringe ich dich nicht mehr nach Hamburg. Ich mach uns gleich was zu essen und dann heize ich noch mal die Sauna. Für uns beide. Ach komm, das ist jetzt auch schon egal. Morgen sind wir noch zusammen, Sonntagabend fahr ich dich nach Hause. Ab Montag kannst du deinem Vico wieder

von oben bis unten treu sein. Sir Gawain verrät nichts, und wir beide vergessen es – ab Montag. Dann ist alles wieder wie früher zwischen uns, wir sind wieder wie Bruder und Schwester oder von mir aus wie Tante und Neffe, wenn du Wert drauf legst. Aber heute Nacht, Conny, schläfst du in meinem Bett …«

Im 18. Kapitel
erkennen wir, was wir davon haben, und verschaffen uns ganz allgemein einen Überblick
2005–2014

Sie sehen ganz phantastisch aus, Frau Hertz!«, rief Frau Kannemaker bei ihrem Anblick. »Wie vernünftig, dass Sie sich ein bisschen ausführlicher von Ihrer Operation erholt haben.« Und etwas leiser, indem sie etwas näher kam: »Ist denn nun alles in Ordnung?«

Conny nickte. »Ich bin wie neu«, versicherte sie lächelnd.

Sie hatte ein wenig Angst gehabt, ihren Mitarbeitern mit ihrem restaurierten Gesicht unter die Augen zu treten, vor allem, nachdem Onkel Dieter bei ihrem Anblick immer nur mit dem Kopf schüttelte: »Och, meine arme Bibi, du sies ja ganz anners aus. Die Nase ürgenwie nich wie früher, ne? Un denn die Naabe –!«

Aber da es außer ihm absolut niemand zu bemerken schien (ihre Nase, fand sie selbst, sah eher etwas hübscher aus als vorher, und die Narbe vor ihrem Ohr war, vor allem mit etwas Make-up, kaum wahrzunehmen), bildete der Onkel sich das wohl ein.

Und wenn es ausgerechnet Frau Kannemaker, einer neugierigen, scharf beobachtenden Frau, nicht auffiel und sie sich nichts dabei dachte – dann würde es auch kein anderer sehen.

Vico bemerkte jedenfalls nichts. Als Conny und er sich im 14. Stock des Hochhauses am Doormannsweg in ihrem Mittwochszimmer endlich wieder in die Arme fielen, äußerte er nur, wie wunderbar sie aussah und wie sehr er sie vermisst hätte.

Nachdem Laura van Loon im November eine kleine Amelia bekam, hatte der nagelneue Großvater nicht nur einen gigantischen Rosenstrauß (rosa) für Tochter und Enkelin gekauft, sondern genauso einen für seine Frau (blutrot) mit der Bitte, ihm zu vergeben. Er habe eingesehen, dass er letzten Endes ganz allein zu ihr gehöre und was sie ihm wert sei …
Conny erhielt eine Geburtsanzeige mit Babyfoto. Auf die Rückseite hatte Vico gekritzelt:
Kannst du mir noch mal verzeihen, Schäfchen? Ich war ein Idiot. Was macht ein so schönes Mädchen wie du am nächsten Mittwochnachmittag?
So nahm Vico seine alten Beziehungen, die eheliche und die uneheliche, wieder auf, als sei nichts gewesen. Und seine Ehefrau und seine Geliebte atmeten tief durch in der Hoffnung, dies möge es jetzt für längere Zeit gewesen sein. Er schien ja genügend Charme und persönliche Vorzüge zu besitzen, um jede Nachsicht zu rechtfertigen.
Alles nahm wieder den gewohnten Verlauf. Die Jahre vergingen so unmerklich und nebenbei und lautlos, wie Schneeflocken fallen. Cäcilie Schnoor starb und wurde von ihnen bedeckt. Ihre Tochter Cordula schaffte es, mit über fünfzig Jahren doch noch zu heiraten, womit niemand mehr gerechnet hatte und was ihr ein inneres Anliegen gewesen war.
Ihr Mann (der im Familienkreis »Jakob, der Armleuchter« genannt wurde) nahm den Doppelnamen Jersebeck-Schnoor an und machte sich daran, mit eiserner Hand die Gärtnerei zu leiten, immer wieder erschüttert durch Streit und Zwist nicht nur mit seiner Frau, sondern vor allem mit seiner Schwägerin Corinna.

Silvester 2013 feierte man gemeinsam im weißen Haus der Gebhardts mit den – ja, neuerdings rehbraunen Markisen. Die orangefarbenen waren verblichen, und Miranda hatte ganz allgemein ein wenig ihre Vorliebe für diese Farbe verloren, vielleicht auch deshalb, weil sie kaum noch irgendetwas sehen konnte: Sie stand im sechsundsiebzigsten Lebensjahr, und ihre Augen hatten ihr seit jeher zu schaffen gemacht.

Professor Schnoor erschien in Begleitung seiner neuen Freundin Sabrina, ein kluges, schmales Gesicht mit Rehaugen, eine zierliche Figur. Christian half der hübschen Frau aus dem Mantel und stellte sie den Anwesenden vor.

Auf einmal fühlte Conny sich uralt.

Es kam ihr vor, als bestünde der größte Teil der Gesellschaft aus Senioren – und sie war eine davon.

Corinna Schnoor, Cordula Schnoor und Jakob Jersebeck-Schnoor leuchteten nebeneinander mit weißem Haar, von bläulich gespült bis achtlos vergilbt. In Nellis kurzem Schopf gab es kaum noch rote Strähnen. Und Damian Gebhardt wallten Locken und Bart so silbern über Schultern und Brust wie dem leibhaftigen Weihnachtsmann.

Auch der seidenohrigen Sonny, Connys kleinem Hund, wuchsen schneeweiße Fransen rund ums Kinn.

Sie lag zusammengerollt zwischen den Vorderpfoten des schlafenden Lancelot, eines Nachfolgers des verstorbenen Sir Gawain. Die beiden verstanden sich gut: Vor ungefähr drei Jahren, als Christian Lancelot anschaffte, hatte der Welpe in Sonny unerwartete Muttergefühle geweckt, die sie dazu brachten, ihn dauernd abzuschlecken.

Sogar Christian selbst, seit kurzem fünfzig Jahre alt, zeigte graue Schläfen. Sein Gesicht wurde etwas hagerer – und dadurch noch fuchsartiger.

Ausgerechnet Conny, die sich plötzlich beim Anblick von Christians Begleiterin so greisenhaft vorkam, wirkte im Vergleich zu den anderen recht jugendlich. Ihre Figur hielt sie schlank und (wenn auch oft zähneknirschend) biegsam trainiert, ihr Haar schimmerte nach wie vor rabenschwarz, wenn auch aus chemischen Gründen. Sie schlief ausreichend, sie aß viel Gemüse und Obst, wenig Kohlenhydrate und noch weniger Fleisch, sie hatte nie geraucht und machte sich nichts aus Alkohol. Die kleine Sonny zwang sie dreimal am Tag an die frische Luft.

Darüber hinaus gönnte Conny sich häufig eine ausführliche Behandlung im Kosmetiksalon und jedes halbe Jahr ein Wochenende auf einer Schönheitsfarm. Sie tat wirklich eine Menge für ihr Aussehen.

Zum einen, weil sie Geschäftsfrau war und die heile Fassade für ihre Selbstvermarktung brauchte.

Zum anderen, weil sie keineswegs in einer sicheren Beziehung steckte, die ihr womöglich erlaubt hätte, sich optisch gehen zu lassen. Sie war im Gegenteil immer noch die Geliebte, die Ausnahme, die Sünde – und hatte deshalb verlockend auszusehen.

»Erzähl mir was über diese Sabrina!«, verlangte sie leise aus einem Mundwinkel von Nelli, die neben ihr stand. Die antwortete ebenso leise: »Ist wohl eine Kollegin von ihm, Frau Doktor Sabrina Sowieso. Wenn ihre Scheidung durch ist, wollen sie vielleicht heiraten. Mit Betonung auf vielleicht. Bei Foxi glaub ich nicht mehr dran.«

»Wie alt ist die denn?«

»Anfang vierzig irgendwie. Hat auch schon erwachsene Kinder übrigens …«

Doktor Sabrina Sowieso hob ein mitgebrachtes, mit Alufolie abgedecktes Tablett hoch und fragte, ob ihr jemand helfen könnte, es auszupacken und vielleicht zu verteilen.

»Klar, kommen Sie mit!«, bot Conny sofort an und zog die Frau hinter sich her. Die wollte sie gern etwas näher kennenlernen. Am großen Herd werkelte die schweigsame Köchin Doris herum, die von Miranda damals vor allem eingestellt

worden war, damit keine guten Ratschläge mehr aus der Küche kämen. Auch Doris wurde deutlich vom Alter gebeugt. Sie lächelte die Eintretenden mit blitzblanken Keramikzähnen an und rührte in einem großen Suppentopf.
»Was ist das denn?«, fragte Conny, auf Sabrinas Mitbringsel zeigend.
Christians Freundin löste die Alufolie ab und knüllte sie zusammen. »Zwei Kilo Graved Lachs! Hab ich heute geschenkt bekommen – was soll ich denn alleine damit? Mich zu Tode essen? Ich möchte den Rest auch gern hierlassen, falls wir das alle gemeinsam heute Nacht nicht bewältigen. Ich fliege nämlich morgen früh nach Basel. Da kann ich doch keinen halben Lachs mitnehmen«, erklärte sie.
Sie besaß ein ganz reizendes Lachen – und sogar Grübchen. Ist die nicht überhaupt ein bisschen so ein Typ wie ich?, fragte sich Conny unbehaglich. Wie ich – nur fast zwanzig Jahre jünger … Sie freute sich für Foxi. Was für eine nette Frau, wirklich.
»Und gucken Sie mal – diese Sauce gehört dazu. Eine ziemlich süße Senfsauce, die schmeckt hervorragend!«, erklärte Sabrina weiter und zeigte ein gefülltes Schraubglas.
»Die gießen wir am besten in eine Sauciere – Doris, wo stehen die denn?«, fragte Conny. Sie fühlte Sabrinas Blick von der Seite auf ihrem Gesicht und fragte sich, ob die eventuell auch besonders neugierig auf sie war und was Foxi wohl von ihr erzählt haben mochte.
Ganz hatte sich ihre vertrauensvolle Freundschaft nie vom letzten Urlaubstag und der letzten Nacht in Nieby erholt. Die früheren langen Gespräche, Spaziergänge und Nackenmassagen gab es nicht mehr. Es blieb etwas von Spannung, von Aneinander-Vorbeisehen. Vielleicht nahm er ihr übel, dass sie damals nicht ihre Beziehung zu Vico abgebrochen hatte, um bei ihm zu bleiben?

Sie selbst empfand immer noch etwas wie ein schlechtes Gewissen, dass sie ihren heimlichen Geliebten mit einem noch heimlicheren Geliebten betrogen hatte. So reizvoll das ja gewesen war …

Conny deckte, gemeinsam mit Doris und Sabrina, den lang gezogenen Tisch im Speisezimmer mit verschiedenen schönen Sachen, darunter, sehr prominent, der Lachs.

Nelli rief: »Kommt doch mal alle her!«

Christian schob Onkel Dieters Rollstuhl an den Platz links neben Conny. Der Onkel wurde im März vierundneunzig und lebte inzwischen in einer ziemlich teuren Senioren-Residenz, da er nicht mehr in der Lage war, sich auf seinem restlichen Bein zu bewegen. Er nahm aber noch häufig, mit Vergnügen und gutem Appetit, an Familienunternehmungen teil.

Gäste und Gastgeber aßen geruhsam, unter entspannten Gesprächen. (Wenn man davon absah, dass Corinna keine Gelegenheit ausließ, ihren Schwager Jakob mit spitzen und ironischen Bemerkungen zu reizen.)

Sie hatten an diesem Abend nichts weiter vor, als in aller Gelassenheit auf Mitternacht zu warten, um dann sowohl das neue Jahr als auch die Geburtstage von Nelli und Conny zu feiern.

Tanzen mochte schon seit Jahren niemand mehr. Allgemeine Gesprächsthemen gab es kaum, meist unterhielten sich kleine Grüppchen oder zwei Gesprächspartner miteinander.

Das war Sabrina von zu Hause anders gewohnt. Gemeinsame Gesellschaftsspiele bis hin zu Scharaden in improvisierter Kostümierung. Furchtbar viel Gelächter und Gekreisch. Aber zwei ihrer Brüder waren ja auch noch Studenten …

»Wird bei euch nichts gespielt?«, fragte sie ihren Freund.

Als Nächstes fand sie sich am Schachtischchen vor dem Kamin wieder, wo Christian ihr nach kurzer Zeit sämtliche Bauern wegnahm, mit denen sie offenbar zu sorglos umging.

Dieser Damian, der aussah wie Petrus in Freizeitkluft, spielte am schwarzen Flügel seiner Mutter zarte, verträumte Melodien. Sabrina hörte, wie die älteste Schwester von Christian zur alten Frau Gebhardt sagte: »Seit Nelli jedes halbe Jahr in Hamburg verbringt, lächelt Ihr Sohn wieder! Er scheint sie von Januar bis Juni nicht besonders zu vermissen?«
Und die fast blinde alte Dame mit dem raspelkurzen weißen Haar erwiderte: »Wir können uns ja darauf verlassen, dass unsere Nelli kurz vor Damians Geburtstag wieder auftaucht …«
Hin und wieder schnappte Sabrina auf, dass einer der Anwesenden die Frage stellte, wann denn »die Kinder« endlich kämen, die offenbar noch im Theater steckten.
Gegen elf klingelte es an der Tür: Das waren sie also, die Kinder. Ein schwarzhaariger Mann mit Kohleaugen und ein rot gelocktes Mädchen, beide deutlich seelenvoll ineinander verliebt. Jeder musste sie knuddeln, jeder freute sich, dass sie endlich da waren, mindestens sechs Personen halfen ihnen aus den Mänteln. Man zog sie zum Esstisch, und alle Anwesenden schienen große Befriedigung daraus zu ziehen, dass »die Kinder« noch etwas aßen, auch von Sabrinas Lachs. Bei der Gelegenheit wurde sie den beiden vorgestellt, Christian und sie mussten ihr Schachbrett vorübergehend im Stich lassen.
Sabrina erfuhr, dies wären Eric Hertz und Diana Gebhardt. Diana sprach mit etwas schläfriger, lang gezogener Stimme (wie ihre Mutter), was in Verbindung mit dem englischen Akzent recht liebenswert klang.
Die großen Vorderzähne, die ihr Lachen so ansteckend aussehen ließen, hatte sie wohl auch von Nelli geerbt. Davon abgesehen wirkte sie ungleich hübscher, mit seidigen kupferroten Locken und veilchenblauen Augen.

Nachdem sie wieder am Schachtisch saßen, erzählte Christian seiner Freundin leise, wie das alles zusammenhing: »Also, Diana ist die ältere Tochter meiner Schwester. Die jüngere lebt augenblicklich in Frankreich. Und Eric ist Connys Sohn …«

»Ist Frau Hertz geschieden?«

»Nein. Sie war so selbstbewusst und tüchtig, ihr Kind einfach zu bekommen und ganz allein aufzuziehen, in einer Zeit, in der das noch ziemlich verpönt gewesen ist. Und nebenbei hat sie auch noch eine beispielhafte Karriere als Unternehmerin gemacht; hab ich dir doch erzählt, ihre Modefirma –?«

»Ja, ja, natürlich. Gott, ich hab mir bestimmt schon öfter ein Hertz-Modell gekauft. Ganz süße Sachen, tolle Stoffe. Aha. Und weil Frau Hertz und deine Familie seit Urzeiten befreundet sind, kennen Diana und Eric sich natürlich von klein auf?«

Christian nahm ihr einen Turm weg, lächelte sie entschuldigend an und antwortete: »Nellis Töchter sind in England geboren und aufgewachsen. Ach, das ist etwas kompliziert … Näher kennen die beiden sich erst seit vielleicht zehn Jahren. Damals hat Eric bei meiner Schwester in Juniper Hill gewohnt, weil er in Oxford studierte. Soviel ich weiß, hat er anfangs die beiden Mädchen kaum zur Kenntnis genommen. Die waren da noch storchenbeinig und linkisch und verkichert, pubertär. Aber im Lauf der Zeit … Pass auf deine Dame auf!«

Sabrina rettete also die Dame und verlor dadurch immerhin den zweiten Turm, es schien nicht zu vermeiden.

»Also stammen deine Nichten aus der ersten Ehe deiner Schwester? Hat Herr Gebhardt sie adoptiert, weil sie ja seinen Nachnamen tragen? Aber wieso – ich verstehe nicht ganz … hattest du nicht gesagt, Nelli ist seit fast vierzig Jahren mit ihm verheiratet –?«

Christian verzichtete auf eine Erklärung. Er wiederholte nur: »Na ja, das ist etwas kompliziert. Zwischen Eric und Diana soll in den letzten Monaten von Heirat die Rede gewesen sein. Und Conny und meine Schwester verhalten sich dazu vollkommen still, geradezu mit angehaltenem Atem, um bloß nichts Falsches zu sagen. Weil sie sich natürlich ungeheuer freuen würden, falls daraus was werden sollte! Zumal die jungen Leute ja vom Heiraten eigentlich nicht mehr viel halten … Sie haben auch schon versucht, rauszufinden, auf welche Art sie dann miteinander verwandt sein würden: Wie nennt man die Schwiegereltern des eigenen Kindes?«

Er lächelte Sabrina an. Sie lächelte zurück und bedrohte seinen König. Oder die Dame. Einen von beiden würde er opfern müssen.

»Jedenfalls, wenn sie Babys bekommen, dann sind wir über die, rückwirkend, blutsverwandt«, ergänzte Christian – und befreite seine Herrscherfamilie auf eine völlig unvorhersehbare Art, indem er seinerseits Sabrinas König angriff. Sie wich einfach aus, mehr war nicht möglich. Wie sollte man sich denn dabei noch unterhalten? Sie versuchte es trotzdem: »Stimmt, du auch. Du bist dann mit deiner Tante Conny ja auch blutsverwandt. Über deine Schwester und deren Enkel.«

Ihr fiel ein, dass Christan ihr am Nachmittag noch von dieser Frau erzählt hatte, sie sei gewissermaßen seine Lieblingstante. Irgendwie hatte Sabrina sich eine typische Lieblingstante völlig anders vorgestellt.

Conny saß ein wenig abseits in einem bequemen Sessel, ihre beste Freundin, die an einem Strümpfchen strickte, neben sich. Conny hatte nicht gefragt, ging jedoch davon aus, dies sei noch nicht für einen potenziellen Enkel, sondern für ein Plüschtier bestimmt.

Nelli seufzte, kratzte sich mit einer gerade frei gewordenen Stricknadel im Nacken und fragte nachdenklich: »Kannst du das ernst nehmen, dass wir im nächsten Jahr sechzig werden?«

Conny zuckte zusammen. Sie wollte das nicht ernst nehmen. Sie verdrängte den Gedanken, wo sie konnte.

Mit sechzig, nicht wahr, ist das Leben gelaufen? Und wenn man sich noch so gut hielt … Was sollte jetzt schon groß noch kommen?
»Hättest du das gedacht«, fuhr Nelli mit gedämpfter Stimme fort, »dass wir so eigenartige Schicksale haben würden? Wenn du dir das mal überlegst – ich hässliche Nudel ohne irgendwas Nettes an mir hab zwei Männer auf einmal – und du märchenschönes Wesen …« Sie legte sehr liebevoll ihre Hand auf Connys Arm. »… du hast dein ganzes Leben lang nur einen halben gehabt.«
»Und wir hatten doch mal von romantischer, absoluter Zweisamkeit geträumt«, gab Conny zu. »Warum, Nelli – ich wollte das nie fragen, weil es so taktlos ist, aber: warum? Wieso lassen sich Damian und Kolja darauf ein, dich nur teilweise zu besitzen?«
Ihre Freundin zuckte mit den Schultern. »Besitzen kannst du doch sowieso nie jemanden. In letzter Konsequenz nicht mal einen Sklaven. Warum lässt *du* dich darauf ein, Vico nur anteilig zu haben?«
»Weil es besser ist, ihn nur zur Hälfte zu haben als überhaupt nicht. Und weil ich die ganze Zeit hoffe, ihn noch mal ganz und gar zu kriegen«, antwortete Conny ehrlich.
»Vielleicht hoffen meine beiden das ja auch?«, meinte Nelli nachdenklich.
Ihr leises Gespräch wurde unterbrochen, weil dicht vor dem Haus auf der Straße ein großer Böller explodierte, was Sonny ziemlich erschütterte. Sie fuhr mit einem nervösen Gekläff hoch, schüttelte mit ängstlichen Augen ihr Fell aus und bohrte dann ihre spitze Schnauze unter Lancelots Brustfell, bis nur noch ein wenig von ihrem Hinterkopf zu sehen war. Der große Hund legte seine dicken Vorderpfoten um den kleinen Körper und senkte die Hängeohren darüber.
»Ob sie noch Luft kriegt?«, fragte Conny besorgt.

»Ob das mit den beiden noch mal was wird?«, fragte Eric – denn die Tiere boten einen romantischen Anblick, so eng umarmt.
»Bestimmt nicht!«, warf Christian ein. »Der Altersunterschied ist zu groß. Ihn würde das nicht stören, aber sie hat ihn als Welpen kennengelernt und glaubt, sie könnte ihn deswegen nicht ernst nehmen …«
Darüber lachten alle, bis auf Sabrina, die den Witz wahrscheinlich nicht verstanden hatte.

In dieser Nacht wurde Conny immer trauriger, sie kam nicht dagegen an. Es erheiterte sie nicht, dass ausgerechnet Miranda für alle Plüschtiere Knallbonbons besorgt hatte oder dass Corinna und ihr Schwager, Jakob-der-Armleuchter, sich stritten, dass die Fetzen flogen.
Ein einziges Ereignis der gesamten Nacht fand ihre volle Zustimmung, nämlich dass Sabrina sich kurz nach zwölf verabschiedete, weil sie ja am nächsten Tag so früh aufstehen musste für ihren Flug nach Basel – und dass sie es ablehnte, von Christian nach Hause gefahren zu werden. Sie rief sich ein Taxi.
Mit dem Beginn des neuen Jahres, mit einigen Minuten Verzögerung, war sie von Vico angerufen worden. Das tat er zuverlässig jedes Jahr. In ihrer derzeitigen Stimmung hätte sie es fast vorgezogen, er hätte es mal vergessen. Dann könnte sie es ihm in Ruhe übel nehmen. So reagierte sie mürrisch und einsilbig und erklärte das damit, nicht allein zu sein – bis er ebenfalls traurig klang und das Gespräch abbrach. Danach bereute sie ihr Verhalten.
Jedes Jahr dasselbe Ritual: Nachdem alle sich ein frohes neues Jahr gewünscht hatten, gratulierten sich Nelli und Conny gegenseitig und bekamen Gratulations-Umarmungen von der Familie. Geschenke wurden angeschleppt, Onkel Dieter, der

in seinem bequemen Rollstuhl eingenickt war, wurde geweckt, damit er auch gratulieren konnte. Danach wollte er immer wissen, wann es Pfannkuchen und Kaffee gäbe – und das wollten dann alle anderen auch haben.
Conny trank selten Alkohol, vor allem nach ihrem Cognac-Terrassentür-Unfall vor neun Jahren. Doch an diesem melancholischen Jahreswechsel und Geburtstagsanfang hatte sie wohl mehr Sekt konsumiert, als ihr selbst bewusst war. Da half auch der Kaffee nicht mehr viel.
Ihr Kopf schien noch ganz klar, während ihre Beine Einwände hegten. Als sie aufstand, um sich zu verabschieden, musste sie sich am nächstbesten Gegenstand festhalten – das war die Schulter von Jakob Jersebeck-Schnoor, dem Armleuchter, der da zufällig gerade stand.
»Soll ich dich nach Hause bringen, Mami?«, bot Eric seiner Mutter an.
Conny schüttelte den Kopf. »Bitte, Eric, kümmere dich darum, dass Onkel Dieter gut zurück ins Heim kommt, ja?« – und blickte in eine andere Richtung: »Foxi, fährst du mich?«
Er stand schon auf, half ihr in den Mantel, nahm die Tüte mit ihren Geburtstagsgeschenken und trug sie halb die paar Stufen vom Hauseingang zu seinem Wagen, durch die schweflig-rauchige Luft, die all das Feuerwerk hinterlassen hatte: »Sag mal, Conny, wieso hast du dir bloß derart die Kante gegeben? Das ist doch nicht deine Art?«
Dann setzte er sie auf den Beifahrer- und Sonny (die, als Conny aufstand, hinterhergetrippelt war) auf den Rücksitz, stieg ein und fuhr los. Er schwieg während der kurzen Fahrt vom König-Heinrich- zum Perckentinweg, etwas mehr als fünf Minuten.
Gut, dachte Conny, als sie vor ihrem Haus hielten, diese Gelegenheit, mit ihm zu reden, ist also auch vorbei … Sie hätte gern geweint, fühlte sich jedoch zu erschöpft dazu. Auszustei-

gen und ins Haus zu gehen würde sie jetzt über alle Maßen anstrengen.
Eigenartigerweise blieb auch Christian einfach sitzen und starrte geradeaus über das Lenkrad in die Nacht, in der hier und da noch eine einzelne Rakete hochzischte.
»Du bist etwas ganz Besonderes, Conny, weißt du das?«, sagte er plötzlich mit nachdenklicher, gedämpfter Stimme. »Ist dir jemals aufgefallen, was die ganze Welt für ein Theater macht, nur weil du Geburtstag hast?«
»Ja. Doch, hab ich gemerkt«, antwortete sie zerstreut, um zu dem zu kommen, was ihr gerade wichtig war: »Du, Foxi – wirst du Sabrina heiraten?«
»Weshalb fragst du mich eigentlich in regelmäßigen Abständen nach meinen Heiratsabsichten? Nein, sieht nicht so aus. Könnte sogar sein, wir sind nicht mehr lange zusammen.«
»Ah. Ich dachte. Nelli sagte so was. Aber irgendwann wirst du ja wohl …«
»Das hast du schon öfter vermutet. Ja, und selbst wenn … Ich bin immer für dich da, Conny. Wenn du das nicht weißt, dann sage ich es hiermit laut und deutlich: Ich bin immer für dich da, okay? Du bist alles, was ich jemals gewollt hab, seit ich bei Bewusstsein bin – so ungefähr jedenfalls. Spätestens seit meinem vierten Lebensjahr oder so.«
Er drehte den Kopf und sah sie an, nur schwach beleuchtet durch eine Straßenlaterne einige Meter entfernt.
»Aber – ich bin fast sechzig!«, rief sie ganz entrüstet.
»Ja, und?« Plötzlich konnte sie seine Augen sehr gut erkennen, ernst und etwas müde. »Unser Altersunterschied war immer nur dein Problem. Darüber hinaus mache ich mir nichts aus jungen Frauen. Sogar Sabrina kommt mir zu jung vor.«
»Wenn das so ist – warum hast du mir nie gesagt, ich soll Vico vergessen? Warum hast du mich nie entführt? Einfach irgendwo weggesperrt, bis ich Vernunft angenommen hab?«

Christian lächelte schwach. »Ich kann doch nicht diese Entscheidung für dich treffen. Dich wegsperren – dafür bist du viel zu dickköpfig. Du wärst irgendwie entkommen und zurück zu ihm getrampt. Nein, so geht das nicht. Wenn du eines Tages mal zu mir sagst: ›Foxi, jetzt hab ich diese Passion hinter mir, ich will von nun an bei dir bleiben‹ – dann bin ich bei dir für den Rest unserer Tage. Und falls ich dann zufällig gerade verheiratet sein sollte, dann schiebe ich meine junge Ehefrau und unsere drei kleinen Kinder beiseite – auch den neugeborenen Säugling natürlich – und bau dir ein Schloss …«
»Du sollst aber gar nicht erst heiraten! Sonst müssen wir uns erst mit deiner Scheidung abmühen, und vielleicht wird das nichts oder du überlegst dir das anders – und dann bin ich schon wieder die Geliebte von einem verheirateten Mann!«, murmelte sie – und sie fand selbst, dass ihre Stimme etwas betrunken klang. Umso besser – nur eine Betrunkene durfte derartiges Zeug reden.
Er lachte kurz und sagte: »Ach, Conny …«
Und dann brachte er sie und die Geschenke zur Haustür, fand den Schlüssel in ihrer Handtasche, schloss auf und gab ihr einen kleinen, etwas betrübten Kuss auf die Lippen, bevor er davonfuhr.
Conny wartete, bis Sonny aus den Vorgartenrabatten auftauchte, in die sie sich kurz geknickst hatte, und an ihr vorbei ins Haus getrippelt war, bevor sie unzufrieden die Tür zuwarf. Wenn Foxi sie schon küsste – musste das dann auf eine Art sein, wie ein Neffe seine alte Tante küsst?

Im 19. Kapitel
haben wir Onkel Dieters Beerdigung hinter uns und begraben auch gleich eine Menge Illusionen

Nach dem finsteren, nassen Montag, an dem die Leidtragenden auf dem Niendorfer Friedhof mit großen dunklen Schirmen um große dunkle Pfützen herumgestelzt waren, gab es einen hellen, sehr windigen Dienstag. Die Sonne stand am Himmel – wenn auch noch etwas bleich und rekonvaleszent – und sah gelangweilt zu, wie die kahlen Bäume vom Sturm gebogen wurden.

Conny hatte den Vormittag freigenommen, um in Ruhe mit ihrem Sohn zu frühstücken. Sie gingen, in Steppjacken gehüllt, mit Sonny spazieren und unterhielten sich, unter anderem über Dianas Schwangerschaftsbeschwerden, die sie gehindert hatten, mit nach Hamburg zu fliegen.

Jetzt werde ich ebenfalls Großmutter, dachte Conny leicht melancholisch. Aber ich werde nicht so ein Theater darum machen wie damals Vico.

Sie musste versprechen, spätestens im Mai einen Besuch in Juniper Hill zu machen: Dann sollte das Baby kommen.

Conny brachte ihren Sohn zum nahen Flughafen. Um halb vier musste sie im Hamburger Büro von Hertz-Moden sein, da gab es sehr viel Wichtiges zu besprechen wegen der Herbst-Kollektion für das nächste Jahr.

Aber jetzt war es erst halb zwölf, weshalb sie einen spontanen Besuch im schneeweißen Haus machte. »Wenn ich euch störe, dann sagt es bitte …«

Conny wurde zu Tee eingeladen und saß mit Nelli, Damian und den sieben Plüschtieren im obersten Stockwerk unter

dem Oberlicht. Sie schmiegte sich in einen von der Decke hängenden zartblauen Sessel, zog die Beine unter sich und schaukelte, die Tasse auf dem Schoß.
Sie erinnerte sich auf einmal, wie der große Raum damals ausgesehen hatte, als sie ihn zum ersten Mal betreten hatte: ein wiesengrüner Teppichboden, eine kleine Hütte, eine Hängematte zwischen zwei Bäumen und das lebensgroße Schaf Luisa …
Inzwischen gab es einen zartlila Teppichboden, eine zartblaue Sofalandschaft sowie eine die halbe Wand bedeckende Leinwand, einen Beamer und sechs breite Regale mit DVDs und Blurays.
»Hast du heute einen freien Tag?«, erkundigte sich Nelli.
»Nicht den ganzen. Nachmittags muss ich in die Firma, schon deswegen, weil ich ja morgen Nachmittag auch schon wieder ausfalle …«, erklärte Conny.
»Morgen –? Oh, natürlich. Der Mittwochnachmittag …«, wusste Nelli. »In Eimsbüttel, nicht? Ist das eigentlich eine besonders kuschelige kleine Wohnung? Ich hab dich, glaube ich, nie danach gefragt …«
»Nicht im Mindesten. Ein Einzimmerapartment. Karg, anonym, praktisch. Wenn wir davon reden, sagen wir immer bloß: das Mittwochszimmer. Wir haben beide nicht versucht, es anders zu gestalten. Es ist ja nun mal nicht unser Zuhause. Nur ein gemeinsamer kurzfristiger Aufenthaltsort …«
Nelli meinte: »Wenn es einer anders dekoriert und heimeliger gemacht hätte, dann hättest du das sein müssen. Männer können so was vielleicht, aber sie tun es nicht, normalerweise.«
Conny nickte. »Ich weiß. Vielleicht hab ich das aus Aberglauben bleiben lassen. Das Zimmer sollte sich selbst als unsere gemeinsame Bleibe nicht ernst nehmen. Ich habe ja seit dem letzten Jahrhundert darauf gehofft, dass wir eines Tages auf andere Art zusammen wohnen.«

»Sogar seit dem letzten Jahrtausend«, warf Nelli ein. »Du hast seit urdenklichen Zeiten gehofft.«

»Ist dieser Vico das eigentlich wert?«, fragte Damian auf einmal. »Du weißt, ich schätze dich, Conny, und ich schätze nicht viele Menschen. Hat der Mann es verdient, dass du die ganze Zeit so treu zu ihm hältst, dass er die einzige Liebe deines Lebens ist? Ich kenne ihn ja kaum, obwohl er drolligerweise unser Trauzeuge war. Ist er ein Mensch, um den es sich so sehr lohnt …?« Und er nahm, während er sprach, nachdenklich die derbe, etwas dickliche Hand seiner Frau und küsste die Außen- und die Innenseite. »Oder kann es sein, dass er dir vor allem so kostbar vorkommt, weil du ihn nie kriegen konntest? Nie ganz und gar … Das hat ja was mit diesem idiotischen sozialen Gefälle zu tun. Wenn seine Eltern ihrem Prinzen nicht verboten hätten, sich mit dir abzugeben – wer weiß. Kaum etwas schweißt fester zusammen. Viele unglückliche Beziehungen wären nie entstanden ohne den Trotz, weil es verboten war. Du bist ehrgeizig, nicht? Du wolltest von klein auf überwinden, dass man dich schief anguckt und misstrauisch in deine Richtung schnüffelt, weil du aus dieser Hertz-Familie stammst. Womöglich lag auch immer etwas von deinem Ehrgeiz darin, gerade diesen Prinzen zu erringen. Entschuldige, dass ich hier so über deine Grenzen klettere. Ich wollte eigentlich nur sagen, ich hoffe, er ist es wert, dass du ihn mit deinem ganzen Leben fütterst …« Er musterte sie ruhig und freundlich aus seinen schönen dunkelblauen Augen.

Conny konnte sich nicht erinnern, dass er sie je so offen und direkt angeschaut hatte. Oder dass er je so lange – und so persönlich! – mit ihr gesprochen hätte.

Sie streckte ihm impulsiv die Hand hin, und er griff sie mit seiner linken, weil er rechts immer noch Nelli festhielt. So waren sie alle drei für einen Augenblick durch ihre Hände verbunden – als Connys Telefon in ihrer Handtasche spielte:

Wednesday Morning, 3 a.m. Sie ließ los, riss die Tasche hoch und fummelte eilig, nervös, um den Anruf anzunehmen, bevor der AB ansprang. »Vico?!«
»Mein kleines geliebtes schwarzes Schäfchen – willst du meine Frau werden?«
Conny blickte mit weit aufgerissenen Augen in die Gesichter ihrer Freunde. Wie damals, als er plötzlich vor der Fabrik auftauchte, brachte Vico sie in eine Situation, in der sie sich fragte, ob sie eigentlich wach war.
»Was … meinst du –?«, fragte sie unsicher.
Jetzt klang etwas Ungeduld in seiner Stimme, obwohl er sich um einen romantischen, zärtlichen Ton bemühte: »Mein Gott, ich frage dich, ob du mich heiraten möchtest? Heiraten, Conny. So schnell wie möglich. Klaffstein wird das irgendwie plausibel machen, dass wir das Trennungsjahr schon hinter uns haben, Susann und ich – oder besondere Umstände, was weiß ich. Ich denke mir, wir beide könnten unsere Hochzeitsreise bereits im Januar machen. Griechenland ist zauberhaft im Januar, völlig wurscht, wie das da politisch gerade aussieht …«
Conny hatte mit offenem Mund zugehört. Sie versuchte, in dem, was Vico äußerte, nach Partikeln zu schnappen, die einen Sinn ergaben. Klaffstein war sein Anwalt … Es musste wohl diesmal mit Susann einen ganz gigantischen Streit gegeben haben, etwas Unwiderrufliches …
»Komm bitte so schnell wie möglich zu mir. Hier in mein Haus in der Ordulfstraße. Das Mittwochszimmer hab ich übrigens vorhin gekündigt. Du müsstest unserer aktuellen Putzfrau – wie heißt sie jetzt? – noch Bescheid sagen, damit die nicht noch mal kommt, ist ja überflüssig. Wir müssen bis zum Fünfzehnten da unseren Kram rausholen, die Bettwäsche und das Geschirr und so weiter … Lass uns später darüber reden. Wann kannst du bei mir sein?«

Conny räusperte ihre belegte Kehle frei: »Ich beeile mich. Ich muss noch …« Sie blickte auf ihre Uhr: »… eine Reihe von Gesprächen führen, heute Nachmittag wäre eigentlich … Also, ich muss einiges absagen. Und einiges ordnen. Ich schätze, ich bin spätestens gegen halb drei bei dir …«
»Halb drei?! Sieh zu, dass es früher wird. Ich brauche dich! Ich warte auf dich. Komm bitte ganz schnell zu mir, Schäfchen, bitte!«
Nach dem Auflegen blickte Conny durch das Oberlicht in den bleichen Himmel, im Raum umher und in die sanft neugierigen Gesichter ihrer Freunde. Sie wusste nicht genau, ob sie weinen oder schreien oder sich die Haare raufen wollte. Dann merkte sie, dass sie seit einer Weile schon dauernd mit dem Kopf schüttelte.
Nelli meinte schließlich: »Heute schon? Nicht Mittwochnachmittag?«
Conny hielt mit beiden Händen ihren schüttelnden Kopf fest. »Er will mich heiraten, sagt er. Am liebsten sofort. Er scheint sich von Susann getrennt zu haben. Oder sie sich von ihm …«
Sie trank einen Schluck vom kalten Tee, der bitter schmeckte und auf dessen Oberfläche etwas wie eine schillernde Ölschicht schwamm.
»Entschuldigt bitte – ich muss los. Meine arme Frau Kannemaker – und überhaupt … Mal sehen, wie ich das hinkriege. Ob ich Sonny zu Vico mitnehme? Er wird mich wohl dabehalten wollen, so, wie er klingt. Da kann ich die Kleine ja nicht allein zu Hause lassen … Nelli, Damian – ich lass von mir hören, ja?«
Sie sprang aus dem hängenden Sessel, der sachte hin und her schwang, und lief zur Tür.
»Alles Gute, mein Schatz – und herzlichen Glückwunsch!«, rief Nelli hinter ihr her.

Conny hatte nur einige kurze Strecken zu fahren: vom schneeweißen Haus zu ihrem eigenen – von dort zur Fachwerkvilla in der Ordulfstraße. Dazwischen telefonierte sie mit einigen Mitarbeitern und packte eine Reisetasche.
Sonny begann aufgeregt zu fiepen, als sie das sah.
»Ja, mein Schätzchen, wir verreisen ein bisschen. Nicht weit weg. Aber wir müssen ja einen Schlafanzug haben und die Kosmetik … Ja, und deine Näpfchen, deine Decke und ein paar Dosen und deine Hundekuchen kommen hier in die Tüte.« Conny brachte die Reisetasche und den Hund in ihren Wagen, fuhr los und wurde von einer Erinnerungsflut überspült.
Vico mit seinen leuchtenden Augen oben auf dem »Todeshügel« im Niendorfer Gehege, wie sie ihn zum ersten Mal gesehen hatte.
Vico in Schlafanzug und Bademantel mit vom Fieber gerötetem Gesicht, so bezaubernd und voller Charme in ihrer ersten Nacht, Silvester – als sie sich eigentlich mit Hans hatte verloben wollen.
Vico elend und blass, die Hochzeitstorte in den Armen, als er begriff, dass sie sein Baby trug. Und wie er sie damals öffentlich abgeküsst und über die Gefahr, dabei beobachtet zu werden, gerufen hatte: »Das ist mir jetzt gerade mal so was von egal!«
Vico, der unendlich vorsichtig, die Zungenspitze an der Oberlippe, den kleinen Eric gehalten hatte, sorgsam sein Köpfchen abstützend.
Vico in ihren gemeinsamen Ferien, braun gebrannt und sorglos, voller Lachen, die dunklen Augen gefüllt mit winzigen, beweglichen hellen Sternschnuppen.
Wie er beim Autofahren vor sich hin summte, wenn sie mal gemeinsam einen Ausflug machten.
Sein versteckter Blick etwas von unten, weil er befürchtete, dass sie böse war …

Sie konnte es noch kaum fassen: Er hatte ihr einen ganz ernst gemeinten Heiratsantrag gemacht! Nach mehr als vierzig Jahren ging ihr Traum in Erfüllung. Vico für immer.
Die große Liebe ihres Lebens sollte jetzt ihr allein gehören.

Um zehn vor zwei war sie bei ihm. Sie hatte sich wirklich enorm beeilt.
Vor der pastellfarben gestrichenen Villa mit dem Fachwerk parkte ein glänzender schwarzer Ferrari. Fuhr Femke nicht neuerdings so etwas? Während Conny nach dem Klingeln darauf wartete, dass ihr geöffnet wurde, hörte sie im Haus eine wütende Stimme.
Allerdings, in dieser Lautstärke gellte nur Femke. Wahrscheinlich sagte sie ihrem Bruder mit der üblichen Offenheit, was sie von seinem Verhalten hielt … Aber sie hatte Susann doch nie leiden können? Missbilligte sie nun plötzlich doch die Trennung?
Die Haustür wurde aufgerissen, Femke (seit einigen Jahren blond, aber immer noch so verwuschelt wie früher, mit glattem Gesicht, ohne erkennbares Alter) stand ihr gegenüber.
»Ach, mein Herzchen, natürlich, wer sonst – dann versuch du mal, diesen Durchgedrehten zu beruhigen! Wenn ich nicht sofort abhaue, schlage ich meinem Bruder noch was Schweres an den Schädel!«, dröhnte sie. Und über die Schulter, während sie schon zu ihrem Auto eilte: »Viel Vergnügen wünsche ich dir!«
Conny und Sonny blickten ihr erschrocken hinterher, bevor sie die Villa betraten.

Vico stand in Jeans und Pullover mit wirrem Haar mitten in dem weiß möblierten Wohnzimmer, in dem Conny damals seinen Eltern vorgestellt wurde. Entweder, dachte sie, haben Vico und Susann die Möbel von damals behalten. Oder sie haben sich ganz ähnlich eingerichtet …

»Ach, Schäfchen –!« Er rannte auf sie zu und umarmte sie heftig. »Endlich! Ich hab so auf dich gewartet!«
Sie fühlte die Anspannung in seinem Rücken und in seinen Schultern. Er ließ sie sofort wieder los und lief im Zimmer umher. »Du hast einen – Hund? Richtig, hast du ja mal erzählt, ich erinnere mich. Warum hast du den mitgebracht?«
Die kleine Sonny hatte sich auf den Teppich gesetzt und musterte Vico ebenso argwöhnisch wie er sie.
»Also, ich dachte, du wolltest mich hierbehalten? Über Nacht? Da konnte ich Sonny doch nicht allein lassen!«
»Natürlich, hab ich nicht dran gedacht. Sonst macht er irgendwohin, oder?«
»Sie muss raus, heute Abend und morgen früh … Und sie muss ja auch was zu essen haben …«, erklärte Conny, nach Möglichkeit sehr lieb und ohne ein »du Dummkopf« in der Stimme.
»Natürlich«, sagte er wieder. »Verzeih mir, ich bin völlig aus dem Gleichgewicht durch diese Änderung meiner Lebensumstände. Ich weiß noch, als ich dir zum ersten Mal begegnet bin, hast du auch einen Hund bei dir gehabt, Schäfchen.«
Immerhin erinnerte er sich daran – obwohl's erst beim zweiten Mal gewesen war. Conny lächelte. »Nun sag doch bitte mal, Vico: Was ist denn überhaupt passiert?«
Doch anstatt das zu erklären, blickte er von seiner Armbanduhr auf eine Uhr an der Wand: »Entschuldige bitte, hast du keinen Hunger? Es ist schon weit an Mittag vorbei! Heute hatte ich kein vernünftiges Frühstück und schon überhaupt kein Mittagessen, nichts! Ich hab bereits Magenschmerzen. Conny, sei lieb – Femke hat sich geweigert, dieses kaltschnäuzige Biest, aber du kannst doch mal – der Kühlschrank ist voller Vorräte, ganz viele frische Lebensmittel … Kannst du irgendwas zaubern, bitte? Dann können wir essen, und ich erzähle dir dabei, was sich getan hat!« Er blickte sie erwartungsvoll an. Immer

noch besaß er diese großen, blanken Kinderaugen, die sie von Anfang an so entzückt hatten.
Trotzdem: »Pass auf, Vico: Erstens dauert das mindestens – mindestens! – eine halbe Stunde. Bis ich mich zurechtgefunden habe in einer fremden Küche und bis ich mir ausgedacht hab, was sich aus den Zutaten, die da sind, machen lässt – und bis ich etwas geputzt und zubereitet habe … Und ich bin keine übertrieben gute Köchin. Nein, das braucht noch viel mehr Zeit. Das hat keinen Zweck. Lass uns etwas ins Haus bestellen oder essen gehen. Dann kriegst du immer noch schneller was in den Magen.«
Er sah sehr enttäuscht aus, aber er nickte. »Schön, ungefähr dasselbe hat eben meine Schwester zu mir gesagt. Nur aggressiver. Ich versteh das nur nicht ganz, bei Susann ging das immer ganz schnell – war manchmal in einer Viertelstunde fertig, also kein Fertiggericht, versteht sich, sondern was Frisches … Na ja. Die war eben wirklich eine exzellente Köchin, muss man ihr lassen. Warte, dann ziehe ich mich um …«
Conny setzte sich auf eins der weißen Sofas. Doch, es waren andere Möbel. Nur in denselben Farben. Warum richteten sich reiche Leute gern in nur einer oder zwei Farben ein? Bei ihr zu Hause war alles bunt. Vielleicht hätte ein Experte daran ihre asoziale Vergangenheit erkannt?

Vico war weder dafür, Sonny mit ins Restaurant zunehmen, noch mochte er sie allein in seinem Haus lassen: »Der kennt das doch gar nicht, vielleicht macht er da hin?«
Sie einigten sich darauf, den Hund im Auto zu lassen. Allerdings mussten sie dann in Connys Wagen fahren, den Sonny kannte. Sie fuhren in das Parkhaus im Tibarg-Center – hier konnte Sonny in Ruhe etwas schlafen – und gingen ins Porto Marina, denn Vico liebte die griechische Küche. Conny protestierte nicht, um nicht dauernd zu widersprechen.

Erstens machte sie sich wenig aus Oliven und Ziegenkäse. Und zweitens war ihrem Onkel vor genau dieser Gaststätte – als sie noch *Zur Doppeleiche* hieß – ein Messer in den Rücken gestoßen worden. Die alte doppelte Eiche stand nach wie vor hier, einige wenige braune, gelbe und goldene Blätter in der Krone; die meisten lagen als raschelnder Haufen am Boden.
Wie viel sich hier in den vergangenen vierzig Jahren verändert hat!, dachte Conny plötzlich. Wenn ich es nicht nach und nach erlebt hätte, würde ich es überhaupt nicht wiedererkennen. Jetzt ist hier dieses großstädtische Einkaufszentrum. Früher lagen noch einige Wiesen drum herum – da drüben war, bevor's die U-Bahn gab, die Straßenbahnhaltestelle ... Da in der Mitte stand noch eine ganze Weile ein Bauernhof ... Und dort hinten befand sich früher der Palmengarten, dieses Traumkino, in das Hanne sie mal mitgenommen hatte, als sie noch ein kleines Mädchen war ...
Vico studierte die Karte in aller Ruhe, bestellte Getränke – ein Glas Makedonikos wollte er schon gern haben, zum Beruhigen – und sah sich mit entspannterem Gesichtsausdruck um.
Wenn er nicht bald anfängt, damit rauszukommen, was passiert ist, dann haue ich ihm auch was Schweres über den Kopf!, dachte Conny.
»Also – Susann und du, ihr habt euch gestritten?«, fragte sie sanft.
»Ja. Nein! So nicht. Sie hat mich ...« Vico blickte sich um und beugte sich weiter über den Tisch, um viel leiser zu sprechen: »Sie hat einen anderen Kerl. Das musst du dir mal vorstellen! In ihrem Alter ist ihr plötzlich die Liebe begegnet. Jedenfalls hat sie sich so ausgedrückt. Die Liebe! Und jetzt will sie weg. Ganz und gar. Und weißt du, was überhaupt der Gipfel ist? Laura, unsere Tochter, hat seit Monaten davon gewusst. Ich glaube, die kennt den Kerl sogar! Und hat mir kein Wort gesagt! Hat, wie Susann behauptet, die Sache sogar gebilligt und

ihrer Mutter zugeraten, ›sich mal auszuleben‹! Sich mal auszuleben! Sie hat …«

Die Getränke wurden gebracht, und er lehnte sich zurück und blickte aus dem Fenster. Eins seiner Augenlider zuckte nervös. Nachdem der Kellner verschwunden war, nahm Vico einen großen Schluck vom Rotwein und griff über den Tisch nach Connys Hand. »Wie gesagt, ich denke, Klaffstein kriegt das hin. Da gibt es Tricks – wir müssen kein Jahr warten, das verspreche ich dir. Wir heiraten so schnell wie möglich. Was haben wir jetzt? Mitte November … In spätestens sechs Wochen, Conny, ist Hochzeit. Mit Anfang des kommenden Jahres. Dann bist du endlich Frau van Loon. Versprochen hab ich dir das ja schon mal … Und wir haben uns doch immer danach gesehnt!«

Conny schaute ihn an, die große Sehnsucht ihres Lebens, seine schönen Augen, die edle Nase. Sie bemühte sich, so zärtlich und verträumt zu lächeln, wie er es wohl erwartete.

Warum war sie eigentlich nicht glücklicher? Wahrscheinlich, weil sie es noch nicht fassen konnte. Das kam ja nun wirklich alles außerordentlich plötzlich. Sie musste sich erst mal an den Gedanken gewöhnen.

Wie alt sie beide inzwischen geworden waren! Rund um die Stirn wurden seine Haare sehr dünn. Um die Karte zu lesen, hatte er seine Brille hervorholen müssen – die benutzte er seit mehreren Jahren und guckte immer so nett darüber hinweg …

Connys Handy meldete sich. Frau Kannemaker bat um Verzeihung, ihr war bewusst, dass die Chefin bis morgen Vormittag nicht gestört werden wollte, aber … es gab da ein Problem …

Conny brauchte fünf längere Gespräche, um es zu lösen. Inzwischen wurde das Essen serviert. Sie gab Vico durch eine Handbewegung zu verstehen, er möge anfangen. Sie blickte beim Sprechen nur auf das weiße Tischtuch, spürte jedoch sei-

ne vorwurfsvollen Blicke ganz deutlich. Endlich hatte sie alles geklärt und konnte zu Messer und Gabel greifen.
»Nun ist bestimmt alles kalt. Schade drum!«, bemerkte Vico.

Um kurz vor vier waren sie zurück in seinem Haus. Conny packte Sonnys Sachen aus, fand einen Platz für den Hund im Obergeschoss vor der Schlafzimmertür und starrte das breite Ehebett an. (Besonders die linke Seite. Eine Ehefrau schlief doch wohl links?) Hier hatte Susann von Loon fünfunddreißig Jahre lang geschlafen. Ob das Kopfkissen nach ihr roch?
»Susann ist heute Morgen weg?«, rief sie die Treppe hinunter.
Vico antwortete von unten: »Gestern. Am späten Abend. Wieso?«
»Hat sie noch die Betten bezogen?«
»Was?! Nein! So was macht immer diese Frau, die dienstags und freitags hier rumputzt, wie heißt sie … Nein, die waren doch ziemlich frisch bezogen, soviel ich weiß …?«
»Wo sind denn eure Bezüge?«, fragte Conny.
Und dann brauchte Vico mehr als eine halbe Stunde, um keine Bettwäsche zu finden. Conny entdeckte sie zufällig in einem großen Schrank auf dem Flur vor dem Gästezimmer. Worauf er erschöpft meinte: »Richtig. Da war sie immer … machst du bald Kaffee, Schäfchen?«
Erst bezog sie die Betten. Und dann musste sie mit Sonny raus.
Inzwischen hatte Vico selbst Kaffee gekocht und sehr hübsch im Wohnzimmer gedeckt, sogar mit Keksen.
»Das ist aber auch alles so ein bisschen hektisch mit dir …«, beschwerte er sich. »Haben wir morgen denn mehr Ruhe? Ich hab mir noch einen Tag freigenommen, du doch hoffentlich auch?«
Und als sie darauf nicht gleich antwortete: »Meine geliebte Conny, so geht das nicht. Wenn du zu mir gehörst, dann müs-

sen wir mehr füreinander da sein! Schau mal, wir haben so lange darauf gewartet und wir sind nicht mehr die Jüngsten. Wir haben es doch verdient, uns nur noch umeinander zu kümmern ...«

»Willst du denn nicht mehr in der Praxis arbeiten?«, fragte sie ungläubig.

Und erfuhr, er wollte demnächst einen jungen Kollegen einarbeiten, der im Lauf der nächsten Jahre immer mehr übernehmen sollte. So dass Vico höchstens noch dreimal in der Woche praktizierte. Und lange Urlaube würden sie machen! Er hatte ihr so viel zu zeigen und sprach ausführlich über Chalkidiki, Thessaloniki und Thassos. »Warte, ich hole mal die Fotos ...«

»Lass uns das in den nächsten Tagen machen!«, bremste Conny erschöpft, die keine Lust hatte, sich an diesem Abend noch Susann im Bikini anzugucken.

Sie musste bedauerlicherweise schon wieder telefonieren, obwohl deutlich wurde, wie wenig Vico das gefiel. Aber wenn er Wert darauf legte, sie am nächsten Tag ganz für sich zu haben, waren Termine umzulegen.

»Du gibst diese Kleiderfirma aber dann bald auf, nicht wahr?«

»Was –?! Hertz-Moden?« Conny starrte ihn ganz perplex an. »Aufgeben? Was meinst du damit?«

Er winkte ab. »Darüber können wir demnächst mal in Ruhe reden. Muss ja auch nicht sein. Wenn du daran hängst. Und wenn du es ebenfalls fertigbekommst, so wie ich, alles ein wenig zu reduzieren. Ach, Schäfchen, wir müssen ja alles Mögliche klären. Zum Beispiel, was wir mit deinem Haus im Perckentinweg machen. Verkaufen oder vermieten. Auf jeden Fall musst du schnell deinen Haushalt auflösen und hier einziehen. Wohnen tust du praktisch ab sofort hier, ja? Ich will dich jetzt immer hier bei mir haben ... Vielleicht holst du morgen noch einen Koffer mit Klamotten und so weiter. So was ist ja heutzutage gesellschaftlich völlig akzeptiert.«

»Keine Sorge, ich werde meine Sachen erst mal ganz diskret hierher schaffen …«, begann Conny und wurde lebhaft unterbrochen:
»Im Gegenteil! Ich möchte, dass du das völlig offen und gewissermaßen demonstrativ machst! Wir gehören jetzt zusammen, dazu stehe ich, das darf jeder sehen – das *soll* jeder sehen! Und ich werde überall verkünden, dass wir so schnell wie möglich heiraten. Du, ich stelle dich in den nächsten Wochen jedem vor, den ich kenne! Beruflich und privat. Alle sollen sehen, was für ein Glück ich habe – gegen was für eine Superfrau ich Susann eintausche …«
Ach, so ist das, dachte Conny verdutzt. Er will nicht als der Verlierer dastehen, sondern als der Gewinner. Nicht als der Verlassene, sondern möglichst als der, der verlässt. Unsere eilige Heirat ist eine Prestige-Sache. Vielleicht nicht nur – aber auch …
Inzwischen hatte sie sich ein wenig mit den Vorräten im Kühlschrank vertraut gemacht und brachte zum Abendbrot Rührei auf Toast zustande, was Vico ganz gut zu schmecken schien, abgesehen von: »Ich glaube, Susann hat in so was immer Zwiebeln und Kräuter reingemischt. Und Champignons und getrocknete Tomaten, beides ganz klein gehackt …«
Dazu äußerte Conny sich nicht, und er ließ es dann auch gut sein.
»Eins muss ich noch mit dir besprechen, mein Schäfchen. Ja, wir bringen es am besten sofort hinter uns. Dann haben wir die ganzen unerfreulichen Themen abgehakt …«
»Unerfreuliche Themen –?«
»Ja, leider. Pass auf, Amelia – du weißt schon, Lauras Tochter, hatte letzte Woche Geburtstag, ein ganz süßer Fratz, du wirst sie ja kennenlernen … Du wirst sie mögen, man muss sie einfach lieb haben. Sie ist bildschön, ein Traumkind. Hat schon für Werbefotos Modell gestanden – aber das hab ich dir vielleicht erzählt –?«

»Ja, hast du. Und wo ist nun das Unerfreuliche?«
»Sie hat eine Hundehaar-Allergie …«
»Wie bedauerlich. Und?«
»Komm, Schäfchen, du verstehst genau, worum es geht …«
»Nein. Ganz und gar nicht. Worum geht es?«
»Amelia verträgt Hundehaare nicht! Kann dann nicht atmen. Kriegt Asthma oder so – erstickenden Husten. Das musst du gesehen haben, um zu wissen, wie schrecklich das ist. Wie das Kind einem leidtut. Liebchen, Conny, du kannst keinen Hund haben. Dass ich das Tier überhaupt hier ins Haus gelassen hab, dass es hier übernachtet, das ist kriminell. Das dürfte Laura gar nicht wissen. Wird sie auch nicht, wir sagen ihr nichts. Wir lassen das ganz akribisch reinigen. Aber – der Hund muss weg.«
Conny richtete sich auf. Ihr war sehr bewusst, wie wenig lieblich ihr Gesichtsausdruck gerade wirkte. »Weg! Wohin denn?«
»Weiß ich gerade auch nicht. Keine Ahnung. Weg eben. Vielleicht zu Bekannten, es ist doch ein nettes kleines Tier, das nimmt doch jemand mit Kusshand? Ja, oder eben … wie alt ist der Hund? Ich meine, er hat ja schon sehr viel Grau um die Schnauze …«
Nicht so viel wie du, wollte Conny sagen und schluckte es hinunter. »Du willst vorschlagen, ich soll Sonny einschläfern lassen?«
»Nein … Nicht direkt. Ich weiß nicht – geht so was, ohne dass sie krank ist? Macht das ein Tierarzt? Weißt du, in den Komödien von Curd Goetz kam das oft vor, dass jemand Selbstmord machen will und dann erschießt er zuerst seinen Hund und sein Lieblingspferd. So was war damals noch möglich. Ich weiß nicht, ob das jetzt noch geht.«
Ich will ja nicht Selbstmord machen, dachte Conny wütend. Dazu hab ich ja wohl keinen Grund …

Sie sagte: »Lass uns morgen noch mal darüber sprechen, Vico. Heute nicht mehr.«
Und darauf ließ er sich ein.

Conny räumte den Tisch ab und fütterte, weil sie schon mal dabei war, den Geschirrspüler mit den schmutzigen Tellern und Tassen. Irgendwie kam es ihr vor, als hätte sie an diesem Nachmittag bei Vico mehr Hausarbeit gemacht als zu Hause in einer Woche.
Anschließend ging sie mit Sonny noch einmal raus und zeigte ihr dann, wo ihre Decke lag und wo sie schlafen sollte.
Sonny sah nicht glücklich aus, sie ließ ihre seidigen Ohren hängen. Ich hab weniger mit ihr geschmust als sonst, dachte Conny schuldbewusst. Und die Umgebung ist fremd. Außerdem spürt sie vielleicht, dass über ihr Schicksal verhandelt wird ... Vico saß noch im Wohnzimmer, als sie herunterkam, er hatte den Fernseher eingeschaltet und sah die Abendnachrichten.
Wo mochte Susann immer gesessen haben? Dort auf dem linken Sessel vermutlich. Das war der mit dem zweitbesten Blick auf den Fernseher. Conny ließ sich darauf nieder und gab sich den Anschein, ebenfalls den Nachrichten zu folgen.
In Wirklichkeit beobachtete sie ihren zukünftigen Mann. Wie gut sie ihn kannte, seine Stärken, seine bezaubernden Seiten und seine Schwächen.
Und andererseits: wie wenig sie ihn kannte im gesamten Alltag. Sie hatten jahrzehntelang lediglich einen Nachmittag geteilt. Da kam er nach Rasierwasser duftend und fast immer mit Vorfreude. Vielleicht hatte sie seinem Rücken tatsächlich gutgetan in all den Jahren – als eine Art Entspannungsfaktor. Sie war ein Extra gewesen in seinem Leben, eine Heimlichkeit.
Wie das wohl wurde, Tag für Tag und Stunde für Stunde?

Sie stand auf von Susanns mutmaßlichem Platz und setzte sich auf Vicos Sessellehne. Er blickte sie etwas erstaunt an und streichelte dann ihre Hüfte. Das war nett. Andererseits bekam es mit der Zeit etwas Mechanisches. Vermutlich fesselten ihn die Sportnachrichten derart, dass er ganz vergaß, was er da anfasste.
Sie zog an seiner Hand: »Kommst du mit mir aufs Sofa?«
Das tat er, wenn auch mit einem schweren Seufzer. Nun saßen sie dicht nebeneinander, er hielt den Arm um ihre Schulter – und streichelte überhaupt nicht mehr.
Conny gab ihm ein Küsschen auf die Wange und knabberte dann an seinem Ohr – ohne Reaktion.
Sie musste wohl drastischer werden: »Du – lass uns raufgehen. Ich will wissen, wie ich in eurem Bett liege!«
Immerhin protestierte Vico nicht. Sie gingen hintereinander her die Treppe hinauf. Sonny empfing sie, als sie vorbeigingen, mit einem schläfrigen Wedeln.
»Oh, du hast die Betten neu bezogen!«, stellte Vico überrascht fest, als wär's kein Thema gewesen. Vielleicht hatte er es wirklich vergessen. Aber sie hatten doch gemeinsam eine Ewigkeit nach dem Bettzeug gesucht? Das war nur wenige Stunden her … Er legte sich angezogen auf das Bett und streckte die Arme nach ihr aus. Sie legte sich zu ihm und kuschelte sich an ihn. So. Und nun? Dass er in keiner Weise amourös gelaunt war, hatte sie schon begriffen. Sie versuchte es trotzdem mit verschiedenen Küssen, zärtlichen, verspielten, leidenschaftlichen (so gut das möglich war mit einem fast schon schlafenden Partner).
Sie ging so weit, ihn zu begrabschen. Wären sie beruflich verbunden, hätte dies bereits den Tatbestand der sexuellen Belästigung erfüllt.
»Ich bin todmüde, Schäfchen. Das war ein schrecklicher Tag …«

Ja. Der Tag der Erfüllung ihres größten Lebenswunsches.
Ihr fiel ein, dass er in den letzten anderthalb Jahren hin und wieder am Mittwochnachmittag nur mit ihr geschmust hatte, auf eine sehr harmlose Art. Wobei er jedes Mal äußerte, es wäre doch schön, einfach entspannt zusammen zu sein. Ihm entging wahrscheinlich, dass ihre Entspannung sich in solchen Fällen in Grenzen hielt. Aber er beschwor immer wieder, wie unendlich wichtig Zärtlichkeit sei. Wichtiger als die direkte Vereinigung, hatte er ihr kürzlich erst erklärt. Und gerade Frauen legten erfahrungsgemäß viel mehr Wert auf Zärtlichkeit als auf Sex.
Wie oft war das eigentlich passiert? So jedes sechste, siebte Mal mindestens. Komisch, sie hatte nie darüber nachgedacht, dass er ja bereits zweiundsechzig war. Anderthalb Jahre älter als sie. Nur anderthalb Jahre? Warum kam sie sich dann in diesem Ausmaß jünger vor?
»Wie alt ist eigentlich der neue Mann von Susann?«, wollte sie plötzlich wissen, und Vico zuckte hoch, weil er schon eingeschlafen war. »Was?! Wieso – wen interessiert denn das? Die wird noch sehen, was sie an diesem grünen Jungen hat …«, lautete die Antwort.
Hab ich irgendwie erwartet, dachte Conny.
Sie machte es sich auf dem fremden Kopfkissen bequem und erlaubte es sich für diesmal, an die letzte Nacht in Nieby zu denken, vor zehn Jahren. Das war eigentlich ganz bezaubernd gewesen. Vielleicht sogar deshalb, weil – durch Foxis Ärger auf sie – die viel gepriesene Zärtlichkeit ein wenig kurz gekommen war …

Das 20. Kapitel
putzt Kalk weg, erinnert daran, dass Mittwoch ist, und lässt im Übrigen alles hinter sich

Conny hatte Vico dazu gebracht, noch einmal aufzustehen, um richtig ins Bett zu gehen: ausziehen, Zähne putzen, Schlafanzug anziehen, zudecken.

Sie ging inzwischen nach unten und räumte ein wenig im Wohnzimmer und in der Küche auf. Sonderbar, mit einem Mann zusammen zu sein, der alles stehen und liegen ließ, wie es ihm aus der Hand fiel.

Den hat Susann nicht gut erzogen, dachte Conny kritisch. Sie war von Eric und Onkel Dieter gewöhnt gewesen, dass jeder etwas aufräumte, mindestens, was er selbst gebraucht hatte.

Andererseits hatte Susann wohl nicht viel anderes zu tun gehabt, als ihrem Mann hinterherzuputzen. Auch eine Methode, sich unentbehrlich zu machen.

Conny nahm sich Zeit, um sich im Bad abzuschminken und zu duschen, stellte fest, dass, Hausfrau samt Putzfrau hin oder her, der Duschkopf total verkalkt war, und schraubte ihn ab, um ihn in der Küche in Essig zu legen.

Dann zog sie ihren hübschen kirschroten Schlafanzug an (eigene Kollektion vor einem Jahr), legte sich neben Vico und knipste das Licht aus.

Im Finstern lag sie auf dem Rücken und wartete, bis sie etwas sehen konnte: das Zifferblatt des kleinen Digitalweckers auf ihrem (Susanns) Nachtschrank, die Umrisse des Fensters, durch dessen Gardine etwas Licht von der Gartenbeleuchtung drang.

Neben ihr begann Vico, sanft zu schnarchen. Es klang eigentlich niedlich, wie das Purren eines Katers. Sie hatte nicht geahnt, dass er schnarchte. Wenn er mal in ihrem Apartment eingeschlafen war, dann stets lautlos. Vielleicht lag er ungünstig?

Sie ruckelte sanft an seiner Schulter, und er bewegte sich etwas und schluckte zweimal, um dann weiterzuschnarchen. Am besten gewöhnte sie sich gleich daran. Sie schloss ein paarmal die Augen, doch die öffneten sich gleich wieder. Was sagte der Wecker? 22:16.

Ob Vico immer so früh schlafen ging? War man als Ehefrau verpflichtet, sich danebenzupacken, auch wenn hier nichts weiter stattfand?

Conny stand leise auf, verließ das Schlafzimmer, huschte die Treppe hinunter und setzte sich im Wohnzimmer auf eins der weißen Sofas. Sie hatte das dringende Bedürfnis, mit einem klugen erwachsenen Menschen zu reden. Wen durfte man denn um diese Zeit noch stören?

In ihr Handy war die lange Telefonnummer einprogrammiert. Sie musste nur auf *Eric* tippen.

Nach anderthalb Klinglern meldete er sich schon: »Mami?«

»Hallo, Liebling. Du bist also gut nach Hause gekommen. Du, bei mir hat sich heute noch überraschend viel ereignet. Hast du einen Moment Zeit, oder störe ich?«

»Gar nicht. Ich hab bis eben gearbeitet und mir gerade noch einen Tee gemacht. Diana schläft schon.«

»Tut sie das? Vico auch.«

»Wer –?!«

»Vico. Doktor van Loon. Dein biologischer Vater ...«

»Ach der. Wieso? Woher weißt du das?«

»Weil ich in seinem Haus sitze. Eigentlich hab ich sogar eben noch in seinem Bett gelegen!«

»Wie ist das denn möglich?«

»Seine Frau hat ihn heute Vormittag verlassen. Vielleicht sind wir ihr am Flughafen sogar begegnet und haben sie bloß nicht erkannt. Sie hat einen Neuen, Jüngeren. Und dein Vater ist über alle Maßen beleidigt und will mich vom Fleck weg heiraten, so schnell wie nur möglich, damit ihn keiner für einen Loser hält. Vielleicht auch, damit sie sich besonders ärgert, sie konnte mich nie leiden. Eric, verstehst du? Deine Eltern heiraten, fünfunddreißig Jahre nach deiner Geburt!«
»Muss das sein?«, fragte ihr Sohn gedehnt.
»Was hast du dagegen? Vielleicht adoptiert er dich schließlich.«
»Ja, vielen Dank auch. So weit kommt es noch! Ich heiße gerne Hertz!«, sagte Eric – und Conny freute sich. »Will er dich wirklich heiraten? Mami, überleg dir das bitte gut ...«
»Bin seit Stunden dabei. Deshalb hab ich dich doch angerufen. Du würdest also eher abraten? Weshalb eigentlich? Wann hast du Vico das letzte Mal erlebt?«
»Das ist noch gar nicht so lange her, vor einem halben Jahr, schätze ich. Da war ich für unseren Laden in Hamburg – du hattest an dem Tag keine Zeit, erinnerst du dich? Deshalb hab ich ihn angerufen und wir waren mal wieder essen über Mittag. Und da fand ich ihn ... Wie soll ich das zusammenfassen? Etwas vergesslich und etwas streitlustig und ziemlich starrsinnig. Mehr, viel mehr als früher. Schonungslos gesagt, er kam mir alt vor. Fast etwas – kauzig. Versteh mich recht, er hat mir nichts getan, er war nett zu mir ... Er ist ja so weit ein ganz Lieber ... Aber uns verbindet nicht viel. Wir sind uns ziemlich fremd. Ich hab nie verstanden, wieso du eigentlich so auf ihn fixiert bist. Du bist so lebenslustig und vital und wach und humorvoll ...«
»Ja, komm, gib's mir! Ich kann's brauchen!«
Eric musste lachen. »Jedenfalls finde ich, du wirkst nicht nur zwei, sondern mindestens zwölf Jahre jünger als der Doktor.«

»Das Schlimme ist, den Eindruck hatte ich heute auch dauernd. Wie ist denn das möglich?«
»Veranlagungssache, Erziehungssache. Mami, wenn du dich mit meinem Herrn Vater ganz und gar zusammentust, dann fürchte ich, wird er dich sehr beeinträchtigen. Du, der kriegt es fertig und kommt drauf, dir Hertz-Moden zu verbieten, damit du seine Hand halten und ihm sein Lätzchen umbinden kannst …«
Conny schwieg.
»Sag bloß – das hat er schon, was? Mami!«
»Ich lass es mir ja nicht verbieten. Eric, ich danke dir. Du hast mir weitergeholfen …«
»Das freut mich. Du wirst es schon richtig machen. Seit wann schmachtest du alles in allem hinter van Loon her?«
»Seit rund dreiundvierzig Jahren.«
»Vielleicht ist das der richtige Zeitpunkt, um dir mal zu sagen: Andere Mütter haben auch nette Söhne?«
»Ich werde es beherzigen. Geht es Diana besser?«
»Ging ihr richtig prima heute. Du kommst doch im Mai – egal, wen du gerade geheiratet hast?«
»Versprochen. Grüß deine süße Frau – und schlaf gut …«
Während Conny telefonierte, war Sonny leise die Treppe hinuntergehüpft und sprang, nachdem sie das Telefon ausgeschaltet hatte, mit den Vorderpfoten auf ihre Knie.
Sie hob den kleinen Hund hoch und nahm ihn auf den Schoß: »Komm, berühr bloß nicht das Sofa mit deinen Hundehaaren. Sonst müssen die hier alles noch viel *akribischer* sauber machen …«

Als Vico van Loon am Mittwochmorgen aufwachte und sich daran erinnerte, dass ihn seine Frau verlassen hatte und seine Geliebte jetzt bei ihm wohnte, drehte er den Kopf und erwartete, sie neben sich zu finden. Das war indessen nicht

der Fall. Das frisch bezogene Bett sah sogar nahezu unberührt aus.
Er erhob sich hastig, öffnete die Schlafzimmertür und blickte auf den Flur. Nein, da lag auch nicht, wie gestern Abend, die Decke von diesem kleinen Hund. Ja, aber –
Da hörte er von unten aus der Küche Geschirrgeklapper und Connys Stimme. Sicher machte sie Frühstück und sprach dabei mit dem Tier.
Er begab sich etwas beruhigt ins Bad. Als er allerdings nackt unter die Dusche trat, entdeckte er, dass der Duschkopf fehlte! Er zog sich verärgert seinen Bademantel an und lief die Treppe hinunter: »Conny, so geht das aber nicht! Was soll denn das, was hast du denn mit der Dusche gemacht?!«
»Guten Morgen, Vico!«, sagte sie und hielt ihm den offenbar gereinigten Duschkopf hin. Irgendetwas an ihrem Lächeln stimmte nicht. Es war weder zärtlich noch hingebungsvoll – eigentlich noch nicht mal weiblich. Sie leitete jetzt wohl schon so lange diese Kleiderherstellung, dass sie nur noch etwas wie ein kühles, geschäftsmäßiges Lächeln hinbekam.
Er wollte trotzdem nett sein: »Hast du schlecht geschlafen, Schäfchen?«
»Im Gegenteil. Zwar wenig, aber sehr gut. Sonny und ich sind schon lange auf, wir haben einen weiten Spaziergang gemacht. Ich hab mir vom Bäcker einen Kaffee to go geholt und frische Brötchen mitgebracht – für dich sind zwei im Brotkasten.«
»Das heißt, du hast bereits alleine gefrühstückt?«, erkundigte sich Vico missvergnügt.
»Ja, hab ich. Und gepackt hab ich auch. Sonny und ich verlassen gleich dein Haus. Ich wollte nur warten, bis du wach bist, um mich zu verabschieden.«
»Ah – du bringst das Tier weg. Das ist nett. Du musst das verstehen, die kleine Amelia leidet wirklich ganz schrecklich unter dieser Allergie …«

»Das hab ich schon verstanden. Hoffentlich kannst du unsere Spuren gründlich wegputzen.«
»Conny, du bist doch jetzt nicht beleidigt?«
»Nein, bin ich nicht. Pass auf, Vico, ich mach es möglichst kurz, dann haben wir's hinter uns: Ich möchte dich nicht heiraten.«
Er trat einen Schritt zurück und starrte sie mit leicht geöffnetem Mund an. »Bitte –?!«
»Ich habe gemerkt, dass mein Wunsch, Frau van Loon zu sein, im Lauf der Jahre verwelkt ist, verblichen, tot. Vielleicht hat es zu lange gedauert, keine Ahnung.«
Vico drehte den blitzblanken Duschkopf in den Händen. Waren denn seit gestern früh alle Frauen verrückt geworden?
»Du meinst wahrscheinlich, du sitzt jetzt endlich mal am längeren Hebel?!«
»Nein. Ich meine, wir hatten unser Leben lang eine romantische Liebesgeschichte, und irgendwie hat sie es nicht überlebt. Legalisierung bekommt ihr nicht. Vielleicht ist sie sogar vorher schon gestorben und wir haben es nicht gemerkt.«
Vico war ein sanfter, friedlicher Mensch. Doch jetzt überkam ihn die heiße Wut. »Ich weiß nicht, was du da faselst! Was willst du von mir?!«
»Buchstäblich nichts. Ich danke dir für alles – und ich wünsche dir alles Gute. Falls du glaubst, wir könnten gute Freunde bleiben, dann können wir es versuchen. Wenn du mich lieber hassen möchtest, auch gut. Das überlasse ich dir. Ich fahre jetzt nach Hamburg, ich muss einiges in meiner Firma erledigen …« Sie zog schon ihren Mantel an und knipste das kleine Hundevieh an die Leine. Ihre Reisetasche stand im Windfang neben der Tür. Sie hob sie hoch, schenkte ihm noch einmal dieses Geschäftslächeln und verließ das Haus.
»Dann hau doch ab!«, brüllte Vico hinter ihr her – und weil er ausnahmsweise wirklich höchst erbost war, warf er ihr den sil-

bernen Duschkopf über den Gartenweg hinterher. »Dann sieh doch zu, wie du klarkommst! Dann bleib doch Fräulein Hertz für den Rest deines Lebens! Aber das sage ich dir, wenn du meinst, ich renne dir hinterher – das hab ich nicht nötig! Gestern früh hab ich zufällig mit Chantal telefoniert, die ist seit einer Weile auch geschieden und sucht eine Assistentenstelle, wie's sich so trifft. Die kann gern bei mir anfangen, und heiraten kann ich die auch, die sagt bestimmt nicht Nein! Und die ist jung genug, um mir noch mal Kinder zu schenken, wenn ich will! Dann bist du nämlich wieder von vorn die Geliebte eines verheirateten Mannes und kannst warten, bis die Kinder erwachsen sind, so sieht das aus! Und glaub ja nicht …«
Aber inzwischen war Conny in ihr Auto gestiegen und fuhr los. So sprang Vico auf den Gartenweg, barfuß und frierend, nur im Bademantel, um den Duschkopf wieder aufzusammeln. Dann verschwand er in seiner pastellfarbenen Villa, die Tür laut hinter sich zuschmetternd.

An diesem Mittwoch regnete es schon wieder und der Himmel ließ den Bauch auf die Erde hängen.
Conny hatte, entgegen Vicos Vermutung, trotzdem gute Laune. Sie kümmerte sich um die Herbst-Kollektion und einige Änderungen im Katalog, sie ging mittags mit Frau Kannemaker essen, wobei sie vor guten Einfällen nur so sprudelte.
»Nehmen Sie heute Nachmittag nicht frei, Frau Hertz?«, erkundigte sich die Mitarbeiterin schließlich, ihren Mund mit der Papierserviette abtupfend.
»Richtig, heute ist ja Mittwoch. Sie haben recht.« Conny blickte Frau Kannemaker sehr lange und sehr nachdenklich an. »Der Mittwoch war immer irgendwie schicksalhaft in meinem Leben. Doch, ich nehme frei – jetzt haben wir ja auch erst mal alles geklärt, stimmt's? Und Sonny musste den ganzen Tag langweiliges Gerede anhören …«

Wieder in ihrem Büro, rief sie Christian Schnoor an.
»Conny! Was kann ich für dich tun?«
»Also, ich will nachher mit Sonny einen ganz langen Gang im Gehege machen. Möglichst, wenn es noch hell ist – so gegen vier, spätestens halb fünf, dachte ich. Die arme Kleine war den gesamten Tag mit mir in der Stadt, die braucht Erde unter den Pfoten, auch wenn's nasse Erde ist. Ich dachte, Lancelot und du, ihr kommt vielleicht gern mit?«
»Das lässt sich machen. Können wir auch gut brauchen, mal die Ohren im Wind flattern lassen. Warum hattest du Sonny mit in der City?«
»Ja, wie soll ich das erklären? Ich hab die Nacht nicht zu Hause, sondern bei einem Mann verbracht …«
Dazu sagte er nichts.
»Keine Sorge, es ist nichts passiert …«
»Ich mach mir keine Sorgen. Warum erzählst du mir das?«
»Du wolltest wissen, weshalb Sonny bei mir ist. Sie war mit und wir haben heute Morgen gemeinsam dieses fremde Heim verlassen. Er wollte uns heiraten, und wir haben abgelehnt. Das heißt, Sonny hat er überhaupt keinen Antrag gemacht, im Gegenteil. Eigentlich hat er sogar gesagt, sie muss weg …«
Christian sagte immer noch nichts.
»Bist du noch da?«
»Ja. Um ehrlich zu sein, ich verstehe nicht ganz, worum es geht.«
»Ganz einfach, meinen Hund und mich gibt es nur gemeinsam. Ich trenne mich doch nicht von Sonny!«
Nach einer Pause bemerkte er vorsichtig: »Das kann ich verstehen, natürlich. Und was ergibt sich daraus?«
»Das erkläre ich dir lieber beim Spazierengehen.«
»Ist es so kompliziert?«
»Nein. Nein, im Gegenteil. Eigentlich ist es sogar schrecklich einfach.«

Wieder eine lange Pause. Dann sagte er: »Also um Viertel nach vier am Parkplatz Bondenwald, okay?«
»Bis dann«, sagte Conny, schaltete ihr Telefon aus und blickte aus dem Fenster in Sturm und Graupelschauer. Hätte Vico ihr Lächeln jetzt sehen können, dann hätte er nichts daran auszusetzen gehabt.

Wie es der Zufall wollte, machte das Wetter gegen vier Uhr nachmittags eine kleine Pause, mäßigte sich, schaltete Regen und Hagel ab und ließ sogar die dunkelgrauen Wolken um eine Schattierung heller werden.
Conny hielt auf dem Parkplatz, ließ Sonny in den bunten Blätterteppich springen und schlang sich ihren Schal um den Hals.
Sie fühlte sich sehr merkwürdig. Die riesige, schillernde Seifenblase, in deren Mittelpunkt sie sich den größten Teil ihres Lebens befunden hatte, war zerplatzt und sie selbst auf dem Boden gelandet, etwas zerzaust und taumelig, aber heil.
Immer hatte sie befürchtet, dass dies passieren könnte. Dass es vorbei wäre. Müsste sie jetzt nicht verzweifelt sein? War dieses Gefühl von Befreiung korrekt – und würde es anhalten?
Vom anderen Ende des Platzes kam Foxi mit seinem Hund auf sie zu.
Kaum erblickten sich die Tiere, da liefen sie sich eifrig entgegen, Sonny trippelnd und etwas unregelmäßig, Lancelot in wiegenden Sprüngen und, ganz wie Foxi gesagt hatte, mit flatternden Ohren.
Als der Mann so nahe war, dass sie sein dreieckiges Fuchsgesicht mit den schräg stehenden Augen und den hohen Wangenknochen gut erkennen konnte, begann auch Conny zu rennen. Sie lief immer schneller, ohne zu überlegen, direkt auf ihn zu.
Er hätte beiseitespringen können.

Oder einfach fest stehen bleiben – um sie aufprallen zu lassen. Er hätte schimpfen können oder wenigstens gereizt reagieren auf diese ungewöhnliche Zumutung. Doch er fing sie auf, als hätten sie das geübt, und drehte sich, Conny in den Armen, zweimal um sich selbst, um ihren Schwung abzudämpfen. Dann stellte er sie behutsam auf die Füße, ohne sie loszulassen, und schaute aufmerksam in ihr Gesicht.

»Hallo«, sagte er leise. »Du siehst irgendwie glücklich aus. Was ist bitte genau passiert?«

Sie antwortete mit dem Text, der wie ein nicht abzuschüttelndes Lied seit einer halben Stunde in ihrem Kopf saß: »Foxi, ich hab diese Passion hinter mir. Ich will jetzt bei dir bleiben. Du kannst mir in aller Ruhe ein Schloss bauen – falls du das noch vorhast?«

Seine Hände, eben noch auf ihren Schultern, griffen in ihr Haar und zogen ihren Kopf ein wenig zurück.

Richtig, dachte Conny, während sie in die schrägen, dunkelgrünen Augen über sich blickte, er wird hoffentlich nie auf die Idee kommen, mein Kinn zwischen Daumen und Zeigefinger zu nehmen …

Ich möchte mich bei meiner wunderbaren Lektorin Tanja Frei bedanken, für die, wie immer, großartige Zusammenarbeit.
Ganz herzlichen Dank auch an meine ehemaligen Mitschüler aus Niendorf, vor allem Nati, Harriet, Werner und Jürgen.
Und vielen Dank für die Hilfe beim Trauma-Auflösen an meine Niendorfer Schüler der Paul-Sorge-Straße im Fach Kreatives Schreiben:
die geniale Alicia,
die schöne Enola,
die kriegerische Anna-Lena,
den pfiffigen Ehsan,
den höflichen Wowa
und Taron mit der Vorliebe für Gruselgeschichten.

Romane mit Tiefgang und Humor –
Jenny Bünnig bei LangenMüller

Es muss dunkel sein, damit man die Sterne sieht

Die junge Ria bricht mit vier alten Damen zu einem Roadtrip durch Europa auf – denn jede von ihnen hat noch eine Sache zu erledigen … Ein wunderbarer Roman über das Leben, das Alter, unerfüllte Träume und Freundschaft durch dick und dünn.

Print: 978-3-7844-3344-8 · E-Book: 978-3-7844-8186-9

Der Sommer hat vier Wände

Ein junges Mädchen versucht, mit ihrer Fantasie und einem alten Ofen den Sommer und das Lachen zurück in ihre Familie zu holen – ein herzerwärmender und bewegender Roman voller skurriler Charaktere.

Print: 978-3-7844-3379-0 · E-Book: 978-3-7844-8232-3